《幽默答辩 50 法》

厦门大学出版社　1990

《幽默答辩五十法》

厦门大学出版社　1992

《孙绍振幽默文集（共 3 卷）》

广东旅游出版社　2004

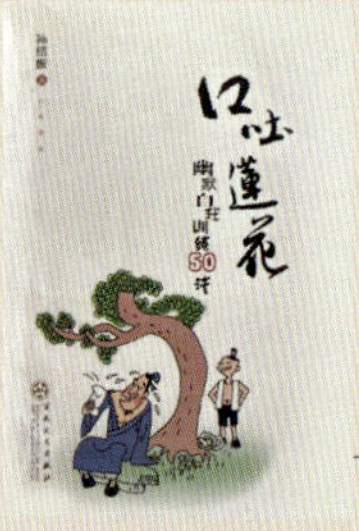

《口吐莲花：幽默自我训练 50 法》

百花文艺出版社　2011

孙绍振文集

笑对人生与幽默谈吐

海峡出版发行集团 | 海峡文艺出版社

图书在版编目(CIP)数据

笑对人生与幽默谈吐/孙绍振著. —福州：海峡文艺出版社,2025.6
(孙绍振文集)
ISBN 978-7-5550-3002-7

Ⅰ.B83;H019

中国国家版本馆 CIP 数据核字第 20258EA008 号

笑对人生与幽默谈吐

孙绍振　著
出 版 人　林　滨
丛书统筹　林可莘
责任编辑　蓝铃松
助理编辑　吴飕茉
出版发行　海峡文艺出版社
经　　销　福建新华发行(集团)有限责任公司
社　　址　福州市东水路 76 号 14 层
发 行 部　0591—87536797
印　　刷　上海盛通时代印刷有限公司
厂　　址　上海市金山工业区广业路 568 号
开　　本　787 毫米×1092 毫米　1/16
字　　数　350 千字
印　　张　18.25　　插页　1
版　　次　2025 年 6 月第 1 版
印　　次　2025 年 6 月第 1 次印刷
书　　号　ISBN 978-7-5550-3002-7
定　　价　106.00 元

出版说明

孙绍振先生是我国著名的文艺理论家、文学评论家、语文教育理论家、作家，是“闽派批评”的旗帜性人物。

他学贯中西、思通古今，全面梳理中国传统文艺理论中的重要命题，对当代西方文论进行了系统的分析和批判。他的文学研究贯穿着“实践真理论”的世界观和辩证方法论。他以一个“文学教练”的矫健身手，在“文学创作论”和“文学文本解读学”的坚实理论基础上，进行海量的经典文本分析，洞察小说、诗歌、散文等文类的艺术奥秘。由此，他建构了富有原创性的中国特色文学理论话语体系，在理论和实践结合方面发出中国声音。

他以先锋姿态投入“朦胧诗”大论战，业已留下重要的历史文献；以创新思维和精准表达，体现文学批评的力量与高度。

在语文教育改革中，他以犀利的思想拨乱反正，为语文教育的学科建设做出独特的贡献。其成就不仅深刻影响祖国大陆语文教育学界，还辐射至宝岛台湾，有力助推两岸学术、文化与教育交流。

作为一个作家，他钟情于诗歌、散文创作，产出丰硕的成果。其演讲体散文，卓尔成家。

为了全面展示孙绍振先生的研究成果和学术成就，我社组织出版“孙绍振文集”（20 册），汇编其迄今为止的全部代表性学术著述和文学作品，涵盖文学理论建构、文艺评论、演讲、语文教育、文学创作等诸方面内容。希望这套文集能全面展示孙绍振先生的理论成就、评论成果和文学创作的整体风貌，呈现中国学派崛起的绰约风姿及其在世界学术话语体系中日渐突出的自主地位。

海峡文艺出版社

二〇二五年六月

目　录

下编　幽默漫笔

上编　幽默基础

本编原系为上海电视台撰写的《主持人培训文化大纲》。

理论基础：宇宙人生的终极关怀

一、对大众娱乐狭隘理念的反思

对于幽默，有一种理解，以为所谓“幽默”就是搞笑、八卦之类，甚至和“恶俗”联系在一起，故将之定位于俗文化，而不是精英文化，但是从“笑对人生”这个角度来看幽默，这种理解就未免太狭隘。人生应该是丰富多彩的、复杂的、多元的，从根本上来说，是多层次的。搞笑之类固然不可缺少，但它是最浅层次的。我们提出幽默是一种人生观，就要从浅层次向高层次提升，哪怕是搞笑的，也蕴含着深邃的文化、艺术甚至哲理在内。同样的笑，可以是庸俗的（滑稽洋相的），也可以是高雅的（悲天悯人的），甚至可以是严峻的（面对灾难的）。我们回避的是庸俗的笑。

二、笑对人生：人类永恒的课题

从最深刻的意义上来看，笑对人生并不仅仅是幽默的课题，而是全人类不得不面对的困惑和挑战。

一方面，人为万物之灵，人创造了上帝都不曾创造的辉煌文明，从这个意义上说，人是伟大的。另一方面，人的寿命是有限的。人生不过百年，最多不过如李白所说三万六千日而已。比起人类数千年的文明史，人的生命实在太短暂。人一生下来就面临死亡，人在欣欣向荣地成长的同时，又在不知不觉地走向死亡。故中国最早的象征派诗人李金发曰：“生命是死神唇边的微笑。”从根本上讲，生命注定了悲剧的结局，这个结局，是必然的。

古代的皇帝曾经寻求逃脱，从寻蓬莱仙境到炼长生不老之丹，莫不以失败告终。

于是，就有了宗教。佛家认定，生命乃是七情六欲随缘而生的幻觉，不过是梦幻泡影；看不破红尘，乃是妄执无明。因而要修行，戒绝喜怒哀乐，牺牲此生的感官享受，换取来生的幸福。基督教则把肉体与灵魂分开，世俗的肉体有罪，宜加忏悔，追求灵魂升天。与之相似的，乃是虽非宗教的道家，不识不知，清心寡欲，随遇而安，顺其自然，故庄子妻子死亡，乃鼓盆而歌。毛泽东幽默地说，是“庆祝辩证法（生和死的矛盾转化）的胜利”。

这一切的哲学基础，主要是意识到生命的大限，不可逃脱，乃消极地否定生命的幸福和欢乐的权利。如果不能算是“哭对生命”的话，也是“苦对生命”。当然，这仅仅局限于个体生命。从血统的延续来说，生命又是可以代代相传的，但也并不是永恒的，人作为一个类，无从逃脱灰飞烟灭的终极。

对于这样的现实，人类的态度可以分成几种类型：第一类是宗教家，大抵是悲观的、绝望的，其极端者乃是禁欲的、戒绝娱乐的。生命对他们是一种折磨，他们生命的价值就在于寻求折磨的苦行。第二类是对之无知、麻木，是纵欲的，醉生梦死，满足于世俗的欢笑。这样的笑，就是浅层次的，多多少少带着傻笑的意味。八卦式的搞笑可能就属于这个类型。第三种类就是意识到人的个体的悲剧的不可避免性，仍然要笑对人生。这就是睿智的笑，明知生命苦短，如白驹过隙，昙花一现，仍然笑对。这是笑对人生的最高境界。

面对毁灭的必然，除了无限悲苦，别无选择，人心就失去自由。笑对人生，是人的心灵自由。“自由乃是对于必然性的认识”，荷兰哲学家斯宾诺莎（1632—1677）第一个揭示了这个深刻的哲理，后来得到马克思的认同。认识到悲剧的不可避免，仍然笑对，这既是哲理的清醒，又是感性的深邃。

人的思想是在比较中进行的，比较有两个方面。把人的个体生命和宇宙自然、人类历史作比较的，自然感到悲观，但这种悲观是超越经验的。现实的人的悲欢，并不是从这里产生，而是在人的经验范围之内展开的。人的幸福感并不取决于宇宙和自然史，而是现实生活。生命固然短暂，个体的生命的受孕，乃十多亿分之一的偶然，所以才更应该珍惜。正是因为人生不过百年，所以才应把每一天、每一时、每一刻，当作节日。就是遭遇逆境，也是相对的。当你哭泣没有鞋子穿的时候，应该想想有人还没有脚。

网上有个帖子，统计数字可能比较陈旧，不太准确，但可以参考。这个帖子叫作“地球百人村”：假定地球上只有 100 个人，有 80 个人生活得不理想，有 30 个是文盲，有 50 个营养不良，只有一个有大专学历，拥有电脑的也只有一台。如果你早上醒来，觉得还算健康，恭喜你，还有 100 万人，只剩下 1 周的寿命。如果你没有经历过战乱，没有被凌辱，被监禁，那么你也值得恭喜，还有 5 亿人没有你这样幸运。如果你有房子住，有衣服穿，冰箱里有食品，那么你也有理由庆幸，你实际上比地球上 75% 的人更富有。这个帖子最后说，如果能读这个帖子，你就是幸运的，因为这个地球上还有 20 亿人是文盲，而你可以工作，可以爱，可以唱歌跳舞。即使你受过伤害，你也可以不管别人怎么看你，你有权觉得自己生活在人间天堂，可以对生活开怀大笑。

如此说来，笑对人生，具有现实性，是件并不太难的事，但是，许多人觉得自己生活在苦涩之中。对于社会、对于自己不满意，有怨气，甚至愤愤不平。总觉得这个社会，这个世道人心令人郁闷。

这是为什么呢？因为现实社会不理想。正是因为不理想，所以我们要笑对人生就有了难度，同时又有了特殊的迫切性。

三、笑对人生的迫切性

《礼记·礼运》这样描述“大同社会”：

> 大道之行也，天下为公，选贤与能，讲信修睦。故人不独亲其亲，不独子其子。使老有所终，壮有所用，幼有所长，矜寡孤独废疾者皆有所养。男有分，女有归。货恶其弃于地也，不必藏于己；力恶其不出于身也，不必为己。是故谋闭而不兴，盗窃乱贼而不作，故外户而不闭。是谓大同。[①]

“天下为公”是孔子和他的门人所设想的最理想的社会：财富丢在地上，不用私藏于己；力气不管出了多少，也不必为了自己；男人有职分，女人有家庭；丧失劳动力，身有残疾的，都有社会保险；选拔人才，只讲能力；人与人之间，只讲诚信；人人皆是骨肉，亲情不为家族血统所限；社会上没有阴谋诡计，夜不闭户。这就叫作“大同”。这实在有点共产主义的味道。首先，这是个社会理想，各尽所能，各取所需；其次，这是个人格理想，没有私心，“毫不利己，专门利人”，没有阴谋，没有盗贼。这个大同世界，康有为、孙中山都很神往。

《礼记·礼运》也记载了“小康”：

> 今大道既隐，天下为家。各亲其亲，各子其子，货力为己。大人世及以为礼，城郭沟池以为固，礼义以为纪。以正君臣，以笃父子，以睦兄弟，以和夫妇，以设制度，以立田里，以贤勇知，以功为己。故谋用是作，而兵由此起。禹、汤、文、武、成王、周公，由此其选也。此六君子者，未有不谨于礼者也。以著其义，以考其信，著有过，

① （清）阮元校刻：《十三经注疏》，中华书局 1980 年影印本，第 1414 页。

刑仁讲让，示民有常。如有不由此者，在埶者去，众以为殃。是谓小康。[①]

“天下为公”没有实现，“天下为家”却实现了，于是禹、汤、文、武、成王、周公就成了中国历史上杰出的理想的政治家。不是毫不利己，专门利人，而是“货力为己”“以功为己”，根本的区别就在于，把个人的利益和贡献（“力”和“功”）联系起来。不一味排除个人的私利，而是尊重个人私利，使之成为社会发展的动力。亚当·斯密在《原富》中说，人奋力改进工作的动机，并不是为了公众的福利，而是为了自己。就是这样的一双“看不见的手”，在推动经济的协调发展。因为从承认人有权利争取自己的幸福方面来说，这是进步；但是，从另一方面来说，却不能没有负面作用。第一，人心坏了（“谋用是作”）。第二，暴力流血事件公开成为常规（“兵由此起”）。为什么呢？因为理想的社会制度和人格与人的本性有矛盾。2000年的美国经济学家诺贝尔经济学奖获得者丹尼尔·麦克法登说：“不管制度多么理想，多么强调关心别人，如果不能给人们带来直接的利益的话，也难以让人们早晨一起来就埋头苦干。不管这多么可悲，我相信，这是人的本性。”[②] 面对现实人生，之所以难以笑起来，第一，是因为人性本身的弱点，人并不是大公无私的，除了美国人本主义心理学家马斯洛所设想的少数人甘心自我牺牲得到“高峰体验”以外，好人也是大公有私的，甚至还有不少小公大私，乃至于大私无公的。但是，黑格尔说，“恶是推动社会历史前进的杠杆”。对此，恩格斯在《路德维希·费尔巴哈和德国古典哲学的终结》中曾经加以肯定。不承认人的私心的合法性，就不会有小康；要有小康，就不能不以竞争来代替奉献；而竞争，就不能不承受由之而带来的欺诈、盗抢，人欲横流，道德堕落，世风日下。第二，由于人格理想的破灭，事情走向反面，廉耻丧失，权力腐败，资源配置不公，机会不平等，竞争不透明，分配不合理，决策不民主，贫富两极分化。在这种情况下，解决问题的最佳法门乃是协调、化解冲突危机，缓解社会的愤懑、积怨，防止矛盾自发产生恶性循环而导致极大的破坏性。

笑对人生就是要面对这样变化了的世道。笑对生活，所涉及的就是这样的世道人心的全部。这是一个宏大的宇宙，光是个体和家庭就大致可分为：

人生阶段（婴儿、少年、青年、中年、老年）。

人生空间—集体—家庭—家庭人际：夫妻、父子、祖孙、妯娌、兄弟姐妹。

家庭结构：丁克、单亲、三代同堂、四代同堂、鳏寡孤独、跨（缺）代家庭等。

这种理论上的逻辑划分，有利于展开系统的、全面的视野。从笑对人生的全方位来说，

---

① （清）阮元校刻：《十三经注疏》，中华书局1980年影印本，第1414页。

② ［德］贝蒂娜·施蒂克尔：《诺贝尔奖获得者与儿童对话》，生活·读书·新知三联书店2003年版，第29页。

光有逻辑的划分是不够的，还要有自觉的历史观念。不难发现，这里最为重要的，并不是人生阶段年龄的分化，而是有了变化。最大的变化，则是家庭结构，“百善孝为先”的观念瓦解，不要说四代同堂已经不成为家族兴旺的理想，三代同堂，也是凤毛麟角。家庭变小了，权力结构变化了，大家庭的家长角色崩溃了，小家庭的独立性确立了。父母的家是子女的家，子女的家并不是父母的家，可又并不影响啃老族的存在。个人幸福至上，单亲家庭、丁克族乃应运而生。而在农村，多子女反而互相推诿，养老的危机日益严重。家庭观念的历史性变化，争夺房产的官司恶性发展，正是新旧价值观念交替的困境，都是笑对人生课题的严峻挑战。

类似的状况还发生在团体人际之间。在国家机构，上下级的权力结构的固定化仍然很少变化，行政权力产生了市场化的寻租倾向。至于在非国营机构，虽然民间传统的义气观念在底层甚为流行，西方社会的个人成功至上，亦与之形成某种奇异的交融。这种情况在城市扩张，拆迁法规的不完善时时引起冲突，在农村人口向城市的集中过程中，户籍制度、社会保障、教育机会的不均衡，积累着仇官、仇富的情绪，引发恶性案件。至于人与自然关系的恶化，宏观环保与局部经济发展的矛盾，这都是经济高速发展中纷至沓来的乱象。再加上，大国经济地位的确立，造成和国际列强，乃至与邻国之间关系的复杂化，外交上、军事上，都聚集着空前的压力。

这样的不和谐现状，往往使人笑口难开。

“笑对人生”的哲理基础：和谐性

一、在新旧交替的转折点上构建现代性人生

传统的观念有经典的权威为基础，但是许多不适应今天的生活，有的已经被颠覆。西方价值观念潮水般地涌入，也有相当一部分和中国传统和国情发生错位，而一个社会要达到成熟高度不能没有最基本的共识。新旧混杂、交错的观念，也很难担负起聚焦共识，稳定心理秩序的重任。中国当前面临的是重建具有中国特色的人生观现代化的课题，这是一项极其艰巨的历史任务，可能要一代以上的人才能确立新的价值体系，积淀其权威性的全民认同。在人的现代感上，还没形成一个总的价值体系。

二、笑对人生的和谐原则：从一分为二到合二而一

笑对人生是现代人生观的一个重要准则。

首先，从笑对人生的文化精神来说，一切压力都要敢于面对。如鲁迅所说，敢于直面惨淡的人生，甚至冷峻面对人生中的悲剧。只有敢于冷对才会转化为笑对。

其次，面对并不一定是笑对，最为关键的是坚持一系列原则。第一，就是积极性、乐观性原则，这是和佛家消极悲观厌世的原则相对的。佛家认定人生苦海无边，今生修行以求来世，但是今生就是前世的来世，来世也是未来的今生。失去了今生，也就没有了来世。所以健康的人生观应该是活在当下。失去了今天，也就没有明天。宏观的人类命运、宇宙的终点是悲观的，可这种悲观不是绝对的，而是相对的，因为其过程是漫长的，几千年的

人类历史，几十亿年的地球史，虽然有不可避免的终结，但从宇宙运行来说，运动并没有停止。当然，其过程接近于无限的漫长，因而，过程的漫长性，就为积极、乐观提供了自由。“自由乃是对于必然性的认识。”这个伟大命题在今天看来，似乎并不完善，有补充的余地。认识必然，可能分化为两种，一是导致消极、悲观；二是在一定条件下，在漫长的时间过程中，矛盾转化，过程的相对性与终结的绝对性在这里发生对转。这里的哲学基础，第一是马克思主义的真理观。真理是个过程，过程比结果更重要，伯恩施坦说过：“过程就是一切。”

第二，最重要的是和谐性原则。片面强调自然、社会、思维的矛盾的对立斗争是发展动力，实践证明，这是片面的。恩格斯在《共产党宣言》再版时，就特别注明，阶级斗争的结果有两种，一种是一个阶级胜利，另一个阶级灭亡；另一种是两个阶级同归于尽（如奴隶和奴隶主）。矛盾的斗争性一分为二，并不是绝对的，而是相对的。中国古典哲学家方以智就强调一切事物都是“合二而一”的，这个哲学遗产足以补充“一分为二”的不足。① 这就提供了现代人和谐哲学的基础。

第三，在这样自觉的明确的哲学基础上，重构现代人的价值观念。首先是把人当作人，生命至上；其次，人的喜怒哀乐，人的优点与缺点，都是生命精彩，因为是人的，就是美好的。由此而衍生出对人的欣赏，对生命的珍惜，同情宽容，平等待人，与人为善。

① 方以智（1611—1671）于1652年在《东西均》中提出“合二而一”：“交也者，合二而一也”“尽天地古今皆二也，两间无不交，则无不二而一也”。把对立之物的主导方面放在统一上，可以说是中国式天人合一的演绎。他逝世前一年才出世的黑格尔，则把统一之物的主导方面放在事物的矛盾上，但是，历史证明，人类社会不但对立斗争是动力，和谐统一也是发展的动力。

三种趣味：笑的基础

一、情趣、智趣为基础，谐趣为主导

以上这一切还只限于认识原则。虽然认识有了深度，对于笑对来说，只是一种可能性，要使之转化为有深度的笑对，还要求进入专业性层次。

笑是多种多样的，有苦笑、讪笑、冷笑、惨笑、尴尬的笑、无奈的笑等。这些都带有对人生、对生活的消极性，实质上是狭隘性，也就是为狭隘的观念和一时的情绪所拘束的笑，和我们所追求的笑不同。我们的笑是自由的笑，其宗旨正是为了把这种笑从狭隘观念和情绪中解放出来，获得自由。

自由的笑产生于趣。

我们追求的不是一般的趣，而是深度的趣。这里有一个情趣和智趣的关系。智趣，就是信息（包括自然、社会、人生）的新奇、深邃，以智慧发现为特点，有加深趣味性的功能；但局限于智慧，仍然有抽象的弊端，关键在于化智为谐，是为谐趣；而三者的关系是情趣、智趣为基础，谐趣为主导，使所有趣味都带上笑意。概括起来说，就是以喜剧性原则为核心的深度趣味原则。

从现实的情况来说，不能不面对的现状是，大量娱乐节目无趣。为何？

最表面的原因在于无情。

从一个简单的例子说起。朱自清的《背影》，父亲爬月台的艰难，感动了儿子，从20世纪20年代开始，就以其深挚的亲子之情打动一代又一代的读者。但是，近来有人认为朱父不足为训，因为“违反了交通规则”。这样的议论是煞风景的，没有趣味的。为什么呢？

就因为它是无情的。

情产生于对理的超越。交通规则是理，但是，父亲忘记了这个理，一心为儿子尽一份心，这就是感情的表现，而且感动得儿子流了泪，读者也为之感动，这就有了情。这并不神秘，对于舞台和屏幕的假定性来说，一切事情、心情，都没有固定的价值，都有待艺术家的审美价值自由地同化。这里就涉及一个对客观世界的价值理论问题了。至少按康德的学说，应该有三种价值观念。这一点朱光潜先生曾经有过通俗的解释：

> 假如你是木材商，我是一位植物学家，另外一位朋友是画家，三人同时来看这棵古松。我们三人可以说同时都“知觉”到这一棵树，可是三人所“知觉”到的却是三种不同的东西，你脱离不了你木材商的心习，你所知觉到的只是一棵做某事值几多钱的木料。我也脱离不了我的植物学家的心习，我所知觉到的只是一棵叶为针状、果为球状、四季常青的显花植物。我的朋友——一位画家——什么事物都不管，只管审美，他所知觉到的只是一棵苍翠劲拔的古树。我们三人的反应也不一致。你心里盘算它是宜于架屋或者制器，思量怎么去买它，砍它，运它。我把它归到某类某科里去，注意它和其他松树的异点，思量何以活得这样老。我们的朋友却不这样东想西想，他只在聚精会神地观赏它的苍翠的颜色，它的盘曲如龙蛇的线纹以及它的昂然高举，不受阻挠的气概。[①]

根据朱光潜先生的解释，大致可以得出结论：形象的性质是由艺术家心灵决定的，而不是由事物的性质决定的，艺术家心灵可以在自由想象中超越事物的属性，这种价值虽然与科学的真不同，与实用的善也不同，但是，它仍然有自己的价值，学术上叫作审美价值。它的性质属于主体情感。作为趣味，属于情趣。[②]

人类由于生存的压力，不能不把科学的真、实用的善放在第一位。二者都是理性的，因而人是理性的动物；但是，人又是情感的动物。情感是不科学的，也不实用；但是，没有情感，再多理性，既不爱父母儿女，也不爱家乡祖国，甚至没有爱情，没有朋友，这样的人，最多是机器人，甚至还不如机器人。艺术价值，就是情感价值。五四时期，蔡元培曾经提出，以艺术代宗教来熏陶人心，因为没有情感的纯粹理性人，是不完全的半边人，故情趣乃是把另一半还给人，故矛盾仅仅从理性上解决，不仅是不彻底的，而且可能是有害的，最佳的解决不能不伴之以情感的提升。江苏电视台的《非诚勿扰》相亲节目前一段之失，就在于以赤裸裸的实用功利压倒了情感。上海电视台的《新老娘舅》就是利用了

---

① 《朱光潜美学文集》，上海文艺出版社 1982 年版，第 448 ~ 449 页。

② 本来趣味和美分不开，中国美学中的“趣味”，也就是康德的“趣味判断（judgment of taste）”。朱光潜说：“康德往往把‘审美判断力’又叫作‘趣味判断力’。”

“老娘舅”的亲情，比较贴近世俗人情，故引起很大的关注。但是，它也有缺点，似乎有一种预设，老娘舅绝对理性中立，签订一个协议就解决了问题，似乎没有意识到讲理与讲情之间的关系，更没有意识到，由于语言符号的局限性，人的局限性，就是在物理学上，爱因斯坦也认为没有绝对中立的事实，当然也没有中立的道理。因而，道理是不能检验道理的，只有历史的实践才是检验真理的标准。

人既是理性的动物，又是情感的动物。感情是不讲理的。光是讲理，不一定能够真正服人，情感却可以动人。雄辩可以驳倒对方，但是扩大了心理距离，顶牛了，就什么都不能谈了；而情感并不一定在理，却有利于顺利沟通，能产生温馨的笑。情感的趣味起点在于超越理性，由于理性是思维，是习惯性预期，而超越理性的情感最容易引起海德格尔所说的“惊异”。这种惊异成为笑的导因，故为情趣。

总的说来，情趣是笑对人生的基础。

要使节目有情趣，就要在逻辑上超越理性。理性是讲究客观、全面的，而情感则是主观、片面的。情人眼里出西施，月是故乡明，就是主观的。要有情趣，只要把话说得主观一点，不要太考虑客观。

要有情趣，还有一个办法：把话说得绝对化。绝对化了往往就有诗意，正如白居易写李隆基、杨玉环的爱情，绝对化到“在天愿作比翼鸟，在地愿为连理枝”，就是说，爱不受空间限制。“天长地久有时尽，此恨绵绵无绝期”，也就是，爱到不受时间限制。这样就有诗意了。例如，说“教师的岗位是光荣的”，这话很全面，但是没有情趣。把它说得绝对一点，“教师是阳光下最灿烂的岗位”，就有情趣了。情趣的功能，就在于美化和诗化。在屏幕上，情趣都带着抒情色彩，这是许多主持人，特别是美丽的女主持人的长处。只要口齿流利，一般地说，抒情、美化是比较容易的。尤其是一些节庆性质的晚会上，赞美的语言，最常用的词语是“最”：这是我“最”美好的梦想，给我留下了“最”难忘的记忆，笑到“最”后的才笑得最好。还有“永远”：友谊“永远”是常青的，桃花“永远”是盛开的，中国心是“永远”不变的。台词中的“永远”和歌手所唱的歌词，在逻辑上是同质的，那就是诗化的，而诗化的特点就是感情绝对化的。

这并不太难，但是，难在是在现场即兴发挥出来。

即兴之难，还在于过了这个情境，再想起来，只能是白费。

主持人事先有案头准备，可是，不管多么充分，嘉宾的应对也是个未知数。满足于案头准备，与现场情境不合是常见的。倪萍算是好的，但是，也那么早就退出中央台，原因在于她的语言局限于抒情。一般抒情往往容易缺乏节制，容易过火，过了限度，抒情就走向反面。第一，叫作滥情，就容易假，不够真诚；第二，可能满足于廉价的笑，这就给人以空、虚的感觉。作为品牌，笑对人生，当然不能废除抒情，但要切记，抒情本质上是片面的，绝对化的，因而要有节制，节制就是戒滥、戒空、戒虚。

像一切趣味范畴都有局限性一样，抒情也有局限性，在某些语境下，抒情是肤浅的。廉价的乐观流于感官的笑闹，是一般娱乐节目最容易陷入的误区。这就要求有一点智慧，有一点深度，有一点对于生活特别的理解。例如，母爱是美好的，母亲是美丽的，如果是在歌曲里尚可，因为被优美乐曲融化了；如果作为语言节目，则可能肤浅。如果有个主持人即兴发挥说，连母亲的皱纹和白发也是美丽的，则可能好一点。原因在于，其中有对母亲的辛劳、母亲为下一代奉献了生命的理解。主持人如果满足于现成的话语，就有可能使情趣流于空，流于虚，流于泛。其严重者，则为滥情，甚至矫情。

要让抒情不滥、不空、不虚、不矫，就要给情感以智慧，让它有深度，也就是有思想内涵。出奇制胜的智慧叫作智趣。要有智趣，就要把片面和它的反面联系起来，这是克服片面性的切实的法门，达到情智交融的境界。这就要靠具体分析，至少是正反两面转化，就要对诗意进行反思。“出淤泥而不染”，是可能用来抒情的；但是，从理性来说，是不全面的，因为还有“近朱者赤，近墨者黑”。“有缘千里来相会”，从抒情来说是理所当然的，从理性来说却是片面的，因为“不是冤家不聚头”也是比比皆是的现象。“水滴石穿，持之以恒”是有诗意的，但是并不深刻，如果能更全面地考虑到在溶洞中，水滴石不但不穿，反而长出石笋来，才是有智慧的、趣味的。

情趣是最容易建构的，但也是最容易浮泛的。正是因为这样，智趣目前普遍被重视。中央电视台张腾岳的科学普及节目，获得观众青睐，其特点是纯粹信息量的新异，以智趣取胜，有其独立存在的价值。对人生的深化理解，因新知而产生新趣，这在目前法律节目中很普遍。这些节目的“破案”，以悬念曲折，以智慧的精致严密动人心魄。以讲故事为主的法制栏目，似乎开始注意到法律范畴之外的眼泪，把利害的得失和亲情的得失结合起来。近来的法制故事节目中，似乎都有此追求。

智趣与情趣结合，情智交融，增强了节目的生命力。

智趣的原则是全方位开放的，并不限于自然科学、社会历史、世界范围内政治活动，还有科学研究节目的娱乐化，无论是中国台湾，还是美国，哪怕是政治聚会，都有搞成像是明星见面会一样热闹的可能。娱乐只是个包装，讲真正的科学知识，才能把它讲得有趣味。

幽默之诙谐、情趣之诗意与智趣之深邃，三者之互补和错位，国人尚欠自觉理解和驾驭。特别是对于谐趣的优越，缺乏从感性到理性的全面认知。为了说明问题，试举一例：小布什一次演讲，被人家阿拉伯记者扔了鞋子。此人本来是个牛仔，不太会幽默的，可他还是小小幽默了一下。他说，啊，这只鞋子是八号半的，意思是小孩子穿的。后来英国首相布朗也被人家扔鞋子了，他说：这是耐克鞋，耐克要做广告，也不能这样做啊。多多少少缓解了现场的紧张氛围。

这样的抒情就显然很软弱，不如人家的幽默能够缓解对抗氛围。这可以说明，在特殊情景下，抒情不如幽默，此失乃在直接抒情，而幽默之优长，在于把意味放在逻辑的空白中，迫使听众的想象与之在空白处会合，因而能会心一笑，从而化严峻的对抗为精神的沟通。

从这个意义上说，笑对人生，尤其是严峻的人生关系，以谐趣为上。娱乐节目只能以谐趣为主导。

二、谐趣主导：以喜剧性同化人生一切方面

趣味的有无，趣味的档次，都离不开美国社会学家默多克所谓的权力结构：角色、沟通类型和价值观。是冷对还是笑对，关键是价值观。世界上一切事情，哪怕是坏事，并不是只有通常所说的真的还是假的、好的还是坏的这样的理性价值。从娱乐节目的专业来看，还有喜剧性准则，不能像小孩子看电影，只问好人还是坏人。即使是坏人，干了坏事，从情感价值观念来看，也可能是有趣的、好玩的、可爱的。

人的生命只有一次，就是缺点、失误乃至犯罪，都可能对不可重复的生命的浪费、玷污和败坏产生悲悯情怀。

在这基础上，衍生出对人的现代化理念。

从纯粹理性观之，人作为万物之灵，是这样灵而又不灵，是这样可悲而又可爱；从审美价值观之，是这样可叹而又可笑，是这样可恨而又可亲；从喜剧观念视之，则又是这样矛盾：千方百计地出人头地，而又这样地自我贬损。从这个意义说，人都是可爱的、可笑的、自我折腾的。孙悟空大闹天宫，从正剧眼光观察，是英雄对既定秩序的颠覆；从悲剧眼光看，是英雄造反失败投降；从喜剧眼光看，孙悟空一个筋斗十万八千里，自以为很了不起，到一个山头脚下，拉了一泡尿，却还在如来佛的手指中。他被二郎神追赶，有七十二变化，变成鱼，变成老鹰，变成蛇，都没有逃脱二郎神的眼睛；最后变成土地庙，头变成大殿，嘴巴变成庙门，只有尾巴没有地方搁，只好把它放在庙后作为旗杆，还是被

二郎神识破。旗杆只有在庙门前的，哪有在庙后的，猴子终于藏不住尾巴。这就是吴承恩从喜剧性眼光对自尊心极强的“齐天大圣”的调侃。孙悟空是非常了不起的，但他的自以为了不起，是一种自恋、自信、自尊，是可笑的，但也是非常可爱的。

故犹太人有谚语曰：人一皱眉头（想说话），上帝就要笑。

许多节目之所以缺乏大气，就是因为在这个关键上，为世俗的情趣所拘。超越了世俗的情趣，在人的悲喜剧中欣赏人，欣赏人的能耐，人的灵气，发现人的伟大的局限，这样，光有情趣和智趣就不够了，就不能不以谐趣，与情趣、智趣互动。喜剧性的目光实质就在于对人的矛盾的发现，光从情趣和智趣，是看不清的。

美国人发明的米老鼠风靡天下，成为金字品牌。它的运动速度和灵敏有和孙悟空可比美的地方，但也有狡猾自私、耍阴谋诡计、坑害朋友的时候，这和它的智慧，它的能耐，它的可爱、可笑构成和谐的有机体。如果单纯从好和坏、善和恶的角度来看，就外行了。

喜剧性不是一种技巧，而是一种人性内在矛盾的洞察：每一个人，不管他是好人还是坏人，都有某种程度的自恋，自我着迷，这是人作为人的精神底线。斯坦尼斯拉夫斯基在导演莎士比亚的《奥赛罗》时，对演挑拨离间的坏人亚戈的演员说，你要觉得你是挑拨离间这一行业的伟大艺术家。不但为自己善于挑拨，而且为自己的每个步骤都感到得意非凡。中国春晚的喜剧小品明星赵本山，他扮演的角色很少是好人。就以《卖拐》而言，从工商管理的眼光来看，是不折不扣的坑蒙拐骗。人们之所以被逗得捧腹大笑，就是因为没有用工商局的眼光看他。人们看到的是这个人的心理状态，他在为自己骗人的水平而得意，觉得自己骗人骗得太有才了，他为自己这样的才气而着迷。在生活中，人们看到这样的人，不但笑不起来，相反要义愤填膺的，但是在春晚舞台上，这个角色却成了全国观众的宠儿。

美国人把幽默定义为：善意地提醒别人的短处，和对方一起发笑，或者主动展现自己的短处让别人发笑。

观众之所以笑得起来，就是因为舞台和屏幕是假定性的、虚拟性的，他假定得越像是真的，越是“逼真的幻觉”，就越好笑。这是全国上亿观众心照不宣的。正是因为这样，人们超越了工商局的狭隘眼光，欣赏他的自我欣赏、自鸣得意。一句话，作为一个人，不管精神上沦落到什么地步，他总还是有他的自信、自尊、自恋的，艺术生命的价值就在这点自信、自尊、自恋上。这是他的精神制高点，也是他的精神底线。没有这一点精气神，他就只是一个骗子而已。观众并不是没有是非善恶观念，他们通过这个假定的舞台看到的并不是单个的坏人，而是人性的弱点，而这个弱点，并不是他一个人的，而是普遍存在于我们内心的那种执着的，甚至是盲目的自信、自尊和自恋。在感受到这一切的时候，就和平时直面坏人坏事横眉冷对时不一样了。我们笑起来，精神档次就随着笑而提升：从平视世俗是非，到悲天悯人的俯视。从这个意义上说，这样的笑，是心灵提升的阶梯。

喜剧性三层次：造型、动作性和语言

一、喜剧造型：不一致与不和谐

我们的基础理念是和谐哲学，但是，作为笑对人生的艺术，其形式则相反，乃是不和谐，也就是柏格森所谓的不一致（incongruity）。

这种不和谐或者不一致，首先表现在人物造型上。

一般的正剧，人物的肢体语言大致以情趣、智趣为美，而喜剧性造型，则“以痴为美”“以傻为美”。其极致者，达到“以丑为美”的程度。正剧以和谐为美，而喜剧角色往往以不和谐、不一致为美。西方马戏团中有丑角，既是最笨拙的，又是最机灵的。莎士比亚的戏剧中也有小丑，大部分并不是坏人，而是外丑内美，在糊涂语言中道破真理。中国戏剧有丑角，外“丑”内秀。从中国传统文学来说，最大的创造乃是猪八戒，外表很丑，但是，却偏偏好色。如果好色的是个帅哥，则造型还算和谐，而猪八戒则长着一个猪头。这种外貌上与情色不相称的丑，和好色本性不改，而且公然坦然，形成反差，因而显得十分可笑又十分可爱。

现代电影中卓别林的造型，和青春明星的美丽帅气不同，体态不伦不类，充满了错位中的和谐：流浪汉身份、鸭子式的步伐、身着燕尾服、头戴高礼帽，特别是他那时髦的八字胡，形成鲜明的不一致、不和谐（错位）。在行动上，他的笨拙结合着的机灵，甚至轻而易举地将失足转化为舞蹈，都表明弱者的困窘和他的乐观以及瞬息即逝的睿智。观众的笑，是对他的自尊和自恋的赞许，又是对他的命运的同情。从造型上看，赵本山也有异曲同工之处。从外表上看，他是很土气、很没有文化的。他那解放帽，帽檐都折了，还一本正经地戴着，说明他的背时；那皱巴巴的西装，说明他又赶时髦。他那僵直的步履和突然发亮的眼神，又显示出内在的活力和机敏，都足以表现他内在的自信自尊。相比之下，葛优的造型，光头无发；卷入情场，明明在情感激发关头，可以浪漫一番的地方，却不动声色，似若无动于衷；就是说着反讽的语言时，也是一脸平静。这种不一致，更加经得起欣赏，这里蕴含着某种对人生冷峻的深沉。

这些都具有舞台属性。在日常生活中，笑对可以渗透到生活的一切方面。扮丑、夸张、歪唱等，在这种情境下，人们往往超出常规，把平时掩饰在礼貌底下的自由心态表现出来，哪怕是“扮丑、滑稽、歪唱”式的出洋相，哪怕是冒险，也因真性情的解放而欢笑，很少有人达到葛优这样的深度。

二、喜剧情节动作逻辑：荒谬性和现实性

笑对人生追求的是喜剧性，让一切事和情，包括坏事情，甚至坏人，都带上喜剧性，使之变得好笑、可爱，按照和事物客观性质不一致的逻辑，使之顺着荒谬性的逻辑发展。喜剧性未必是固定地表现坏人坏事、好人好事，只要沿着荒谬性的逻辑发展，在好人的狼狈中引发喜剧性，也可以显出异样的可爱。就是神圣的西方佛国，也是一样。《西游记》把如来佛当作最崇高、最圣洁的偶像渲染。佛法无边，佛是真理和道德的化身，也是师徒四人出生入死、历尽劫难所追求的最高境界和终极目标。终于到达西天佛国，唐僧索求真经，佛祖吩咐两大弟子阿傩和迦叶引唐僧师徒去珍楼宝阁取经，这两位尊者是佛陀最有品德、智慧的弟子，却也公开索贿，并且理直气壮地说：“白手传经继世，后人当饿死矣！”唐僧师徒无物可送，他们竟给一堆无字假经。师徒告状到如来佛那里，这位崇高的圣人反为之辩护，说是向时众比丘圣僧下山，曾将此经在舍卫国赵长者家诵了一遍，讨得三斗三升米粒黄金，我还说他们忒卖贱了，教后代儿孙没钱使用。(《西游记》第九十八回)

从这个意义上来说，人生不管是善还是恶的境界，无不潜藏着喜剧性，问题在于有没有充分、自觉的喜剧眼光。

喜剧中的好人，不像在正剧、悲剧中那样，不会飞黄腾达，也不会死亡，而往往是陷于狼狈、尴尬。最有名的是卓别林的《城市之光》：卓别林扮演的流浪汉，晚上看到一个人投河自杀，把他救起来。原来此人是个百万富翁，对他甚好，但过了一阵就不认识他，形同陌路；后又去自杀，流浪汉照旧救之，起初又是感恩不尽，后来忘得精光。如是再三。这样的逻辑完全是不现实的，就是在正剧和悲剧里也是不可能的，但是在喜剧里，这是艺

术精华所在。

喜剧性思维就是荒谬性思维。就情节而言，常常是将谬就谬，执谬不悟，最后是谬中有正，歪打正着。荒谬的后果与理性思维的预期反差越大，喜剧感越强。一些节目之所以笑不起来，原因就在于不敢荒谬。

阻碍我们笑对人生的原因：第一，乃是太习惯于以正剧或者悲剧的逻辑推进情节。其实，不管是得意（金榜题名时、洞房花烛夜、他乡遇故知、久旱逢甘霖），抑或平淡（执子之手，与子偕老，七年之痒，左手握右手），还是失意（灾祸、失败、官司），甚至是人生四大悲（出丑、疾病、衰老、贫穷），转化为喜剧性的关键，乃在于使之遵循荒谬性逻辑。

第二，乃是受到伤害、处于危机之时，容易愤激，对抗。然而，就喜剧性荒谬逻辑而言，恰恰要超越这种情绪，进入假定境界，使思想和想象得到解放。20 世纪 50 年代侯宝林先生有相声说：一病人患盲肠炎开刀，出院后，肚子疼，检查，乃是纱布留在肚内。开刀后，仍然疼痛，检查，手术刀留在肚子里了。再开刀，仍然疼痛，又发现钳子留在肚内。上了手术床，病人对医生说：此番开刀，请不要缝上，只要装一个拉链就好。此相声的杰出，就在于人在受到伤害之时，仍然能在心照不宣的想象中自由地进行价值转移。

第三，片面从内容出发，在潜意识中，以为某些悲剧，不宜以喜剧表现，忽略了喜剧形式可以征服内容，预期内容，形式规范可以迫使内容就范。其实，从纯粹意义上来说，喜剧没有禁区，就是悲剧，也可以用喜剧处理。人生的一切方面，包括很坏的方面，很惨的方面，在潜在的喜剧性方面没有例外。举一个经典的例子，阿 Q 被枪毙，是个典型的冤假错案，本该是悲惨的，可是鲁迅却把它作为喜剧来处理，让他死到临头，还是自尊、自恋之心膨胀。先是为圆圈画得不圆而遗憾（荒谬的是，画圆圈是判他死刑的条件）；后是在游街时，在围观的人群中寻找吴妈（吴妈不但不爱他，而且因为他的造次，为他带来了灾难）；最后，为自己不能唱戏出风头而郁闷，竟喊出“再过二十年，又是一个……”，好像是英雄慷慨赴义似的。这样多层次的“不和谐”（用我的话来说就是“错位”），就构成了这部经典喜剧性的不朽。哪怕灾祸，甚至死亡，都不是喜剧的禁区。正是因为这样，西方经典理论中才有“绞刑架下的幽默”，有黑色幽默、恐怖幽默、荒诞喜剧等。即使死到临头，还是有幽默的用武之地的。有一个例子很有名，是弗洛伊德最先引用的：

一个人已经被判绞刑，他走到绞刑架下，面对着头上那在风中飘动的绞索看了好久，他不是显出一脸恐惧，反而是问刽子手：“那绳子会不会断掉啊？”

好像他真的担心那玩意儿断了对他不利似的。在场的人也许会笑起来，这种笑可能有一点轻松，但同时又很恐怖，这样的恐怖幽默与黑色幽默有点接近。美国有位名叫布曼的作家专门收集了一些死刑犯临刑前与刽子手开玩笑的事例。比较突出的事例如下：

死囚特拉西被押解到绞刑架前，身上穿着一件宽大的外衣。行刑官觉得对行刑不便，就问他是否愿意脱下这件外衣，他说："不必，我担心会感冒。"

一个叫查列斯的死刑犯正在享用最后的丰盛晚餐时，通知来了，他的死刑改为缓刑。他不但没有快乐的表情，反而有些失望地说："照你这么说，我就不能享用这么丰盛的晚餐了？"

第一则故事的荒谬是显然的，临刑在即，拒绝配合的理由是感冒，生命好像不是马上要结束似的，但是，这却表现了受刑者的心境的悠然，是令人发噱的。后一则，明明是好消息，死亡可以避免了，可是却好像舍不得死前的那一顿饭似的。这并不是西方所特有，中国也有金圣叹临刑的"落地的人头——好快刀也"的故事。我在别的文章中说过了，这里就不说了。其实中国古代笔记类似的故事很多，这里，随便举一个：

汉豫章太守贾雍出界讨贼，丢了脑袋，还能上马回营，胸腹作语："作战不利，被贼所伤。诸君看我，有头为佳，还是无头为佳？"将吏们回答："有头佳。"贾雍争辩了一句："不然，无头亦佳。"话音刚落，倒地而亡。

把死亡当作笑话，实乃喜剧性幽默的极致，说明中国人的幽默感并不亚于西方民族。不要以为这是古代人的虚拟，不足为凭，在当代现实中，也不乏这样的事例。我的学生陈国英写了一本散文集，请我写序。十多年了，他文章中写了些什么，我全都忘记了，只记得其中一件事，那就是他在部队，一个战友上前线前夕对他说，如果我回不来了，请为我整理留下的东西。果然战友没有回来。他打开战友留下的箱子，里面有一封信，还有一包香烟。那信上写着：

谢谢你为我整理遗物，请抽烟。

谁说中国人没有幽默感？谁说死到临头幽默不起来？这样的幽默完全超越了生死之大限，可以和绞刑架下的幽默异曲同工，不但能笑对人生，而且能笑对死亡。

流浪汉反复救的那位富翁，反复地感恩，反复地翻脸不认人，从社会和人性的深层次来说，是有根据的。人，尤其是富人，并不是绝对没有感恩之心，但是他的感恩心有限，随时随地都可能走向它的反面。至于阿 Q，他面临死刑时的可笑，其深层原因，在于鲁迅批判的其精神麻木，死到临头还要出风头，自恋、自迷到极点。

至于绞刑架下的幽默，乃是对死亡的一种嘲弄。最为深邃的是 20 世纪中叶的黑色幽默，它原属于 20 世纪的一种文学思潮。文学中的黑色幽默，所表现的恐怖并不像我前面所说的那样来自某种具体的、看得见摸得着的现实，而是由于人生陷入不可解释的、束手无策的绝望境地。在黑色幽默作家看来，整个世界和全人类都已经糟到了不能再糟、荒谬得不能再荒谬的境地。美国学者莫里斯·迪克斯坦这样说："黑色幽默把调子定在破裂点上，一旦达到这一点，精神上的痛苦便迸发成一种喜剧和恐惧的混合物，因为事情已经糟到你尽可放声大笑的地步。”黑色幽默所表现的内容大致可以概括如下：第一，是对人类和世界的绝望。第二，这种绝望与一般的绝望不同，一般的绝望是悲剧，而这种绝望是喜剧。奥尔德曼说：“它要求同它认识到的绝望保持一定的距离，它似乎能以丑角的冷漠对待意外、倒退和暴行。”面对绝望，不是感情泛滥而是冷峻以对，从悲剧中看出可笑，甚至毫无忌惮地放声大笑。

黑色幽默文学的代表作是美国作家海勒的长篇小说《第二十二条军规》。其中主要的情节是：在第二次世界大战期间，一支美国空军驻扎在一个虚构的小岛上。上尉轰炸手索林怕死，觉得人人都想陷害他，便千方百计地保全自己的生命，逃避去轰炸德国的基地。根据第二十二条军规，只有精神错乱的疯子才能获准停止飞行；然而这条军规又规定，停止飞行必须由本人提出申请；可一旦本人提出申请，又恰恰证明他头脑清醒，那就得继续飞行。他最后终于醒悟，这条可笑的第二十二条军规是自己恐惧的根源。

《第二十二条军规》后来就成了人类生存状态中既无望解脱又可笑挣扎的象征。在黑色幽默作家看来，人类的生活就像第二十二条军规那样荒唐可笑而又阴森恐怖，无端地被置于绝望境地。所有真理的追求都被第二十二条军规式的悖论变成一场残酷的玩笑。

20 世纪 60 年代以来，西方新一代作家力图以他们绝对自由的意志论打破一切偶像和一切现成的礼法、传统的规范，但这又是不可能的，因而他们就有点绝望。这就使他们感到人类生活不是由人自己所左右，而是被一种悖谬的成见所控制。从这个角度来看，人的一切奋斗都是可笑而又可悲的西绪福斯式的徒劳。

这就是西方文学中黑色幽默的本来意义。

这种幽默本身乃是对人的生存状态的一种困惑，但这已经超出了大众文化，而是精英文化，暂时还不属于我们实践的范畴。

当我们强调喜剧逻辑的荒谬性的时候，不能忘记的是，并非任何荒谬性都具有深邃意义。荒谬性只是表层，喜剧荒谬的生命来自现实。这个现实，就是现代价值观念、现代人生哲学，所有这一切，都不能离开一点，那就是当下性原则。这个当下性，不是一般的意义上的当下热点，而是一种现代精神，就中国而言，就是从计划经济到市场经济，从抹杀个人的集体主义到尊重个人尊严和创造的价值，从安贫乐道，到个人合法致富，追求个人成就的梦想，投入知识经济的全球化竞争，享受人生战场的成就感。笑对人生，就要对社会人生百态殷切地关注：涨价、堵车、食品安全、动车事故、地震灾难、房价高涨、股市、通胀等，但是，要转化为情趣、智趣、谐趣，特别是谐趣，则又要遵循艺术的超越实用理性的规律，这就不但要有深邃的见地，又要有隽永的趣味。这种趣味还得是丰富的，形式又得是日新月异的，需要不断改版的。这是由于电视遥控器技术宠坏了观众，使之只有七秒钟左右的耐心，无限地喜新厌旧的缘故。

三、喜剧性语言：幽默逻辑和心理的特殊性

回到笑对人生的新娱乐上来。目前最为风行的是春晚的小品，从喜剧范畴来说，这属于闹剧。它的荒谬性是通俗的，和黑色的荒谬性带着哲理性的悖论是有很大的区别的。此外，属于喜剧的还有所谓轻喜剧，就有一点和抒情性接轨的地方。至于冷面喜剧（以葛优为代表）等，每一种亚形式的荒谬感都有其不可忽略的特殊性，都有其艺术的奥秘，有待我们在实践中深入开发。但是，喜剧所逗引的笑，有种种层次。一切低层次的笑，包括滑稽的笑，哪怕是哈哈大笑，都以缺乏深层情感和理念为特点，而幽默的笑，则是以情感的和理念的沟通为基础。日本人把幽默翻译成“有情滑稽”是有道理的，因而往往是会心一笑，意味深长。相声作为以语言为主的形式，目前的危机，是陷于庸俗。我们要追求的正是把低层次的搞笑，提升到对人的理解和同情的心领神会的高度。其核心是心理和逻辑的特殊规律，最主要的表现如下。

（一）会心而笑——心理最短的距离

在西方，幽默的笑被看成人生之要义，甚至有“不会真笑的人不是好人”之说。弗兰克·英尔·科尔比 1976 年 7 月 4 日在《纽约每日新闻》上发表妙语：“（美国）男人情愿承认犯了叛国罪、谋杀罪、纵火罪，装了假牙，戴了假发，也不愿意承认自己缺乏幽默感。”查尔斯·林纳德则说：“对于一个有幽默感和两条腿的人来说，如果不能两全，最好的选择是失去一条腿。”幽默感在美国人眼里比在中国人眼里重要得多。这有误解的一面，第一，中国人在非正式场合，开玩笑、耍贫嘴的才气，绝不亚于任何一个美国人，只是在正式场合，才显得拘谨过甚，不能发挥自如。第二，的确，中国人在许多方面幽默感是比较弱的，但是在私人交往中，中国人的幽默感是十分可观的，网上流行的段子很多，黄色的、黑色的比比皆是，把日常生活中的牢骚发挥得淋漓尽致，下面举一个例子《牛怕专家》：

> 话说这天艳阳高照，公牛和母牛约在河边吃草聊天，突然公牛看到专家朝这边走来，惊恐地对母牛说：“亲爱的，快跑！”母牛不解，遂问：“为何？”公牛说：“你不知道吗？现在的专家都是吹牛逼的。”母牛狂奔而去。不多时，母牛看到公牛也随后跑来，问道：“你为何也要逃啊？”公牛答：“你不知道啊？现在的专家除了吹牛逼，还扯淡啊。”

这种搞笑的段子，涉及生活的各个方面，从对官僚主义的不满，到对腐败现象的讽刺，可谓才华横溢，妙趣横生。请看网上下载的《农夫赶驴》：

一老农赶着毛驴进城，驴闯红灯，罚 10 元。老农喝驴子：“你以为你是军车啊！红灯也敢闯？”

没走几步，驴又碰翻一水果摊，赔 20 元。老农更气：“你以为你是工商城管么，想掀谁的摊儿就掀？”

老农牵驴回家，路过一片青草地，驴啃青草，又被罚 30 元。老农气极，骂道：“你以为你是检查团下乡么，走到哪儿吃到哪儿？”

老农骂完牵驴去河边喝水，可驴子却发起倔脾气，扬颈不饮，老农火了：“你以为你是在‘天上人间’啊，没小姐陪就不喝？”

驴子掉头就跑，岸边晒一张渔网，驴上而破之，渔翁索赔 500 元。老农热泪盈眶道：“你是中国电信吧？上网要花这么多钱！”

驴子转身踢了老农一脚，老农忍痛骂道：“你以为你是群主么，想踢谁就踢谁？”

驴子气得不再理老农，变得很沉默，老农说：“耶，你以为这是在 QQ 群里啊，可以整天不说话！”

这个段子的妙处在于，用荒诞的逻辑，层层推进，把下层百姓对现实社会的牢骚发挥得相当到位。但是，中国人在许多场合，这样的才华就被窒息了。进入幽默境界的障碍，因而，就很值得研究。

（二）进入幽默境界的障碍

就其最低层次而言，可分为主观心理障碍和客观理性障碍。

1. 主观心理障碍：自尊、自信、自恋

人的本能使得人企望自己的形象超群出众，因而以抒情的诗化美化为首选，而幽默却不回避自我贬低。这在美国叫作“自我调侃”，在我国叫作“自嘲”。李敖在北大讲座，一票难求，会场外人潮汹涌。李敖上台做开场白：“我来这里，心里害怕。我最怕三种人：第一种，就是从头到尾只听不鼓掌的；第二种，听了一半，上厕所的；第三种，上了厕所就不回来的。”会场马上掀起了热烈的掌声和笑声。笑声是心灵最短的桥梁。心理距离缩短了，交流就顺畅了。

李敖的胜利就在于他运用了自我调侃（贬低）的策略。

幽默之难在于，第一，趣味和情趣是不一样的，它不像情趣那样有诗意，那样美化，相反有点“丑化”。第二，人们在发生不同意见时，往往倾向于争辩，这是人的本性自尊、自信和自恋激发起来的。争辩的最高境界乃是雄辩，也就是不但从我的论据和逻辑来说我是对的，就是用你的论据按你的逻辑我也是对的。这当然是很理性的，但是，不如幽默。因为幽默的笑能缩短双方的心理距离，而雄辩的缺点则是扩大心理距离。一旦把争辩搞成争胜，面红脖子粗，激情膨胀，就会产生顶牛情绪。要从情绪中解放出来，是要有超越本能的自发性和现场的激烈性的修养的。这种修养，分为两个层次：先解放自己，再解放对方。解放的手段乃是让他笑一笑。笑乃是心灵最短的桥梁。

我写过一篇文章：

许多年前女儿念小学，读书总能考到 91 分、92 分、93 分，大抵没有超过 94 分。我说挺好嘛！自己小时候念小学，那时候考 90 分的人是很少的，我算是会考试的，一般是 86 分，考到 87 分就很满意了。我没有多大上进心，没有必要考那么多分，又不是糖果，又不甜，女儿比自己强。这些话，都很开通。但太太不满意。她可能爱女儿的深度超过了丈夫，她就老骂孩子，考试不中用，考得这个样子，总是考不到 99 分、100 分的。我有时候就想为女儿辩护几句，说，那很不错了，哦，一个美国朋友都说，90 多分非常杰出了！ outstanding（杰出的）、excellent（优秀的）了。可太太继续不断地骂孩子，我辩护得越多，她骂得越起劲。最后骂的对象，从原来的单数“你……”变成复数了“你们……”，还不过瘾，干脆说“你们两个人……”。这使我这个男人的自尊心受到严重的打击。这时候她感到的是什么呢？首先是好胜心。不能让她这么不讲理，有一种和她辩论、和她雄辩一番的冲动。雄辩我是不在话下的，但是这里有个问题：和太太，关系特殊。男人和女人辩论，输了，作为男人，太没有面子；赢了，好男不跟女斗，男人胜了女人有什么光荣？更严重的是，赢了之后会是什么结果啊？眼前亏就是，马上就没有现成饭吃。于是呢，我不跟老婆辩论。

采取什么办法？幽默。

我说，对对对，你的批评很正确，我们来好好地教育我们的孩子。老婆说，教育什么！你小学生都教不好，还大学教授呢，也不知道怎么混的。我只好就低头接受批评，放下架子，辅导女儿。一个月以后，居然有所进展。一天女儿一回家就大叫“爸爸！”听她那声音就知道是胜利的欢呼啊，肯定是好消息了。卷子拿出来一看，99 分！很精彩。

我说，等你妈回来！让她瞧瞧！看看女儿什么水平！

老婆回来，拿起考卷一看，脸上出现了笑容，但笑容在一秒钟内消失了。她四肢无力地瘫倒在沙发里面，叹了一口气：我就不明白，你为什么就拿不下这一分！哇！这太苛刻了！我又想辩论了。可是我知道雄辩不合适。转而一想，说，对对对，我们研究一下，孩子学习不好的原因。

我说，孩子学不好，有两种可能的原因。一个是老师教不好。太太是比较善良的人，她说，那不能这样讲啊，老师很辛苦，而且别人家孩子，有考 100 分的。我说，那这一条可以排除。第二个可能，孩子的脑袋笨。太太想了一下，是么？我说如果是的话，也有两个可能。第一个是阁下的遗传基因不太好。太太反驳，那怎么会呢！我当年是很聪明的！

我说，对，当年就是因为你聪明，我才看上你的。那么第二个原因，那就是鄙人比较笨。

太太说，那还差不多。

我又说了，孩子考不好是由于爸爸笨，那该怪谁呢？孩子的爸爸不是她自己选择的，而是某人替她选择的呀。

这时太太脸上有了一点笑意。

我继续说，想当年，你如花似玉，后面跟着一个连队，鄙人很不幸跟在最后面一名。你满园里捡瓜，捡得眼花，捡了半天，捡了个傻瓜。你不怪自己，还要怪她！

于是太太笑了。

笑了，说明心灵的桥梁沟通了，互动了，矛盾缓解了。

承认自己笨属于幽默中的自我调侃，其功能就是把她从琐屑的计较中解放出来，让她超脱现实，回想起当年她是如何被迷住的，回到当年那种浪漫的情怀中去。让一个四十多岁的女人回忆二十多岁的时候的恋爱，滋味多么的甜蜜啊！幽默的功能与抒情与雄辩之不同，就在于以自我贬低，在解放对手的同时解放自己。

2. 客观理性障碍

①道德理性。实用道德理性思维要求实事求是，而幽默却可以指鹿为马，颠倒黑白，心照不宣地虚拟，引起会心而笑：

有人晚上回家，在楼门口看到亲戚家姑娘和一个小伙子在接吻，热火朝天地发出了“吱”的一声响。等到他们发现有人，都挺不好意思。此人说：“二位放心，我什么也没有看见，特别是没有听到‘吱’的一声。”他们笑了。

我国相声艺人说：“理而不歪，笑话不来。”有些人思想僵化、古板，说话都一本正经，力图让自己说的每一句话都符合正理，自然笑不起来。这里的胡话，明显和事实不一致。但在不一致下面，有一种不言而喻的含意：首先，我显然看见并且听见了；其次，对他们希望不被看到的愿望表示同情；再次，他们的笑，说明他们已经体悟到了这份心意。在说出来的话中暗示着没有说出来的，留在逻辑的空白中，双方就在这空白中心照不宣地会合了。

②心照不宣的共识。道德理性以真为准则；而幽默的笑，则要求进入某种假定的境界。不过对这种境界之假的共识，是双方心照不宣的。许多漂亮的女主持人之所以幽默不起来，就是因为她们总是心态不自由，不敢假定自己是丑陋的。有一个辩论赛，我最后做总结这样说：每逢演讲、辩论，都是女选手多于男选手。都说妇女半边天，男性自然也是半边天，大家平等。可是在这样的场合，常常有男性的半边天摇摇欲坠之感（笑声）。这种感觉和看奥林匹克运动会的实况转播时相同。中国人拿了金牌，当然过瘾，但是一种阴盛阳衰之感实在不太美妙（鼓掌）。差不多每一回最佳辩手都是女性，这使我这样一个须眉男子感到莫名其妙的压抑（笑声）、自卑（笑声），但是我作为男性也有可以自我安慰之处，那就是：女人会讲话（笑、掌声），但是，男人会做事（掌声四起）。何以为证？转头看看评委席，几乎所有的评委都是须眉男子（大笑声、掌声热烈）。把年轻人的神经放松以后，我正经八百地把辩论双方的得失讲了一下，轮到要宣布胜败了，会场气氛又紧张起来。

我把那张藏着评委投票结果的信封举了起来说："我知道，在你们看来，我的讲话轻于鸿毛，而这张信封，才是重于泰山（大笑）。要我来拆开这信封，本来也未尝不可，但是，这是非常残酷的。我不适合于做这样残酷的事，一来，我生性懦弱（会心而笑）；二来，我是个革命的人道主义者（大笑，长时间的掌声）。所以我和评委商议，还是让美丽的主持人小姐来宣布。因为，美丽的小姐经常做残酷的事。"（热烈鼓掌，笑）等笑声和掌声停下来以后，我说，谢谢你们的掌声，我们达到了完全的沟通。但是，很显然，刚才鼓掌的男同学，对于美丽的小姐经常做残酷的事情，深有体会。（鼓掌、欢呼）

当我走下台来的时候，一位厦门大学的辩手对我说：你好不残酷地调侃我们，可是我们却感到好不快活。

会场上听众和演说者的情绪达到了高度的交融。

可是主持人小姐接下的话却有些煞风景，她老实巴交地说：现在只好由我来残酷地打开这个信封了。

她显然立刻感到了有点不妙，但是却无能为力，只好干巴巴地说了几句套话，眼睁睁地让会场冷清下来。

吃饭的时候，她正好和我坐在一起，她说，你按你的幽默理论，把会场的气氛搞得浓浓的，可是我却傻乎乎地把气氛弄糟了。依你的理论，我要怎样才能幽默起来呢？我说，我也不是想好了才上去的。幽默贵在即兴发挥，但是这并不排除事前多动脑筋。你接过我的信封以后，不要那么一本正经。幽默要求缓解紧张，要轻松一点，关键在于要有讲点歪理的勇气，要有违背事实的魄力，你的心态要从日常的思路中解放出来。比如说你本来很漂亮，这是人所共知的，你乐于得到人们的欣赏，如果有人说你不漂亮，你会生气的，这很合乎常情，可就是没有幽默感。要幽默起来，你就得把事情和自己的情绪颠倒过来。比如说，你能不能设想一下，坦然宣称自己长得很丑？你敢于这样想了，这样说了，绝对不会有损你的漂亮，但却可能增加你内心的美丽，让你变得更加可爱。因而，我想，你拿过信封时，不要顺着我的思路。有没有魄力把我的说法顶回来？比如，敢不敢这样说：我并不同意教授的意见，当我撕开这个信封的时候，我一点也不感到残酷。相反，我感到很温柔。因为美丽的小姐才是残酷的，我并不美丽，所以我并不残酷。我说到这里，她笑了。好像有一点开窍的样子。她承认这样有一点幽默了，不过，她觉得，这分量还不够。她问我如何加足分量。我说，这也不难，只要再加上一句，火候就差不多了。

我看到她的大眼睛里充满了期待的目光。

我沉吟了一下，说：你可以这样说：平时，我最爱唱的歌是：《我很丑，可是我很温柔》。

美丽的小姐灿然而笑。

③法制规范。有一次有个记者问马克·吐温："你是喜欢比较长的演说呢，还是比较短的演说？"马克·吐温没有正面回答，而是讲了一个故事：

> 一个神父在讲传教士在非洲传教时所经历的艰苦生活和种种经验，那是非常动人的，当他讲了 10 分钟时，马克·吐温决定捐献 20 美元。当他讲到了 20 分钟时，马克·吐温决定只捐献 10 美元。可是这个人滔滔不绝地讲了 1 小时，最后当捐款的口袋拿到马克·吐温面前时，他不但没有掏 1 分钱，反而从袋中偷去了 2 美元。

你会不会因此觉得马克·吐温有小偷小摸的习惯呢？当然不会。

原因很简单，这个故事说的不是道德问题，而是情感问题，这不是真实境界，而是虚拟境界，表达对那些长篇大论的厌恶。故事把这种厌恶夸张到了宁愿去当小偷，也不听那种演说的程度。正因为马克·吐温知道幽默表达情感的价值不同于法制理性，他的思路才如此自由，如果混淆了这两种价值，马克·吐温是不可能用"偷 2 美元"这样夸张的说法来表现他强烈的情感的。

道德较之情感，在一般人心目当中是占有先天优势的，因而，要有很强幽默气质的人才能自由地超越它。

④大言和蠢言。人们总是倾向于接受说老实话、做老实人的教导，如果过分拘泥地、绝对地理解这一点，对于笑对人生却可能有害。幽默的笑至少在形式上，或者语言的表层结构上，是与日常的道德意识不完全一致的。自我调侃的方法之一是把自己有限的缺点夸大到荒谬的程度，甚至明明很聪明，却装作连普通常识都没有，说出一些显而易见的蠢话

来，才会显出自己在智慧、教养和道德上胜人一筹。故作大言和故作蠢言都属于自我调侃的幽默法门之列。对于中国人来说，谦虚、谨慎，戒骄、戒躁，成为人生格言，故作大言的心理障碍比故作蠢言更大。我想故作大言应该说得含蓄一些。我自己倒有一点经验，与读者共享。那是在我女儿的婚礼上，我这样致辞：

我女儿的婚事一直是我心头的隐忧。高不成，低不就。给她介绍，老是从心里就抗拒。学历低的不行，配不上；工资太高，不巴结；当官的，高危职业，不考虑。我就问过她，你究竟在找对象上持一种什么主义？她笑而不答，好像是有点神秘主义的样子。终于有一天，她把小伙子领回来了。我一看小伙子，这么阳光！我女儿本来就阳光了，居然比她还阳光。我终于明白了，什么主义啊，唯美主义。不过这个找对象的唯美主义也不是她发明的，而是从她妈妈那里学来的。

我这么一说，全场哄堂大笑。我太太说，这哪里是说女儿，根本是在吹你自己啊。

有时候，要幽默起来，恰恰相反，就是把话说得带点傻气。

但是，真傻话并不幽默，只有假傻话、故作胡言、故作蠢言、故作大言、故作空言、故意吹牛，才能有心照不宣的情感交流，才能进入幽默的境界。

五四时期，觉醒的知识分子都反对一夫多妻制，批判男人娶小老婆的恶俗，写了好多文章。可是有一位早期留学生，是个精通多种外语的学者，他偏偏主张，一夫就是要多妻。他说：男人好比茶壶，女人好比茶杯，哪有一个茶壶只配一个茶杯之理？他说这话的时候，许多人觉得是很荒唐的，但这位先生并不觉得。不管你在当时觉得他多么可笑，可你就是没有办法让他和你一起会心地笑起来。这是因为没有双方心照不宣这个条件，没有共同的、隐性的背景，内心的正经道理和胡话不能形成“反差”，因而也就不能转换生成言外之意，形成一种默契，沟通双方的情感的笑。

同是这样的话，在今天的节目中让不管什么人，在舞台上一说，就十分可笑了。因为在今天的条件下，说的一方和听的一方都心照不宣：这是胡话。有了这种反差，就可能转换出深层的意味来，情感沟通的桥梁也就架起来了。

⑤与理性逻辑的错位。

第一，偷换概念。幽默的笑产生于对理性思维的背离。例如，理性思维要求不得偷换概念，要求遵循逻辑的同一律，但是幽默的笑却产生于对逻辑同一律的冒犯。有这样一段对话：

小布什上任的第一天接受电视采访，记者问：“总统先生，您第一天在白宫都干了些什么？”小布什说：“刷了一天的墙，因为不管怎么闻，墙上都有克林顿身上的味儿。”

本来人家问的是作为总统第一天的公务是什么，而他却把概念转移为刷墙这样的日常事务，而且引申为消除前任总统克林顿的“气味”。气味难消的原因，听众心照不宣，那就是前任留下的影响不是一天可以消除的：

1946年，斯大林打算任命元帅伊万为海军参谋长。伊万不敢接旨，推说自己在战争中有一条腿被截肢。斯大林问道：“这是您唯一的缺陷吗？”对方回答是。斯大林接着说道：“我们原来的那位参谋长连脑袋都没有，不是照常工作吗？你不过缺了条腿，没什么了不起。”

斯大林这样的说法是挺幽默的，因为他偷换了“缺陷”这样的概念，原来人家的概念是生理上的不足，而斯大林却把它转化为既是生理上的，又是智力上的，甚至是生命的缺乏。

这样的幽默，在严肃的政治场合中是很罕见的，而在日常生活中则是很多的：

手机和电话结婚，生个孩子叫小灵通，长得丑，信号又差。为了弄明白，手机和电话带小灵通去作了DNA测试，结果大吃一惊：乖乖！原来它爹是对讲机！

这是从逻辑上歪解因果——

一匹马跟一头驴相恋了，马说：“俺爱你。”驴说：“俺也爱你。”马说：“你亲我吧。”驴说：“不行，俺娘说了，驴唇不对马嘴！”

这也是歪解因果，驴子不肯亲马的原因，从理性逻辑上说根本构不成理由，更不要说是充足理由了。

第二，超越困境。在公共场所，一般人都追求自己的形象出众，然而窘境却以自我形象的贬抑为特点。窘境令人尴尬、难堪、神经紧张，在多数情况下，连正常的智慧都难以发挥，与幽默需要较大的心灵回旋余地相矛盾，在窘境中仍然不失去幽默感，实在是难能可贵的。

有一次，里根总统在白宫钢琴演奏会上讲话，夫人南希不小心连人带椅摔了个马趴，观众一片惊叫，但是南希灵活地爬了起来，在两百多名宾客的热烈掌声中回到了自己的位置上。

如果你是里根，你既要摆脱夫人的尴尬，又要挽救这个意想不到的局面，你会说什么？里根当时说了句：“亲爱的，我告诉过你，只有在我没有获得掌声的情况下，你才应该这样表演。”众人哄堂大笑，热烈鼓掌，尴尬局面变成了一个很响的包袱。

这种化消极现实为积极情致的幽默，有两个关键点：一是不为窘境所拘。人之所以为窘境所拘，无非一个原因，那就是自尊心受到伤害。但是越是感到挫伤就越是消极，越缺乏打破这种恶性循环的心理能量，其实这时最聪明的办法是横下一条心，从另一角度去看待产生窘境的原因。二是对产生窘境的原因作想象的、玄妙的甚至荒诞的解释，并让在场的人与你一起分享你的精神的自由解放。里根成功就在于他对跌跤原因的解释是这样荒诞，又是如此奇妙，以至于一刹那，听众意外的喜悦感大大压倒了跌跤的挫伤感。这与其说是幽默的胜利，不如说是他敢于荒诞地曲解跌跤的胜利，他奇妙的解释是进入了荒诞境界的结果。如果荒诞性不够或不奇妙，则幽默感也会相应地减弱。荒谬性的逻辑可以归结为一句话，即"无理而妙"，越是幽默同时也就越带纯调笑性，调笑性越强，与某种切合实际的办法或道理的距离就越远。反过来说，越是一本正经地把道理讲得头头是道，也就越不幽默，越不幽默也就越可能带上某种现实推理的特点，越是带上现实的推理性，幽默就越是让位于机智。

第三，逻辑"错位"。说脸色红润是由于身体健康、营养丰富，这并不幽默；说脸色黝黑是由于受到太阳过多暴晒，也不幽默；而说脸红是由于多吃了西红柿，脸黑是由于多吃了乌贼，这才幽默。因果要正解，真实的原因没有笑的空间；而一旦歪解，不是原因的原因，才合乎笑对之道。我国的相声艺术家总结他们的长期实践经验，得出一个结论：逗观众发笑的方法之一是"歪解包袱"。所谓"包袱"，就是一个奇特的结果，一种可疑的结论。解包袱，就是为这种结论或结果寻找解释，或求其原因，而歪解包袱者，不求正正当当的原因，寻找的是并非原因的原因。如果一本正经找到了很科学的原因，反倒不幽默了；要弄出一种似是而非，甚至根本驴唇不对马嘴的原因，才能表达调侃之情，与对方共享幽默之趣。如果你想用幽默来调节一下现场的氛围，你得用一种超越常理的逻辑来思考问题，切勿为常理所困：

某男正在公共厕所便秘，忽见一人飞奔而入，顷刻风雨交加稀里哗啦，便赞道："哥们儿，真羡慕你呀，那么快。"那人说："羡慕啥，没脱裤子呢！"

按常理预期，这样的结果，其原因应该是便溺得很顺利，这个预期在逻辑上失落了。可是这个结果，却由另外一个原因在逻辑上得到充分的落实。从幽默理论上说，就是康德所说的预期失落引起笑，后者则是柏格森所说，预期落实引起笑。二者均不全面，按我的理论，前一逻辑的失落，并不一定引起笑；只有失落的逻辑错位了，在另一逻辑上落实了才能引起笑。正是因为这样，幽默并不是说越是逻辑失落越好。如果真是这样的话，则疯子的呓语和弱智人的胡说，就都成为笑的最高级的境界了。超越常理的歪理最好是不但与常理构成反差对照，而且在另外一个层次上又与常理发生某种联系，从而间接地暗示更深刻的常理。如果纯系歪理，充其量不过是滑稽搞笑而已，很少有深刻的睿智在内。一旦有了更深刻的睿智，滑稽就上升为幽默了。所以，歪解包袱并非是越荒谬绝伦越好，其上乘者乃是歪中有正。这种区别非常重要，缺乏智慧，可能变成耍贫嘴，给人一种油腔滑调轻浮恶俗之感；而智慧的渗入则可提高笑的品位，把对方的心灵带到更高的层次，在轻松谈笑之间你不但使对方为你的谐趣所吸引，而且为你的睿智和深思震动。

正理的睿智和歪理之谐趣交织起来，就使纯粹的滑稽升华为幽默了。我国古代笑话书中常有纯粹讽刺人的生理缺陷和病理状态的，都非上品，甚至不少属于糟粕之列。有的虽非糟粕，也失之肤浅。现代也有些流行的段子比较肤浅，如：

农夫挑担大粪，老外看到后问：大爷，这酱多少钱一斤？农夫不语，老外用手蘸了点放进嘴里，心想：你不告诉我多少钱一斤，我也不告诉你，你的酱都臭了。

这是单纯搞笑的，意味不够深长。试与《这年头》的段子做一下比较：

这年头，教授摇唇鼓舌，四处赚钱，越来越像商人；商人现身讲坛，著书立说，越来越像教授。医生见死不救，草菅人命，越来越像杀手；杀手出手麻利，不留后患，越来越像医生。

这就不单纯是搞笑，而是对社会乱象深刻的讽刺。从结构上看，这个段子结构层次比较丰富，层层歪解、越解越歪，可是内在的意味，却是越歪越正。

在人际交往中，特别是在朋友亲戚等比较亲密的人际关系中，歪解因果的方法有比较广泛的适应性。由于人际关系的亲密，双方都容易打破礼仪的拘谨，构成对常理的超越。如一个朋友唱歌唱得好，是由于他的天分和勤奋，或有名师指点。如用歪解因果的办法，就可以来一点任意性：你要开谁的玩笑，就可以说是由于谁的原因。例如，他的妻子在场，就可以说："此人本来根本不会唱歌，今天由于他妻子在场，因而得以超水平的发挥。"这样你就不但赞美了他的妻子，而且赞美了他们之间的爱情。如果你不愿这样去讨好一个在场的人，也可以随意给他一个不存在的原因，例如说："他今天之所以唱得好，完全是因为他已经得到消息，不久以后，瑞典皇家科学院将增设诺贝尔音乐奖，而他是第一个候选人。"如果你觉得这样还不够曲折，太直白了，也可以把因果说得更曲折多姿一些。例如可以这样说："别看他平时说话口吃，但唱起歌来却这么好听，不愧是个天才，但遗憾的是每当他夫人在场时，他唱歌就会结结巴巴，可今天他夫人在场，他怎么没结巴呢？原因是我在这里。只要有我在，他就不怕他夫人了。"这样可以把许多幽默技巧结合起来进行发挥，上述就是把故作大言、亲切调笑、指鹿为马等制造幽默的方法结合了起来。

事实上幽默之笑门径很多，人们不可能全部掌握，就像十八般武艺不可能全部学会一样，关键是要善于运用已经学会的有限的几种，并且灵活多样地将其组合起来进行自由的发挥。

（三）进入幽默境界的操作程序

1. 歪理和正理

表面上看来不但不智慧，相反，好像是比较弱智的。这从表层意识来看，乃是和人的自尊、自信和自恋矛盾的，而幽默弱智话语，歪理，则出奇制胜，其效果则往往立竿见影。相声演员有许多精彩的话，表面上合乎逻辑，实质上是歪理，正合乎传统相声艺人所说“理儿不歪，笑话不来”的规律：

你的话，我连标点符号都不信。

陪我一起数星星吧，你智商低你就数月亮吧！

下辈子要做筷子，就不孤单了！

这明显是荒谬的。本来标点符号不是词语，没有具体的意思，不存在相信不相信的可能。这里，表面上是傻话，实质上又有绝对不相信的意思，这种意思是在荒谬逗起的笑声中领悟到的。下一句，本来数星星难度是很大的，能数星星的人一定是很聪明的，但这个聪明人居然让人家数月亮，而月亮只有一个，是不用数的，这就是聪明到傻的程度了。筷子当然是成双的，但不是人，人要成为筷子，绝对是不可能的，这里荒谬的意味中隐含着在人间绝对是孤单的。这只是比较搞笑的，在趣味上，也许可以说是通俗的、大众的。但是，这不是说，讲歪理的模式只能是通俗的，在高雅的场合，有时也能用歪理，解决极其严肃的问题。

2. 价值观念错位——脑筋急转弯

开玩笑的笑是通俗的笑，是比较浅的；而幽默的笑则是典雅的笑，是意味隽永的。开玩笑的笑是快乐的自然的流露，而幽默的笑则是心灵交流的内在体验，往往是无声的。要把玩笑提升到幽默的水平，就不能对常规的语义和逻辑太死心眼，不要以为对任何事物或概念只能有一种理解、一种说法、一条思路，打破常规思路的惯性，让思路灵活多变。思路固定，就失去了自由。一般人之所以幽默不起来，就因为他们一条思路讲通就满足了，就不愿费心劳神去想还有没有可能找到别的思路、别的逻辑了。常规思路有一种不由自主的挟持力量，没有特殊的禀赋和训练，是很难超越它的惯性的。这里常常用得上临时构建的一语双关：

问：你喜欢我哪一点？答：我喜欢你离我远一点！

听说女人如衣服，兄弟如手足，回想起来，我竟然七手八脚地裸奔了二十多年！

第一个例子，“一点”，本来是喜欢的某个方面，结果却成了讨厌的意思。妙在以之为过渡，从心理的欣赏，经过变成身体的距离，最后变成了心理的厌恶。

第二个例子，妙在把“裸奔”，从“赤裸地奔跑”，经过“无衣服”，变成了二十多年无妻子，又不言而喻地转化为二十多年赤身裸体地奔跑。

我在一篇回忆文章中说到这个道理。某大学学生会请我去他们学校作关于雄辩与幽默的报告。之后几天，对方打电话来说最好改期，因为原定日期与一个“青年歌手大奖赛”冲突，怕影响听众的人数。

但是当时我的时间表已经排得很满，无法改期，就硬着头皮决定：原定日期不改。到了那里，看到会场外面还站着一些人，里面也还空着一些座位，看得出，外面的人随时随地都可能离去，并且会动摇那些已经坐在里面的人。我想首先得把这些人给稳住，尤其是那些站在门外的人。我走上讲台说道：

今天我还没走进会场，就远远地看到一大堆年轻人站在走廊上，我十分感动。他们和已经坐下的各位同样使我钦佩，因为很显然，他们在两个会场之间进行了痛苦的选择，最后终于在唱的和说的之间选定了说的，在少男少女和老头子之间选择了老头子。我想他们一定坚信：说的比唱的好听，老头子比青年歌手更有魅力。对于你们的信任我表示衷心的感激。

这么一说，会场里轰地一下子笑了起来，掌声热烈地席卷了全场，走廊里那些人很快挤进了会场，填满了空着的座位，连过道也被堵得水泄不通。

在这里，我采取了两个办法。第一，故作大言的思路，公然说自己老头子比少男少女更有魅力，自己的演说比唱歌更吸引人，这多多少少有点夸张。我不怕人家说我不谦虚，相反，他们会心照不宣地欣赏我的故意夸大的坦率和自信，这就缩短了我和听众之间心理上的距离。第二，一语双关，固定语义和临时语义之间的错位。“说的比唱的好听”这句话，本来的意思是：话说得漂亮，行动却跟不上，不负责。可是在这里的上下文中却产生了一个临时的意思，那就是我的演讲比青年歌手唱的歌还动人。这个临时的语义之所以没有被听众理解为吹牛，就是因为它和它原来的意义形成了鲜明的对照与反差，或是说“错位”。按固定的意思，我的演讲可能是漂亮的空话；而按临时产生的意思，则是我今天讲的话魅力超群。两种相反的意思同时并存于一个俗语中，两种不同的思路在这里交错着。

这样的效果，不但是不同语义的“错位”造成的，而且是不同思路的“错位”造成的。这就要首先克服道德上那些所谓谦虚、谨慎的无形束缚，其次要克服实事求是的理性思维惯性，才能获得错位思路的灵活和自由：

一哥们说北京地铁拥挤不堪，他怀孕的老婆竟被挤流产了。昨天他问上海的地铁是不是好些，上海的哥们说更糟：上个月他老婆乘地铁，竟然被挤怀孕了！

这里说的是，地铁把人挤到女士的肚子里，以至于怀孕，这是很夸张的，但是，又是很符合歪理的。这种说歪理的自由正是幽默的自由。

这里有两重逻辑：第一重是显性的逻辑，北京地铁把怀孕太太挤流产了，这是现实的；第二重是隐性的，根据显性逻辑推断，上海地铁再挤大不了也是把太太挤流产了，可是，本来是潜在的另一种逻辑冒出来了：这位太太本来没有怀孕，却被挤得怀孕了。本来显性的逻辑变成隐性的，而本来隐性的逻辑变成显性的，这么一“错位”，就幽默了。

这正可以说明显性逻辑和隐性逻辑是有机地结合在一起的整体，而不是各自独立的。

瞬间的语义转换，展现了作者的睿智。可见幽默大师不仅仅是比一般人多一两个心眼，而且能在多条思路上进退自如。

3. 把滑稽的搞笑提升为幽默的会心而笑

通常的理性思维要求人们用词准确、精密，但幽默却要求人们用词不准确、不精密，只有这样才能产生幽默感。幽默的不一致有许多层面，最表面的是所述（ 或所画 ）与常理的不一致；层次稍稍深一些，就是语义的“不一致”，或者叫“错位”。有一些活宝，走到哪里玩笑开到哪里，胡话讲到哪里，虽然也能博得大家一笑，可是时间长了，也往往让人讨厌他们嘴太贫。他们并非不懂得幽默用语要与日常的理性语言拉开距离，但是他们拉开距离的用语却缺乏深长的意味，缺乏醍醐灌顶式的顿悟，不能给人以有益的启示。比如，如果你遇到一位近来发胖的女同事时说：“啊，近来你胖多了。”这自然没有什么幽默感。如果你说：“啊，你是越来越发福了。”这样显得比较有礼貌。如果想再亲切一些，你可以说：“几天没见，想不到你体积增加了这么多。”这是把几何学的术语用到人身上来，在意味上有些“不一致”，或者说语义“错位”，就有一点开玩笑的味道了。但是这还不能算是幽默，因为意思还不够深，不够丰富，也许只是有一点滑稽。如果你说：“几天没见，没想到你长了这么多膘。”这自然更好笑一些，因为语言的意味和表述对象之间错位的幅度更大了；但把滑稽变成了讽刺，把用于表述动物的“膘”，用在女性身上，这太粗野，没有足够的情感上的共识，转换生成的意味是骂人。人们即使因之而笑，也不是会心默契的，而是单方面的嘲笑、讥笑、讪笑。

滑稽和幽默，从结构形式上看，有几乎同样的错位的结构，因而滑稽可以说是幽默的基础。为了说明这一点，我们以契诃夫早期作品《生活是美好的》为例：

> 假如火柴在你的衣袋里燃起来了，那你应该高兴，而且感谢上苍：多亏你的衣袋不是火药库。
>
> 要是你手指头扎了一根刺，那你应该高兴：挺好，幸亏这根刺不是扎在眼睛里！
>
> 要是你有一颗牙齿痛起来，那应该高兴，幸亏不是满口的牙痛起来。

这当然和通常的思维逻辑不一致，不管什么样的倒霉事都自我安慰，把痛苦当作自我陶醉的缘由。有了对现实社会中某些人生活态度的讽喻，因而这话超越了滑稽，有了一点幽默感。如果上面的例子还不够明显的话，下面这一条则更为鲜明：

要是你的妻子对你变了心，那就该高兴，多亏她背叛的是你，而不是国家。

在这种不一致的逻辑中包含着的一致就比较深刻了，它所显示的是这样一种心理状态：表面上，把国家损失看得比自己的损失更为重要，实际上，可能是冠冕堂皇的话，内心恰恰相反。在这样的话语结构中，潜藏的就是真正的幽默。无独有偶，美国总统富兰克林·罗斯福，一次他家中失窃，损失惨重，朋友写信安慰他。他回信说：

亲爱的朋友，谢谢你的安慰。我现在一切都好，也依然幸福。感谢上帝，因为，第一，贼偷去的是我的东西，而没有伤害我的生命。第二，只偷去部分东西，而不是全部。第三，最值得庆幸的是，做贼的是他而不是我。

富兰克林的前面两条理由和契诃夫"事情原来可能更糟"的思路可谓异曲同工，但是第三条却是别开生面，幽默感突然强烈起来。原因在于，这里的逻辑错位的幅度突然加大，而认同的一致也随之深化，从财产的损失变成了人生的价值——值得庆幸的，不是财物损失的有限，而是人生价值没有变化——这样的幽默就更加深邃了。可见，错位结构的功能体现于生成的意味，如果意味深长，给人启示、发人深省，那就是幽默了。日本人把"幽默"（humour）译成"有情滑稽"，虽然狭隘，但还是有点道理的。如果意味寡淡，没什么真诚的感情底蕴，不过是好笑、滑稽而已；如果满足于滑稽，变成"搞笑"，就可能流于"油滑""轻薄"，这是鲁迅所特别警惕的。

滑稽和幽默的共同基础都是"不协调"或者说"不一致"。错了位的意味，引起惊异，其目的本来不在错位本身，而是在你因此而被唤醒的想象。正是因为这样，滑稽和幽默分开了档次。滑稽虽然是幽默的基础，和幽默一样能逗人发笑，但是滑稽的笑只是使人感到意外的笑，幽默之所以是幽默，就在于双方能体验到语言之外更多的东西，因而引起的笑，乃是会心的笑。

幽默的主要功能在于缓解对抗，它与激化矛盾互不相容，因而其性质是软的；但是严肃性幽默的根本特点在于它所包括的矛盾冲突不可调和，最多只能是在形式上加以缓和，而在意志上（理性上）是没有调和余地的。即使在形式上让步，但在精神实质上也仍然保持着进攻性，这是一种标准的硬性幽默。有个经典故事：

二战后，本应是民族英雄的丘吉尔却在大选中惨败，失去了议员席位。记者问他是不是觉得很郁闷和沮丧，丘吉尔无比自豪地说："我终生为之奋斗的就是能让英国人有罢免我的权利。"

这两句话都很给力，很精彩，很有霸气，听起来让人痛快，让人发自内心地想鼓掌，可它们不仅是幽默，而且是把幽默和抒情结合了起来。

不可忽略的是，这种进攻是留在逻辑空白中的，因而又有一点软的成分，否则这种进攻性幽默就变成讽刺了。

可以说：讽刺性越强，幽默感越弱；反之，幽默感越强，则讽刺性也就越弱。这可以说是一种讽刺与幽默的反比定律。

讽刺的进攻性使幽默感减弱，但理性也因而加强。正因为如此，讽刺在社会批评方面有其优越性，这是幽默所不及的。故社会讽刺漫画的幽默感往往较弱，但其社会功能和审美功能非幽默所能代替，正如幽默不能被讽刺代替一样。切不可因为偏爱幽默而轻视了讽刺。有时进攻性是不可缺少的，一则苏联时期的笑话可供参考：

> 苏联一家电台播放智力测验问答：
>
> 鸡和蛋哪一个先有?
>
> 解答者在一旁暗暗地答道：
>
> 从前两者都有。

很显然，这是在暗示现在鸡和鸡蛋都没有，讽刺当时苏联的经济贫困。

这里的故事都是讽刺，进攻性都很强，但仍然相当幽默，原因就在于，其尖锐的矛头都不是指向现场的对话者，而是现场以外的人物。

讽刺虽然具有幽默的意味，但讽刺是有刺的，是锐化锋芒的，而幽默却是钝化锋芒的。

一般来说，笑是平等的，特别是幽默的笑，是双方平等的共享。在讽刺的笑中则有所不同。所以波德莱尔说："笑是意识到自己优越的产物。"

4. 悲天悯人：解放对方和解放自我

技巧可能帮助人们进入幽默的高尚境界，但是，如果精神境界跟不上，则幽默仍然可能失败。我曾在一篇文章中提到的一位深圳女工的故事（详见本卷中编序二《2010年新版序》)，就很能说明这个问题。

这里，涉及一个根本问题，那就是胸怀和境界。幽默的博大，主要在对己和对人两个方面。首先，对他人要有一种悲天悯人的胸怀。就是对人家的缺点毛病，不能嫉恶如仇，而要站在人类生存的高度上，把这种缺点、毛病当成人类的一种局限，包容并欣赏它的可爱。乔治·桑塔亚那说："我们所说的幽默，其本质是，有趣的弱点，应该和可爱的人性相结合。"关键是你能不能把人家的"弱点"看得"有趣"，能不能从"弱点"中看到共同的"人性"，不管这种人性有多少缺陷，你能不能从中找出"可爱"来。

5. 贵在即兴，事后无效

对于主持人来说，最大的难点不在案头准备，而在现场即兴。案头准备是死的，而现场即兴是活的，一切偶然性的意外都可能发生。所以许多最重要的讲话，如官方的文献，都有稿子，那里面的每一个字都要被全世界，乃至后代推敲的；但是，一般的讲话，如果也这样，就容易造成与听众之间的心理距离。能够即兴讲话，而不用稿子的，是很有水平的。

最大的考验是互动时回答听众的问题，有时纸条递上来，很刁钻，而且要马上回答。有一个条子是：如果，您母亲和您太太都跌下了大河，您是会游泳的，您是先救妈妈还是先救太太？请回答，而且要幽默。当时，我只能承认，无法回答。下面发出了笑声，虽然其中充满了谅解，但在心里却留下了失落之感。后来，在一本西方的幽默书中发现，原来这个问题是有现成答案的：先救太太，因为妈妈会游泳。这是符合我的幽默错位逻辑、歪理歪推的理论的。

我在长期的实践中变得机敏了，对这种问题得心应手了。一次报告快结束时，递上来的条子是：

如果我在听一位学者（或者领导）的报告，忍不住放了一个屁，很响，又很臭，怎么办？

我一边念条子，一边说："你可以对坐在身边的朋友抱歉：对不起，报告很精彩，启发性很强，我有许多想法想和他交换，但是，他老是讲个没完。我实在憋不住了，真是不好意思。"

底下哄堂大笑。又有条子递上来：这是什么方法？我回答：

自我调侃，一语双关。"憋不住"有双重含义，一是要讲话憋不住，二是放屁。二者在语义上错位。

底下报之以鼓掌。

但是，幽默话语是现场交流，在现场不能即兴发挥，事后不管你想出多么好的点子来，也是白搭。因而有时想到，最好马上就讲出来，哪怕是当中插进来：

在一次国会发言中，里根突然顿住，说："我现在要给你们讲个苏联的段子，要不一会就忘了。在苏联，买车要十年前预定和交钱，然后等十年才能交货。有个人交了钱，被车行告知：'喂，你，十年以后五月一日那天来取车吧。'买主问：'是上午还是下午？'车行说：'十年以后的事，上午下午有关系吗？'车主回答：'有，上午修水管子的来。'"国会上下满堂爆笑，笑声结束后里根接着国情咨文讲话。

从这个意义上说，幽默永远是随机应变，即使你在几秒钟之内能够反应过来，也不可能完美无缺，但是事后多加思索无疑有利于随机的能量。

有一次，在一所大学，我讲了一个故事：

一个顾客来到一个咖啡馆，小姐给他端上啤酒，但啤酒杯里有一只苍蝇。如果这个顾客是个英国人，英国人是十分讲究绅士风度的，他就耸耸肩走了。如果这个顾客是德国人，德国人是很讲究科学的，为了避免别人再受害，就把啤酒倒掉了。如果他是个日本人，他就会把经理叫过来训一顿，要求他检查管理方面有什么漏洞。如果这个顾客是个俄国人，俄国人是很讲究实际的，他想，啤酒里面的酒精，是可以消毒的。苍蝇身上的细菌已经给杀死了。他就把苍蝇从啤酒杯里挑出来，把啤酒喝掉了。如果他是个美国人（这个故事大概是美国人编的）他就会把小姐叫来，说，我有一个建议，如果以后再发现苍蝇在杯子里，请把苍蝇和啤酒分开，一个杯子装啤酒，一个杯子装苍蝇，再送给顾客。

一个听众递上一张条子来：

如果你是那个顾客，你是中国人，按中国人的幽默特点，你会怎么说呢？

我的回答是，指着苍蝇对着小姐说：

小姐，我很荣幸，你把这样一只苍蝇奉献给我。我肯定，这是一只经过精心培育、最没有污染、既能排毒、又能止泻、又能养颜的最高级的美容品。

听众热烈鼓掌。

在另一个场所，递上来一个条子，说：

我们班主任今天本来布置我参加一个会，但是为了听你的报告，我没有去。如果你是我，如何向班主任交代呢？

我不知哪里来的灵感，听见自己说：

班主任，你也年轻过，当年你是不是也曾经有过为了一个好报告而逃会的历史记录？如果你从来没有，请允许我从明天开始向你学习；如果也和我一样，逃过会，那从现在开始，让我们交流既逃会，又不让班主任生气的经验。

台下的听众，为我思想的迅速而鼓掌欢呼。

在当时，我并没有细想这是为什么，直到反复思考了许久，才明白，口头表达来自内心的幽默，而内心的幽默是一种自动化的反应。正如我们说话时，无法去想什么语法修辞一样，真正有幽默感的人，并不受什么幽默方法指挥的，相反幽默方法倒是受幽默感指挥的。如果要说有方法，最根本的方法是，让心灵充分自由，把心交给他们，当双方的心态达到高度的自由时，就能以微笑缩短心理距离。

6. 最高境界：即兴互动、共创、共享

光是主持人的即兴发挥，迅速转换思维，调整话语还不够，还得嘉宾能够恰当即兴配合，不能配合，多少案头准备也是白搭。

2010 年 6 月 26 日，某青年歌手大奖赛，全组进入决赛高潮，金奖争夺达到白热化的程度。主持人采访一位女选手："对此形势感觉如何？"女选手答曰："心里早有准备，说实话，就是冲着拿金奖来的。"这一句大实话，在这样隆重的场合，没有一点含蓄，是有一点出格的。观众中有笑声，但是含意模糊。后来另一位选手，回答是唱了两句歌："金奖银奖，不如老百姓的夸奖；金杯银杯，不如老百姓的口碑。"说得很有诗意的，这一唱获得了热烈的掌声，很显然，比之大实话，观众更喜欢抒情。紧接其后的选手带来了另外一种风格。主持人提起，前一天，文化素质考核的时候，回答问题的代表，对评委余秋雨说了两句即兴的诗，意思是昨天梦见了余秋雨，现场响起了掌声。从某种意义上说，这可能是假定的，但是是抒情所允许的。掌声说明，观众并不计较做梦的真假。决赛阶段，评委是赵易山，又是这位代表上场回答问题，主持人很机智地问："昨天你的诗句在西安引起了轰动，手机上收到不少续作，能不能披露一二？"这位代表表示续作太多，难免挂一漏万，只能综合为两句诗：

前日梦见余秋雨，昨夜梦到赵易山。

现场立刻掌声四起。评委赵易山笑容可掬，拱手示谢。全场显然都领悟到这样的抒情虚拟性更强，而且在趣味上转向了谐趣。这里有答话者的自嘲，好像希望谁给高分，就梦见（讨好）谁。抒情就这样转化为幽默。后来，这个队在视唱五线谱时，得了满分，向来不动声色的赵易山夸奖他们"捍卫了艺术学院的尊严"，还加上一句：

我今夜会梦到你们的。

场上掀起了暴风雨似的掌声。这就不但是一般的幽默，而是电视场景中难得的互动性幽默。最后，主持人问这位代表还有什么愿望。他的回答是：

从今以后，要把诸位评委一个个地梦过去。

这就不但是互动，而且是共创共享了。雷鸣似的掌声说明，共享共创，乃是幽默的最高层次，正是笑对人生追求的最高境界。整个过程展示了幽默谈吐的最根本的规律：第一，从现实大实话变成虚拟的玩笑，从抒情转向幽默，从情趣转化为谐趣；第二，从个体的玩笑，变成双向的交流互动；第三，从双向交流转为多向（包括观众）共创，把竞争两方、观赏一方、主持人一方，四个方面卷入统一的互动、共创、生成和共享的氛围之中。

结语：缩短人与人之间心理距离

把生活中的情趣、智趣、谐趣，全面调动起来，用现代传媒的一切形式（全媒体）传播开去，娱乐节目就可能达到“新”的层次，新在其多元性、丰富性、综合性、全面性，多层次、多角度，主要是拓展新精神境界，新的情操高度。狂欢化的节目当然也是不可缺少的，但是，新娱乐应该像脉冲信号，启示人们在痛苦的底色中，把人从狭隘的实用理性，从浅层次的狂欢中解脱出来，在生命的过程中享受最大限度的精彩。

笑对人生是人的心灵自由。“自由乃是对于必然性的认识”，认识了自然和人生的终极悲剧的必然性还不够，因为可能因悲观而不自由，还要有在相对与绝对的转化中获得乐观的自由。有了这两方面还不够，还要对喜剧、幽默的内在必然（规律）有充分的认识和驾驭，生命的自由和意志才能在喜剧性情境中得以张扬。建构笑对人生为品牌特征的电视节目、现场活动、文化产品，关键是在显性和隐性结构中渗透着这多重哲理，把低层次的娱乐提升起来，在追求真善美的错位的幽默中，发挥笑的潜在能量。不管是狂欢式的笑、会心的微笑、默默的欣慰、顿悟式的笑，其功能都是让笑成为缩短人与人之间心理距离的桥梁，让笑成为提升人精神境界的阶梯。

中编　幽默谈吐

本编的内容先后以《幽默答辩五十法》（厦门大学出版社）、《漫话幽默谈吐》（首都经贸大学出版社）、《幽默口才操典》（花城出版社）、《幽默逻辑揭秘》（福建人民出版社）、《幽默谈吐的自我训练》（广东旅游出版社）、《口吐莲花——幽默自我训练50法》（百花文艺出版社）等书名出版。

第一章

心理调节

一、自我调侃

当你作为一个学者、一个名人或者教师出现在讲台上的时候，你与听众之间虽然只有几公尺的距离，但是你和他们之间的心理距离要远远超过空间距离。心理距离越大，你与他们之间的交流越困难。虽然他们可听到你的声音，看到你的表情，但是他们与你之间的感觉、情感不能相通，而演讲作为人际交流方式的特点是它的现场性，它不仅靠思想观点的传输，而且靠感觉情感的交流，正确的观点只触动人的理性，却很难使人有感觉、有感情的共鸣。如果你能使听者不但理解真理，而且和你一起感觉和享受真理，那么，不仅你的惊人妙语会引起他们的哄堂大笑和热烈的鼓掌，就是很平淡的一颦一笑、一举一动都会引起他们的心领神会、不约而同的微笑，甚至突然顿悟的欢呼。不善于创造出这种自热化气氛的人，在讲台上即使讲出了一些很惊人的妙语、很深刻的哲理，听众也往往只是稍微安静了几分钟，甚至几秒钟，又恢复到茫然、木然、心不在焉，甚至交头接耳的状态。一个演讲者如果不能缩短他与听众之间的心理距离，打不破竖在他们之间的那堵透明的墙，那就很难维持住讲台下的秩序，只能眼睁睁看着他们交头接耳、左顾右盼，直到自己也丧失了驾驭他们的信心，垂头丧气地败下阵来为止。

打破这堵透明的心理隔膜之墙，把听众的注意力提高到相当的程度的办法不外两类。第一，创造出一种精神优势，扩大作者与听众之间的心理距离，把听众镇住，使他们神经拉得很紧，不敢喘息。例如在一个全国性的学术讨论会上，上台发言的都是权威，等到一位无名小卒上台，听众早就疲倦了。这位初出茅庐的青年人一开头就说：“我不是名人，但是我比名人更高明。”一下子把听众惊住了，引起了强烈的兴趣。这种方法的基本特点是，创造紧张乃至耸人听闻的气氛，但其缺点是效果很难持久，而且到了事后，听众中的聪明人难免会产生不佩服你的上当之感。

第二，与这种方法相反的是缩短心理距离，降低自己的精神优势，让听众放松，这样有利于听众不但在思想上，而且在感觉和情感上与你相通。1956 年，当时的印尼总统苏加诺到中国的大学操场演讲，苏加诺是世界名人，步入学校时，学生队伍的秩序一度有些激动性的骚乱，气氛有点紧张。有经验的苏加诺总统当然看出了，他在演讲一开头就说了两句题外的话：

我请诸君向前移动几步，我愿更靠近你们。

话一说完，学生队伍活跃了，很快往前移动了几步。接着苏加诺又说：

我请诸君笑一笑，因为我们面临着一个光辉的未来。

青年们轻松地笑了起来，气氛变得十分和谐，在以后的演讲中苏加诺不断被热烈的掌声打断。

苏加诺所用的这种方法是以缩短空间距离来缩短心理距离的方法，其目的是打破情感交流的障碍。其实这种方法属于很初级的层次，但由于苏加诺的权威太高，因而其效果十分强烈。一般人如果没有这样高的权威，运用这种简单的方法很难有这样好的效果。一般人要取得理想的效果，还得用更高层次的方法，其中最具强烈效果的就是自我调侃。美国的赫伯·特鲁写了一本叫《幽默的人生》（一译《幽默的秘诀》）的书，就把自我嘲弄列入最高层次的幽默。

任何一个人只要出现在讲台上，由于外部的职业、年龄等原因，多少有些精神优势，足以使听众对他肃然起敬（哪怕是短到只有几分钟），因而有碍于他与听众的感觉和情感相通。缺乏幽默感的演讲者往往满足于这种精神优势，而不知其是非持久的，因而是危险的。外部的精神优势越大，听众的心理期待越强，而在后来产生失望的可能性也愈大。

聪明的演讲者常常在开头降低这种优势，以缩短自己与听众之间的距离，但这不包括那种在开场白中讲一番谦逊的套语：“我没有什么准备，现讲几句不成熟的意见。”由于是套话，一来不会使听众注意力集中，二来又极不诚恳，往往使听众的注意力钝化。如果是在国际性会议上，面对的是欧洲人，特别是美国人，那还可能起反作用。在一个美国人看来，你对自己都没有信心，可见没有什么真货色。但是，欧美人却很强调自我调侃式的幽默。你可以当着众人调侃自己，通过调侃自己，表现你有高人一筹的智慧和广阔的胸襟，对自己有一种超然物外的情感。

自我调侃无非两种，一是嘲弄自己的短处，如自己的长相。20 世纪 60 年代我国乒乓球运动员徐寅生有一篇关于怎样打乒乓球的讲话，影响很大。在讲话的开头，徐寅生就以调侃的语调讲到自己脸上的痣，他说，大家常说我打球时是“智多星”，其实我不过是脸上多长几个痣而已。一下子把大家对他思维特点的称赞和他脸上并非优点的痣扯到了一起。在毫无联系之处找到一种暂时偶然的联系，以冲淡对他讲话的过高心理期待，以表现他对自己被公认的优点不以为意的态度，来沟通他与听众之间的感觉和情感。

美国总统林肯在一次演讲中，以这样一个小故事来争取听众把他当作一个普通人。他说有一次在森林中散步，遇到一个老太太，老太太对他说：“你是我遇见的最丑的一个人。”林肯说：“我身不由己。”林肯这个故事的特点是不仅把自己相貌的缺点夸张了，而且把自己处境的狼狈夸张了。他越是强化自己的虚幻境界的可怜，愈是与他在现实世界中的优越地位形成反差，也就越显得有喜剧效果。嘲笑自己不雅的长相还包括身体。欧美女人很怕自己长得胖，有一个发胖女演员说她穿上白色游泳衣去海滨游泳，使得飞过上空的美国空军人为紧张，以为发现了古巴岛。构成这种自我调侃的幽默趣味的关键，在于要说得“玄乎一点”，有一种显而易见的虚幻感才够味；如果说得太实了，就可能造成对自己的伤害，破坏了现场效果。

调侃自己的外部特征还是比较浅层次的幽默，更深刻的是嘲弄自己做过的蠢事。美国的开国元勋富兰克林，有一次在法国学院听演讲，讲话完毕，大家都鼓掌，富兰克林也跟着鼓掌。由于他不懂法语，鼓掌时问邻座，演讲人讲了些什么，这时才知道全篇都是赞美他的话。富兰克林消除尴尬的方法，就是把自己闹的笑话讲给别人听，这就把尴尬变成了高尚的趣味。

嘲笑自己缺点比嘲笑他人缺点高明之处，在于把对自己的珍爱和对自己的贬抑结合起来，以主动贬抑体现自己心灵的纯净，而对别人的调笑却没有这么强的珍爱和贬抑的反差，这么复杂的情感结构。

更为独特的是以嘲弄的态度来对待自己的优点。美国的幽默作家班奇说，他花了 15 年的时间才发现自己没有写作的天分。如果这是事实，那就没有什么幽默感，因为这里只有单纯的遗憾的感觉，但是他又说：“这已为时太晚，我已无法放弃写作，因为我太有名了。”

这就复杂了。不能放弃写作不是因为无才，而是因为太有名，而太有名恰恰是有才的结果，这里又透露了他为有名（有才）的得意，表面的遗憾和深层的得意之间形成一种复合的反差，这就幽默了。特别关键的是这种得意不能直接表达出来，而是用一句曲折的反语暗示出来，这就更增加幽默的微妙程度。

幽默是一种精致微妙的情致，任何直率粗鲁与它无缘。

自我调侃和通常人追求自我尊重的心理惯性恰恰相反，因而显得怪异，但是自我调侃并不是自尊心的贬值，而是相反。这是因为，第一，这种调侃并不是全真的，而是半真半假的，有时甚至是虚构的。一个演员说，我初次登台，观众就送我许多鲜花，我让妻子开了个花店；另一个说这并没有什么稀奇，我初次登台观众送了我一座房子。“真的？”“真的，我还没有演完，每一个观众都投一块石头到台上，足够造一座房子。”第二，自我调侃之中也有些真的成分，但是，和通常情况下看得很严重不一样，你把它看得很轻松，很不当一回事，不管是你的优点还是你的缺点，这就显得你有特别的胸襟，在显示特别宽广的胸怀方面，你获得了更大的自尊。苏东坡在北宋时期对于王安石的变法持反对意见，有时他很不得意。一日从朝中归来，摸着肚子问左右道：“你们说说，这里面有什么？”一个丫头说：“都是文章。”这是奉承话，自然没有幽默感。另一个说：“都是心机。”苏东坡自然也觉得不得要领。最后一个对苏东坡更了解的侍女说：“一肚皮都是不合时宜。”苏东坡听后捧腹大笑。最后一个侍女由于说得比较虚幻，点到苏东坡自我贬抑之感的要害上，才使苏东坡从压抑转化为心情舒畅。意识到自己的不智，公开承认自己的不智（特别是在奴仆面前），比起压抑着来说，是一种精神的解放，而苏东坡正是因为享受着这种解放而捧腹大笑起来。

二、直白隐衷

在通常情况下幽默与直截了当地表述隐衷无缘，直抒胸臆是抒情的效果，而不是幽默的效果。通常幽默都以间接暗示、诱使对方顿悟为上。如有隐衷，拐弯抹角比一吐为快聪明。也许你觉得对什么不可改变的事情不满意，或者早年的经济困窘给你留下不愉快的记忆，如果你直接把它表述出来，这并不能显示你有什么过人之处；如果你能用曲折暗示的方法，说明你对那痛苦的经历似乎采取无所谓的态度，那就不同了。例如：

我没有感到挨饿的可怕，不过老是为母亲把吃饭的时间无限后延而感到惶惑。

在人际交往中如果对你的朋友有什么非当场批评不可的，也自然是暗示为上，最好是以荒诞不经的方式启示他领悟。

清朝石成金编的《笑得好》中有一个很有参考价值的故事《锯酒杯》：

一人赴宴，主人斟酒，每次只斟半杯。此人忽问主人：“尊府若有锯子，请借我用。”主人问何用，此人指着酒杯说：“此杯上半截既然盛不得酒，要他何用？锯去岂不更好！”

此建议耸人听闻，很明显不可实现，彼此不难心照不宣。这比完全由你告知，其心理阻抗要小，人际摩擦亦小。此法用来表达愿望，可避免可能引起的尴尬。清朝出版的《新刊笑林广记》中有一个故事《一味足矣》，在表达某种不便明言的愿望时同样有参考价值：

一塾师开馆，东家因其初到，具一鹅款待。酒过三巡，塾师对东家说："今后打扰的日子还长，饮食务须从俭，否则我心中不安。"随即指着盘中之鹅说："每天只要一只鹅就够，其余的就免了。"

好像在客气，劝东家不要过分款待，实际是提出了很高的要求。有时要表达一种愿望，这种愿望并无难言之处，但仍然以曲折暗示为有趣。

同书还有一个故事，说是一户人家请客，所有的人都有了筷子，就是疏忽了一个人，忘了给他筷子。如果这个人说一声，问题也就解决了，但是这样没有什么趣味，不能创造一种热闹的气氛。这位客人先以一种耸动视听的方法引起各方注意，然后以一种荒谬性的效果显示于众人之前：在人家举筷进食时，他突然站起来向主人要清水一碗。主人问他要何用，答曰："洗净了手指头好拈菜吃。"

由于这是不可能的，主人自然马上明白了他的意思，而且引起了主人、客人和他自己的欢乐。

所有这一切都说明，这种"曲白隐衷"的表达，容易产生幽默效果。但这并不是说，只有曲白隐衷才能产生幽默，直白隐衷就不可能产生幽默。事实上，正是由于人们已经习惯了曲白隐衷，因而形成了一种固定的心理期待程式，一旦有人直白隐衷，反而造成期待的失落。这就是大人与小孩子对话，大人经常要笑出声来的缘故。因为小孩子并不了解什么话不用讲，什么话不能讲出口。著名心理学家荣格说，通常人在社会交往中都有一种人格而且把自己的真正心思严密地保护起来。所以人们口中说的与心里想的，往往不大一样。心口之间的错位给人以回味的余地，造成一种言外之意、意外之言的趣味。小孩子往往心口如一，也有一种趣味，原因是他在不该直白的时候直白，他不知在特定的人际关系中直白带来的尴尬，特别是给有关的人乃至自己带来的不利或损害。正是在这种自己招来的不利和损害的背景下，孩子的直言就显得奇异了。

除了小孩子以外，头脑简单的人也往往有心口如一、不知利害的特点，举凡此等，均为缺乏自我保护意识的表现。

直白隐衷到缺乏自我保护意识的程度，就会有一种幽默的效果。

在全世界的各种民间故事和童话中，都有一种笨人得福的类型，这些笨人的特点常常就是以天真的直白隐衷引起读者的微笑的，《西游记》中的猪八戒就是这样的一个角色。例如第十九回中，猪八戒不无勉强地同意和唐僧、孙悟空一起去取经，临行向他的老丈人告别时说：

"丈人啊，你还好生看待我浑家，只怕我们取不成经时，好来还俗，照旧与你做女婿过活。"行者喝道："夯货，却莫胡说！"八戒道："哥呵，不是胡说，只恐一时间有些差池，却不是和尚误了做，老婆误了娶，两下里都耽搁了？"

把通常情况下必须千方百计隐藏起来的心思直截了当地说出来，对于说话者是天真；作者把这种煞风景的话放在堂皇的告别的背景之上，使之显然不相称，则是成功地运用了幽默技巧。

直白的隐衷必须是带着荒谬色彩的，如果不荒谬，或荒谬性不足，就得设法使荒谬性强化。

清朝出版的《笑林广记》中有这样一个故事：一个秀才怕考，一闻学台（考官）下马，张皇失色，前往迎接。见了轿夫责备他说：

轿夫奴才，轿夫奴才，你为什么把学台抬了出来，把我吓得魂飞天外？哪一世我作轿夫你作秀才，我也给你把学台抬，看你魂儿在不在？

这自然有些好笑，但并不太有味道，原因是它太直了。直白隐衷，自然要直，但绝对的直来直去也无味，因为人的隐衷通常是不可能一下子讲出来的，一定得有个条件，有个特殊的背景把它引出来，才能很自然地流露出来。这个故事的条件背景都还不够特殊。

明朝的《广笑府》上有一个同样题材的故事是这样的：

一个秀才将要去考试，日夜忧心忡忡，他的妻子说："看你作文那么难，好像我生孩子一般。"秀才说："还是你生孩子容易。"妻说："怎见得？"秀才说："你是有在肚子里的，我是没在肚子里的。"

这个故事显然谐趣得多。

原因是：第一，秀才和妻子在讲私房话，直白隐衷有充分的条件，秀才的情绪流露得很自然；第二，写文章难更胜于生孩子，由于雅俗不谐，本身就有点怪异；第三，引出一个是肚中有，一个是肚中无，好像很符合推理逻辑；而有孩子和无文章的反差，更突出了不伦不类之感。

这类隐衷都有善良人的质朴特点，其幽默大体都相当温和，属于软性幽默之列。但是，并不需要像现实主义小说那样的环境逼迫，往往只要逻辑上的一点相通就成。

明代冯梦龙的《笑府》和代清石成金的《笑得好》中均有一个《夫人属牛》的故事：

一个官员做寿，老百姓听说他属鼠，就凑钱铸了一个黄金的老鼠送他。官员大喜说道："你们是否知道我夫人的生肖？千万别忘了我夫人是属牛的，礼要厚重实惠些，但牛肚子里切不可铸成空的。"

这种直白隐衷有很强的假定色彩，在现实生活中，人不可能这么坦率，但幽默故事不同于小说，它常通过假定和虚拟表达一种情趣，不拘泥于现实，而且超越现实。他的生命不在细节的真实和现实，而在逻辑上一点的相通。在这里金鼠与金牛的类比成立了，谐趣就产生了，至于这位官员在这种场合有没有可能讲这样的话，则并不是讲者与听者要细细考究的。

在《笑得好》中还有一个讽刺贪官的故事：

有张贾二姓，合网得一尾大鱼，分鱼不均，争打到官。官判云："二人姓张姓贾，因为争鱼厮打，两人各去安生，留下鱼儿与我老爷做鲊。"两人大悔，商议同卖一只棺材，争打到官，看他如何判决。官判云："二人姓张姓贾，为卖棺材厮打，棺盖你们收去，留下棺材筐底送我老爷喂马。"

事实上，判决书是不可能公然这样写的，但幽默的逻辑并非科学的逻辑，它并不考究是否全面，只要片面相粘即可。它的逻辑也是非实用的，要付诸实行，它只要在情趣上引起共鸣就成。

这种幽默的特点并不在隐衷的直接的现实的表达，而是隐衷通过一种片面的逻辑做假定的非实用的不科学的表达。

三、故作蠢言

有时你与一个陌生人第一次交谈，双方免不了要有短暂的拘谨，甚至尴尬。如果对方在年龄上低于你，社会经历上少于你，这时你就有责任帮助他消除这种完全没必要的紧张。常用的办法是开个无伤大雅的玩笑，缩短他与你之间的心理距离，让他神经放松，与你共同创造一种无拘无束的气氛。比如说，才交谈，他就紧张得手足无措，只能简单地回答问题，而不能主动提出话题。在通常情况下，你应该有礼貌地故作不知，这样可以保护他的自尊心，可是紧张空气不能因此而很快缓解。如果你更积极一些，对他更有把握一些，可以针对他的紧张，开个无伤大雅的玩笑。如果对方是个小伙子，可以估计他有足够的心理承受力，他对你也有足够的尊重或信赖，你就可以说："干吗这样我一问，你一答的，这里又不是口试考场。"或者不这样，你话题一转，说："刚才我忘了在商店买一块手帕，很遗憾。"他问："为什么？"你就说："要不然，现在就可以借给你擦擦汗了。"也许，他会因此而笑，神经就松弛多了。但是要仔细考虑环境和对象，如果你对对方还没有足够的把握，他对你的尊敬或信任还没有达到可以冒险试一下开玩笑的程度，或者在当时环境下，存在着可能引起他更尴尬的因素（人或事），或者对方是一个完全缺乏幽默感的人，他可能在你的幽默语言面前无法作出相应的反应，你就有可能伤害了他，或使他更害羞，更不自在，而你自己也可能因有失礼貌而产生愚蠢之感。

正因为这样，这种办法要用得非常谨慎。如果对方在年龄上、社会地位上高于你的时候，滥用这种方法会导致严重的后果。相比起来，自我调侃的方法则有更广泛的适应性，不管对方在社会地位上、年龄上是高于你还是低于你，自我嘲弄总比调侃别人更容易，更少风险。任何人与一个权威人士交谈而感到紧张时，总是以理性来竭力掩饰，但是理性充其量只能使你外表平静，弄得不好，还可能变得冷漠。这时，你如能用幽默的情调来公开揭露自己的愚蠢，反而显得心地更纯洁，更富于人情味。例如，你可以主动转换话题说："刚才我要是带块手帕来就好了。"对方问："为什么？"你就可以说："你不看我现在满头大汗吗？"或者说："今天，我不知怎么搞的，变得蠢了，你问我话时，我老有一种在应付智力测验的感觉。"交谈的气氛，可能会因此而发生转变。

自我调侃的方法很多，最容易的办法就是有意地讲些显而易见的愚蠢或荒谬的话。比如说，你到一个朋友家做客，朋友用啤酒来招待你，一打开瓶盖，泡沫直往外冲，甚至冲到你的身上。通常情况下，主人十分抱歉，大家都手忙脚乱地帮忙，但是帮忙只能解决实用性的问题，并不能充分有效地缓解主人的不安。这时如果你把大家的注意力从实用性的角度转移一下，可能会使气氛改观。比如说，你装着对啤酒瓶中的泡沫一无所知，毫无经验的样子，也就是多少做得有点土里土气的样子，问主人道："真奇怪，这些泡沫当时是怎么塞到瓶子里去的呀？"主客双方可能忍俊不禁，主人的不安因而随之消失。

在这种情况下，妨碍人产生幽默感的原因有二：第一是人总是不由自主地把减少物质上实用性的损失（如衣服弄脏）的重要性放在缓解精神沮丧之上，这是因为人首先得不畏艰险获得物质生活资料之后才能生存；但是如果光满足于物质生活资料，人也就与动物没有什么区别了，而情感只有超越了物质的迫切需求才能获得自由。富于幽默感的首要条件，就是从物质需求的迫切性中解放出来，这就需要一种拿得起放得下的精神。拿得起而放不下，是一般人的通病。第二，作为社会的人，总是要追求自身的价值得到社会的承认，乃至高度的赞赏；很少有人希望自己给人留下愚蠢的印象，这是实用的、理性的原则。但是幽默感是一种情感，是超越于实用性的原则的，人正是因为从实用、理性和心理习惯中解脱了出来，才获得了更高的精神的富足。对于实用的理性原则来说，人总是越聪明越好；而对于幽默原则来说，人有时故意说了一些蠢话，做了一些蠢事，才显出心灵的丰富：

在一次聚会上，卓别林要来了一把苍蝇拍，追打一只在他头上飞的苍蝇，好几下都没有打着。不一会一只苍蝇停在他面前了，卓别林举起了苍蝇拍，正要给它致命的一击，忽然停住了手。他仔细看了一会，把苍蝇拍放下了。人们问他为什么不打，他耸了耸肩膀说："这不是刚才缠着我的那一只。"

这个举动是很不智的，挺蠢的，从消灭苍蝇的卫生角度来讲，是实用价值的丧失；然而幽默却是诉诸人的情感的交流，卓别林此举使与会者与他的情感沟通更容易。他的故作蠢行使得与会者感到与他更平等了，他们与他交谈更加自在，更加自由了，幽默的价值就在这里。

故作蠢言或故作蠢行之所以幽默，是因为交谈双方都明知其蠢，如果不是这样，而是不知其愚蠢，那就是真正的笨蛋、傻瓜，毫无幽默意味了。我国古代史书记载，有一个昏庸的皇帝，听到大臣启奏说某地大旱，老百姓没有饭吃，饿死了好多，便笑道："为什么不吃肉末稀饭呢？"吃不起饭的人，自然更吃不起肉末稀饭，大家都懂这个道理，就是皇帝不懂。因而对于皇帝来说，话中只有愚蠢，毫无幽默感可言。明知荒谬而故说，就有一种清醒的认识作背景，与所说的意义构成反差，来传达一种很复杂的情感，才耐人寻味。

正因为这样，故作蠢言的幽默需要有高人一筹的智慧作为背景，其次要有别具一格的自由心态，即使对于那些并不具有上述故事那样严肃政治意义的纯调笑性幽默，也是如此。

不论西方的还是东方的笑话中都有那么多所谓"笨人"的笑话。例如一个"笨人"这样说："我很同情你为头发脱落而烦恼。据我所知，治秃的最好方法还是拥有一顶帽子。"或者用一种庄重的、下定义的语调说："头发是唯一能防治秃头的药物。"在叙述这样的幽默语言时，虽然叙述者是明知而故蠢，但是其语调神态却要十分认真严肃，这样才可能把荒谬与严肃的反差充分突现出来，如果把故意说蠢话的意图流露出来，就可能导致反作用。

故作蠢言是一种自我调侃，但也不一定用第一人称，有时也可以用第三人称去讲述一个故事，把所要讽喻的锋芒转移到交谈双方以外的人身上去，这种做法的风险最小，但没有自我调侃那样强烈的效果。不过如能故意设计一个说笨话的故事，把对自己的调侃转化为故事中人物故作蠢言，同样也可能是成功的幽默。我国古代有个笑话说，新娘坐花轿，忽然轿底塌了，轿夫们商议良久，计无所出，新娘在轿中提议道："你们在外面抬。我在里面走，不就成了吗？"对于读者而言，这明显是蠢言，故事很可能是讽刺新娘子的。但也不排斥新娘子是故作蠢言，让轿夫们情绪轻松一下，她并不真的认为这是一个可以实际应用的办法。如果是这样，则这个新娘子在面临如此困难之时，能如此超脱于窘境，实在是个极大的幽默家。

对于写作幽默作品的作家来说，区分这一点也许并不十分重要，反正读者可以仁者见仁，智者见智；可是对于把幽默运用于现场人际交往的人来说，这一点就含糊不得，究竟你所设计的人是一个真正的笨人还是一个故作蠢言的幽默家，是非小心谨慎不可的。如果是自我调侃，故作蠢言，主体是十分聪明的，对方领悟了你的意图，会打心眼里亲近你；

如果你让人物替你自己讲了笨话，对方也许表面上不流露出来，心里却疏远了你，拉开了与你之间的心理距离。

四、故作大言

中国人的传统心理是不欣赏锋芒毕露、口出大言的人，而喜欢那些口齿木讷、老老实实的人。这种无声的道德标准一直延续到当代政治社会生活之中，我们总是倾向于接受说老实话、做老实人的教导。这对于我们继续发扬民族文化传统自然是一个很有利的因素，但是如果过分拘泥地、绝对地理解了这一点，对于我国民族幽默心理的养成却可能有害。幽默的意识至少在形式上，或者语言的表层结构上，是与日常的道德意识不完全一致的。自我调侃的方法之一是把自己有限的缺点夸大到荒谬的程度，甚至明明很聪明，却装作连普通常识都没有，说出一些显而易见的蠢话来，才显出自己在智慧、教养和道德上的优越。与此相反，还可以故作大言，即把有限的优点夸大到荒谬的程度，这和故作蠢言都属于自我调侃的幽默法门之列。对于中国人来说，故作大言的心理障碍比故作蠢言的更大，而西方人特别是美国人则相反，他们的传统心理定式是肯定自我欣赏的人。且听一位美国的祖母对她孙子的评价：

我孙子比林肯总统还聪明。他现在才 8 岁，就已经会念盖茨堡演说词了（按，林肯在南北战争期间所作的一篇著名演说），而林肯到 50 岁时才会念。

在这里，把才学会念短文的孩子，与在重大战役之后以惊人的简短演说而震惊美国的著名总统之间的反差显示出来，并通过这种反差突出祖母故作大言的乐趣。这种形式上的大言，是任何一个宠爱自己孙子的中国老祖母所难以想象的。这位祖母自然并不真的以为他 8 岁的孙子比总统更高明，但是她为孙子开始学会念总统的演说而得意，她的这种得意如果毫不夸张地表现出来，充其量只是抒情而已，但她把念演讲和演讲故意混淆，使不等同的东西等同起来，然后把孙子的年龄优势孤立地、绝对地加以强调，把荒谬的内容掩藏在勉强的形式逻辑之中。叔本华认为笑是观念与实体之间的不协调，在这里，结论与原因之间的不相称，所突出的不是客观的事实而是老祖母主观的感情，我们因迅速顿悟了二者之间的反差，感到自己对老祖母的同情和自己智能的优越而发出轻松的微笑。

当然，我们中国人也不是没有这样的幽默感，几乎每一个相声演员在舞台上都每每以大言不惭的胡吹引起人们的笑声。明明不会唱歌而冒充内行，明明不懂外语而装得很精通，结果弄巧成拙、狼狈不堪或者是歪打正着、偶然巧合而蒙混过关，但这是属于表演艺术，是演了给人逗乐的、让人欣赏的。这可以说明中国人有足够的智慧和情趣去欣赏故作大言的幽默，但却很少在实际社会生活中用以自我调侃。中国人的温良恭俭让传统使得中国人的幽默感在这方面比他们的道德意识显得逊色，因而在人际交往中，特别是在受到社会赞扬时人情味就不如其他方面那么丰富。20 世纪 50 年代，布劳先生被任命为美国钢铁公司的董事长时，有人问他对这个新职位的感想，他就不像中国许多同行那样对自己采取谦虚谨慎的态度，他说："毕竟，这不像匹兹堡海盗队赢了一场棒球。"他说得也很有分寸，并没有显得很傲慢，但是他也没有掩盖自己内心的得意。在美国赢得一场棒球在国民心目中比在中国重要得多，可是他觉得比起他的新职位来说，赢场棒球已经算不了什么。他把他的大话隐藏在曲折的暗示之中，因而显得比较精致。

故作大言的幽默，其实是幽默中最易成功者，试想在多次婚礼、集会上，为了推选主持人我们花去了多少时间，即使最后有人勉强接受了，我们又不得不忍受其语言无味的照本宣科式的主持。其实，这时主持人只要敢于故作大言，会场就会活跃起来。他本可以放开想象："今天承蒙莎士比亚（或月下老人）之派遣，我不胜荣幸地为罗密欧与朱丽叶主持婚礼……"如果新郎姓王新娘姓周，可以改口："不，王密欧和周丽叶。"可以想象这样的故作大言该会给新娘、新郎及来宾带来多少忘情的欢乐，就是那最拘谨的客人也会忘却了礼仪的制约而神采飞扬起来。中国人之所以很少进入这样的境界，那是因为他们太执着、太认真，不习惯于"忘我"。在创造欢乐的幽默气氛时，你必须暂时地把自己想象得伟大起来，让你的想象自由地飞翔，只有这样你才能很自然地"大言不惭"起来。

五、故作玄虚

幽默具有多方面的特性，它的规律相当复杂。一般地说，它多求含蓄，同样的一句话说得含蓄，幽默感就强些，反之则可能煞风景。比如说，一个有地位的人不愿直接道破他的父亲是屠户，便可以改换一种间接的说法，说他的父亲是"牛的外科医生"。几乎所有的幽默感都多少以间接的暗示使读者在曲折的顿悟中得到精神的享受。比如说，一个妇女匆匆走进一家商店诉说五分钟前她的儿子在这家商店买了一磅果酱，可是分量很不够。售货员十分有把握自己没有克扣果酱的分量，她猜到是孩子在路上把果酱吃掉了一部分。这时如果她直接回答说，那是因为你儿子在路上偷吃了，就毫无幽默感可言了。如果她准确估计顾客的理解力，而把自己的观点掩藏在似乎牛头不对马嘴的语言之中，效果就可能好得多。例如她可以这样说："太太，请你回家称称您的儿子吧。"乍一听似乎令人摸不着头脑，细一想，原来她的意思是孩子的体重肯定因大吃果酱而增加了。顾客会因顿悟了售货员的智慧和情趣而领略到一种愉快。幽默的秘诀之一就是通过你曲折的暗示把对方争取过来，共同创造幽默的效果。

许多研究幽默的学者都指出幽默在开端都有一个悬念，然后有一个对转，最后有一个发现。这种理论并不是很完善的，但是它也有一个好处，那就是揭出了幽默不是直接的告知，而是间接的发现，特别是经过曲折的推理，让对方自己去发现，去领悟说话者的智慧和奇妙的情趣。

由于幽默通常有这样一个规律，它总是有个对转，总是让你领悟到与你原来期待不同的东西，所以康德才说，笑是在期待失落以后产生的。久而久之，一旦进入幽默的情境，人们总是期待出乎意料的谜底。这可以说已经成了一种心理习惯，或者用心理学的术语来说，是心理定式。这是幽默的正格，但是幽默不拘一格，有正格意味着必有破格；有预期的失落，必有预期失落的失落：

法国寓言家拉封丹习惯于每天早上吃一个土豆。有一天，他把土豆放在餐厅的壁炉上凉一下，不久却不翼而飞了。于是他大叫："我的上帝，谁把我的土豆吃了？！"他的佣人匆匆走来说："不是我。""那就太好了！""先生为什么这样说？""因为我在土豆上放了砒霜，想用它毒老鼠。""啊，上帝！我中毒了！"拉封丹笑了："放心吧，我不过是想让你说真话罢了。"

拉封丹这里是故弄玄虚，从心理预期来说是双重的失落。第一次是仆人说自己没有吃，而拉封丹说太好了，仆人有轻松的预期，结果却转化为非常严重的后果；接着又来了一个对转，预期的危险完全消失。这是双料的故作玄虚，本来什么事也没有，平淡无奇，借一个没有毒的土豆，弄了两次玄虚，让仆人的心理失落了又失落。

这种幽默的全部奥秘就是利用对方预期转化的心理，其法变化万千，有时不是给人一种双重转化，而是相反，故意给他一个没有转化的谜底，让他期待对转的心理落空，恢复到常态。有一则幽默故事说：

一位画家给一位求画者看一幅只有一张白纸的"画"，并且说："先生，在这张画里，你可以看到一头牛，它正在吃草。"求画者："草在哪儿？"画家："哦，给牛吃光了。"求画者："那牛呢？"画家："那还用问吗？既然草已经被吃光了，它还待在那里，岂不是等着饿死吗？"

这个幽默故事的含义也许比通常的幽默故事更丰富些，牛可能是画家的自喻，说明他在这样的环境里已无生活素材，无画可作了。一张本来平淡无奇的白纸之所以能产生这样的效果，就是因为作者利用读者强烈的心理预期，以为总得有些比白纸更惊人的东西出现，不可能就是一张白纸，结果是作者把读者的心理期待猛然放松。值得注意的是，幽默的功力不仅在于构成悬念，而且在于解释悬念。解释悬念，要讲一定的逻辑性，才能服人，如果像拉封丹那样直接说："别发傻了，我骗你上当呢！"只能说明他有智慧，还不能说他有特别的情趣。但如果真的要讲道理，而且要符合逻辑，那也不可能，因为故作玄虚本身就很玄、很虚，实实在在的道理是讲不出来的。所以在解释悬念时，往往要讲一点歪道理。歪道理从逻辑上来说，本来就是没道理。明明没道理，却要讲出道理来，就要歪得巧妙，不给人武断之感。这时的关键就在抓住任何一点在概念上沾上边的细节来作为推理的支点，大加发挥。例如，画上没有草，如果他硬说有就武断了，他说给牛吃了，因为沾上了一点牛在现实环境中要吃草的边，而显得有一点"理"；但认真讲起来，也是无理，因为画上的牛绝不会吃草，如果你拘泥于画上的牛不会吃草这一点"真理"，你就幽默不起来。所以幽默之妙就妙在"真理"与"歪理"之间。

以故作玄虚构成幽默，主要环节不外两个。第一，构成一个玄虚的、不存在的悬念，这个悬念可能看起来是非常可怕，后果严重，但实际上是没有什么大害处的。表面上的荒谬性与实际上的无害性之间的反差越大，喜剧性（严格说来是轻喜剧性）越强。如果看起来很荒谬、很可怕，后果又非常严重，那就不是幽默的喜剧而是痛苦的悲剧了。例如拉封丹的土豆如果真的有毒，仆人吃了满地打滚，拉封丹就有失厚道，很难获得读者的同情了。

以故作玄虚构成幽默的第二个环节，就是为玄虚的悬念寻找巧妙的歪曲的解释，从某种意义上讲，寻求歪解比构成悬念更能显示出作者的智慧和情趣。

任何对于悬念的解释都以出奇制胜为佳，一忌落入窠臼，二忌一本正经。

我国南北朝时期北齐高祖身边有一个优伶叫石动筩，专门以幽默的言行来逗皇帝开心。有一次齐高祖大宴近臣，出了一个谜语叫众臣猜。谜面很古怪，叫作"卒律葛答"，读起来有点像现代话"疙里疙瘩"。

大家都猜不出，只有石动筩猜对了，是煎饼。齐高祖又提议大家出一个谜让他猜猜。大家不敢，只有石动筩出了一个谜，也是"卒律葛答"。齐高祖给蒙住了，问他谜底，他说："是煎饼。"这是利用了现场的一种心理预期，既是新出谜语，必有新底，谁也不会想到竟是原来谜语的重复。这就是故弄玄虚的功能了，但是石动筩的幽默如果仅限于此，也就只是耍一点小赖皮而已，算不得上乘的幽默。他的杰出之处在于他对这个谜底作了创造性的歪解。当齐高祖问他为什么照搬他的东西时，石动筩说："趁你的热锅子我再煎一个。"这就有点不俗了。石动筩的妙处在于把谜底作为概念的煎饼不动声色地变成了具体的物质的煎饼，由煎饼的过程再联想出现场的热锅子来，因而虽然是照搬人家的谜，他的故作玄虚的歪解是有点不同凡响的。

故作玄虚是构成幽默的要素，并不意味着只有在纯粹的玩笑中才用得上。有时在现实的人际交往中，甚至在政治生活中发生某种失误时也能派得上用场，例如政治家的失态，用现实的办法是无法弥补的，只能急中生智，有意使这种失态玄虚化，产生一种幽默的效果，把自己从困境中解救出来。20世纪60年代，当时的苏共中央第一书记赫鲁晓夫在联合国大会上发言时，由于会场上某种特殊的反应，他突然举起一只皮鞋，呼呼地敲着讲台说话。那只皮鞋人们原以为是他自己的，可新闻照片证明，皮鞋在他脚上穿得好好的。传言皮鞋是坐在附近的一个阿拉伯国家外交代表团的一位成员的，这位先生当时正在打瞌睡，赫鲁晓夫便就地取材使用了一下。敲击声惊醒这位先生，当他尴尬地寻找鞋子时，赫鲁晓夫刚好走下讲台，顺便轻轻地拍着他的肩膀说："没有什么，你不过是梦中失落了一只皮鞋而已，我将来定会赠你优等的乌兹别克斯坦皮鞋。"

未经允许拿了别国外交代表的皮鞋，这对于政治家，特别是国家领导人，是很不成体统的。赫鲁晓夫的机智和幽默这时帮了他的忙，一下子把皮鞋由现实世界推向虚幻的梦境。这种推向玄虚的办法便淡化了现实的失利，而强化了情趣的交流，这样急中生智的幽默使他减少了被动。他当时是苏联最高领导人，他说的话是要算数的，从那以后或许这位阿拉伯外交官每年都会收到一双优质的乌兹别克斯坦皮鞋，甚至赫鲁晓夫下台、逝世以后，阿拉伯外交官仍然会每年按期收到，不过，这就不属于幽默的范畴了。现实的物质利益与幽默的情感体验并不相同，幽默的情感常常是在超越了物的需求时才能得到充分自由的体验的。

六、苦中作乐

中国有句古话，叫作黄连树下弹琴——苦中作乐。这句话并不是很经得起推敲的，原因是弹琴并不一定能产生喜悦之感，这要看你弹的是什么曲子，如果是一曲悲歌，又在黄连树之下，很可能弹得涕泗滂沱。即使是一曲欢歌，也不一定能使弹者欢笑起来。演奏贝多芬第九交响曲第四章《欢乐颂》的乐队，几乎没有一个人会笑出声来，连听众都一个个神情严肃，沉浸在一种精神享受之中，其情绪与在听悲歌时是一样的，这时听众和演者都陶醉于一种美感之中。美感不一定与日常生活中的欢乐联系在一起，有时看悲剧掉眼泪也是一种美感。

如果你陷于痛苦，弹琴奏乐只可能使你陶醉于音乐之美而忘却痛苦，却不可能直接产生快乐。

为了摆脱困境而借助于音乐，是并不那么可靠的。相比起来，借助于幽默，要可靠得多了。

但是，当你处于窘境，心情郁闷痛苦，你与幽默的要素相去甚远。尤其是当你的苦闷是来自外来的攻击时，你的全部心智都集中在反击，这时幽默可能暂时用不上。然而，如果你面临的攻击不值得反击，或无从反击时，幽默就有用武之地了。

古希腊哲学家苏格拉底的妻子是一个著名的悍妇，动辄对丈夫打骂。一次她对苏格拉底大发雷霆之后又当头泼了他一盆冷水。面对这种情况，一般的丈夫通常都会发作起来进行反击，但是苏格拉底面临这种困窘处境之时竟然这样说："雷鸣之后免不了一场大雨。"

一场凶恶的冲突化作了一场玩笑。

别人问苏格拉底为什么要娶这么个夫人，他答："擅长马术的人，总要挑烈马骑。骑惯了烈马，驾驭其他的马就不在话下了。"

人处于困境中已经很难，在困境中幽默更难。原因在于，第一，这时要从迫在眉睫的外部侵犯和内心的自卫冲动中解脱出来；第二，从另一角度，亦即不是从绝对消极的角度，而是从积极的、至少是非消极的角度，对眼前的灾祸作出性质截然不同的评论；第三，如果评论完全与事实不挂钩，不成其为幽默，要幽默得起来还得使这种评论在形式上又有某种天衣无缝的巧合。

苏格拉底的高明，首先在于不把她夫人的凶悍当作为人妻子者不当有的；其次，他把这种凶悍淡化为大自然中常见的现象，而自然现象是人的主观意志不可控制的；最后，把破口大骂后的以一盆冷水，比作雷鸣之后通常必有的暴雨。两个比喻的连续关系，变成了逻辑上的因果关系，看起来有某种巧合的逻辑性。

既要性质上相去甚远，又在形式上、逻辑上相合甚密，是幽默的要义。

幽默家的真功夫就在解决这二难中显示出来，幽默的趣味就在这二难相生相克的过程中产生。

我国明代散文家归有光穷困到门破了，关不拢，椅子歪了，不能搬移，只好以草绳捆一下，还在门前写了一条横额："结绳而治"。

"结绳而治"本来指上古无文字之时，人们用绳子打结以帮助记忆，与归氏家贫之状相去甚远；而二者以绳为重要辅助工具又十分相近，因而这样的幽默是比较细致的。这是一本叫《柳南随笔》的文人笔记中所记载的，该书接着说到归有光除夕时在门上写了一副对联：

一枪戳出穷鬼去

双钩搭进富神来

这与归有光现实的穷而无力改变现状相去甚远，但是在形式上和逻辑上却并不偶合，原因是“一枪”与“双钩”在这里没有着落，不知从何处引申出来，因而显得有点强制。作者不是诱使读者顿悟，而是强迫读者接受，因而读者就较难与作者分享幽默之趣。

这种幽默，也固然还是幽默，只是粗糙了一些。

在失败的关头，在痛苦之中，能调动自己智慧和情感的能量作超常发挥的人，才能于仓促之间发出精致的幽默谈吐来，这需要有一种“急智”。

美国有一个传奇式的教练叫佩迈尔，他带领的迪泡尔大学篮球队在蝉联 39 次冠军后，遭到一次空前的惨败。记者们随即蜂拥而至，问他此时有何感想。他微笑说：“好极了，我们现在可以轻装上阵，全力以赴去争夺冠军，背上再也没有包袱了。”

这个教练显然有“急智”，在紧要关头，通常人都会水平下降，而有急智者恰恰能比平时更充分地发挥自己的才智。

这个教练的“急智”，显然不完全来自先天的气质，也得力于后天的修养。稍有哲学修养的人可以看出他对于辩证法中对立转化原理的灵活运用，他的哲学修养帮助他看到事物的反面，他在冠军的称号中看到了包袱，而在失去冠军的时刻看到了某种从零开始的有利心理因素。

正因为这样，他的回答不但有幽默感而且有哲理感；也正因为这样，他的幽默就不但有解放精神的作用，而且有实践的指导意义。

当然在现实生活中，身处困境还能幽默的，还是大有人在，而困境的极致，大约就是面临杀身之祸。人头就要落地了，还幽默得起来吗?

回答是肯定的。不论是东方还是西方，偏偏就都有这样的人，死到临头了，还要幽最后一默，这在幽默格中属于“黑色幽默”。

讲到西方的黑色幽默，有一个经常被引用的故事，那就是一个人被送上了绞刑台，他注视着那飘荡在眼前的绞索，忽然问行刑吏说：“这玩意儿会不会断掉啊？”好像他是在担心绳子会断掉，绞刑不能顺利地执行似的。这显然是超越了现实的严峻情境的。

超越现实的情境恰恰是产生幽默效果的重要条件。现实生活往往迫使人去应付生存的需求，只有超越了生存需求，才能以幽默感愉悦自己，陶冶自己的心灵，使心灵充满了生命的欢欣。即使处在逆境中，幽默家也能化尴尬为微笑。

但是一般地说，现实越是严峻、越是难以超越，同时也就越难以幽默，当然也就越难发出轻松的笑声。反过来说，一般的幽默所面对的消极情境其后果都不是太严重的，如果太严重了，就有可能变成悲剧，而幽默从本质上来说是属于轻喜剧之列的。

但是幽默毕竟是不拘一格、无限丰富的，正如笑是不拘一格、无限丰富的一样。人们在正常情况下可以欢乐地笑，特殊情况下也可以恐怖地笑，可以笑得喘不过气、直不起腰，也可以笑得比哭更难看，笑得叫人毛骨悚然。

幽默的笑也一样，既有使人亲近的，也有使人难堪的；既有幽默得愉快的，也有幽默得恐怖的。

黑色幽默就是一种恐怖的幽默，一种令人毛骨悚然的幽默，其特点是不管后果多严峻，仍然要幽默。

这种特殊的幽默，并不是当代西方文学的发明，其实中国古代就有，只不过他们比我们早命名，叫作“绞刑架下的幽默”，我们也有类似的事例：

清朝以评点《水浒》和《三国》而出名的金圣叹因为触犯了官家，被朝廷官吏判决杀头。在这以前他向行刑的刽子手表示，希望执刀干脆利落一些，并暗中递给刽子手一个沉重的纸包。刽子手自然答应了他，把刀磨得分外锋利。事后，刽子手回家打开金圣叹递给他的小包一看，是一块砖头和一个小纸条，上面写着：“好快刀也！”

严峻的后果，严酷的灾难，并不是绝对地与幽默感不相容。如果是严酷的现实已经不能避免了，当然也可以用悲剧的态度看待，但是用幽默的态度观之，也不是绝对不可以。这样就产生了一种把恐怖与微笑结合在一起的特殊幽默，它不同于一般的幽默之处在于：它不轻松，很沉重，它表面上是可笑的，实质上是可怖的，可笑与可怖的反差是如此强烈，此时你不知如何是好。在这种情况下的幽默，实在需要很大的气魄。我国现代和当代作家中幽默家本来就很少，在严酷的情境中能作黑色幽默者就更少。在通常情况下，一个普通人由于种种缘由遭到不幸，作家们往往不约而同以悲剧表现，这自然符合人之常情，但也有不拘一格的创造，如《阿 Q 正传》。阿 Q 明明含冤赴死，可鲁迅却不强调情景及人物心态之悲惨，反而全力突出其荒诞之处。如在押赴刑场时，让阿 Q 在人群中寻找并不爱他并给他带来了灾难的吴妈；鲁迅又让阿 Q 不为死到临头而痛苦，而为圆圈画得不圆而遗憾，而圆圈恰恰是他签字画押的方式，也是判处死刑的手续。特别是鲁迅不让他感到冤屈和悲痛，而让他讲了一句惊人的话：“二十年后又是一条好汉！”好像他是什么英雄去慷慨赴义似的。

所有这一切心态的麻木和情境的严酷的反差构成了怪异，产生了黑色幽默的笑。

这种风格是这样困难，以至于从那时以来没有一个作家再敢用喜剧的幽默去写悲剧的冤死。

面对死亡的机遇毕竟是很少的，因而黑色幽默在日常的人际交往中，也是很少运用得上的，作家在创作中也并不是很常见。即使到了面临死亡而有兴幽默的关头，人们也很少能把握情境的严酷性与幽默的调笑性之间的分寸。为了保险起见，常常是尽可能虚化它的沉重感而强化它的轻松感。

德国诗人海涅在临终弥留之际的最后一句话是："上帝会不会记住我，那是他自己的事。"

能言善辩的美国演说家亨利·瓦尔德比彻在意识到死亡来临时，说："现在神秘奥妙的世界降临了。"

这里之所以有可能把严峻性淡化，原因在于这是自然的死亡而非由于社会的不平或法律的不公，说出幽默语言的又不是别人，而是面临死亡者本身。

如果是由于受迫害而死，又是别人说出这样的话，就可能变成没心肝的咒语了。

第二章

神经放松

一、不动声色

幽默感是与显而易见的可笑联系在一起的，愈是可笑，愈有幽默的效果，但是发出笑声是听众的事，是对方的事，而不是说出幽默语言的人的事。可以说，有一条这样的规律，讲述幽默语言的人越是沉不住气，越在脸上表现出惊奇、流露出笑容，越是减少幽默的效果。我国清代人陈皋谟作《半庵笑政》，其中有“笑忌”，除了指出切忌“刺人隐事”“笑中刀”“令人难堪”以外，还特别指示：不可“先笑不已”。这个禁忌与美国幽默作家马克·吐温在《怎样讲故事》中所提出的原则是一样的。

马克·吐温说过这样一个故事：在炮火连天的战场上，一个士兵脚受了伤，他请另一个士兵把他背下战场，可是飞来的弹片把受伤的士兵的头削去了，而那背着自己朋友的士兵仍旧飞奔不已。这一切被在场军官看见了，军官叫道：“你背着个没头的尸体跑什么呀！”那士兵停下来看了看自己背上的朋友，大惑不解地说：“可是他刚才叫我背他的时候，还是有头的呀！”这个故事自然是很好笑的，可马克·吐温说，在美国讲这个故事的两个人却有不同的讲法，一个是一面讲，一面预料到听众会感到可笑，他自己总是忍俊不禁地先笑起来。马克·吐温认为即使这个人能引动听众也跟他一起笑，也没有什么讲故事的才华。而另一个讲故事的人则不这样，他不动声色，装得像个乡巴佬的样子，好像他丝毫没感到这故事有什么可笑之处。马克·吐温认为，这样的演员更能引起听众的笑声，而且与前者相比，后者才是个有天赋的人。

原因何在呢？幽默的趣味既不是一种单纯的情感，也不是单纯的智慧，它是一种复合的东西，其中包含着荒诞与机智、同情与隔膜之间的对比或反差，一面讲，一面笑，却减少了这种反差，明明很可笑，而讲故事的人却显出很笨拙、很迟钝的样子，无疑就增加其中的反差，自然也就增强了幽默的功能。

这个规律有相当广泛、相当普遍的适应性，我国的相声大师在舞台表演都有一个特点，那就是在舞台上十分放松，他的表情、他的面部肌肉都很松弛，他一点也不想显得比听众更早预见到笑声即将爆发，相反，即使笑声爆发了，他仍然一副松松垮垮若无其事的样子。可以说，幽默的秘诀之一就是与笑声、与对于谜底的揭示拉开距离，幽默的大敌不但是“先笑不已”，而且也是后笑不已。你越是作出对笑料无所感应的样子，你越是成功。

这一点，不仅适应于舞台幽默，而且适应于日常人际的幽默谈吐。很多人在看出对手的可笑、愚蠢时，或者感到自己受到不公正评价时，往往沉不住气，不是自作聪明地笑起来，就是自以为是地发火，而一笑、一火，幽默感就被破坏得无影无踪了。南朝刘义庆所作《世说新语·雅量》记载了当时荆州刺史殷浩的一个故事：殷浩有一个朋友喜欢写赋体文章，格调属于滑稽打油之列。殷浩可能因为朋友感情，对他的赋评价很高，而且把赋拿给当时一个名人王恭去看，说是水平相当不错。王恭读时，殷浩在旁边笑个不停。王恭的眼界很高，自然瞧不起这格调不高的赋，但是他并不因为看出赋的作者和殷浩的浅薄，而露出一丝一毫的声色。他既不说好，也不道坏，只是用镇纸的如意把文章压得平整一点而已，殷浩到这时才感到自己不高明而“怅然自失”起来。殷浩的失败正如马克·吐温所说的那个没有才华的演员，而王恭明明看透殷浩的可笑而不笑，用不动声色来逼得殷浩感到自卑，正如马克·吐温所称赞的那个有天赋的艺术家。

把聪明放在脸上只能破坏幽默，而把傻相放在脸上却能强化幽默。写作于我国元明之际的《玉堂丛语》记载着这样一个故事：有一位曾经官至“太史”的叫陈嗣初的闲居在家，一日来了一位客人，自称是宋代诗人林和靖（就是写了“疏影横斜水清浅，暗香浮动月黄昏”的林逋）的后代，他带了自己的诗来作为晋见之礼。这位陈嗣初很有点学问，也挺有幽默感，他一下就看出来者假冒林和靖的后代。他的幽默感使他不动声色，只是到内室去拿了一本书给来者看，这本书就是《林和靖传》。当这位客人读到传中所写“终身没有娶妻，没有儿子”时，读不下去了。这位陈嗣初这时显示了他很高的智慧和幽默的才华，但是很可惜，他大概是弄不清幽默和表面的、直接显露的聪明不相容，这时他忍不住感到自己的高明而笑起来，这已经犯了“后笑不已”的忌了。可是他还不过瘾，又吟了一首这样的诗：“和靖先生不娶妻，如何后代有孙儿。想君必是闲花草，未必孤山梅树枝。”（按：最后一句暗用了林和靖写梅花的名句的典故）弄得这位可怜的冒牌货狼狈不堪地溜之大吉。陈嗣初胜利地显示了他的聪明才情，却破坏了很别致的幽默感。

幽默的最大功能是减轻心理压力，防止或消除紧张的人际关系，提高自己的人格，开阔自己的胸襟。特别是在自己精神上占了优势以后，幽默可以用来保护你的对手的自尊心和人格。陈嗣初毕竟是个做官的，学问很高，而人格并不高，他不懂得用不动声色与对手共同分享幽默之乐，更不懂得损人过甚不但破坏了幽默，而且破坏了自己的人格。

所以幽默感强的人，也往往对对手给予充分的同情心，即使处在矛盾尖锐的情境中，也不愿锋芒毕露，而宁愿高深莫测。不但喜怒不形于色，而且好恶也不溢于言表，这正是一些富于幽默感的政治家在处理某些敏感的外交问题时常用的方法。前些年日本和美国作为盟国，在经济关系上出现了相当尖锐的矛盾，主要集中在日本的封闭性市场和美国对日贸易赤字的矛盾长期得不到解决。前日本首相中曾根康弘访美期间，在洛杉矶与美国前总统里根相会，讨论两国的政治和经济问题，并未找到适当的解决矛盾的途径。在一次工作午餐席上，里根突然给中曾根讲了个笑话：有一个人被洪水困在屋顶上，一位好心的人划船经过，提出帮助他逃生，他拒绝了，说他相信上帝会救他；不久又来了一艘摩托艇，但也被拒绝了；后来又有一架直升机前来救援，同样没有成功。这个人最后被洪水淹死了。在天上，此人抱怨上帝没有救他。上帝回答说："我曾派了两艘船、一架直升机去救你，却都被你拒绝了。"

里根只是说笑话，并没有解释笑话的含义。中曾根康弘的一些随员解释说，这是里根的抱歉之意，因为日本曾数次开放日本市场，但美国至今未能掌握住机会，将美国产品推销到日本。中曾根康弘听后感到颇为欣慰。

但是别的官员却另有解释，他们认为里根的意思是，美国已经给过日本几次机会，让日本设法为美国产品真正打开大门，但是日本并没有诚心诚意地把握机会，因此，美国将来只好采取保护政策或报复措施。这样的解释让中曾根康弘听了很不舒服。幸亏里根并没把他的全部意向直接讲出来，要是真露出声色来，还不知道让中曾根康弘多不痛快呢。对于富于幽默感的里根来说，与其锋芒毕露，不如高深莫测，让你怀着神秘不安的心情去猜测，而他就可以让自己的幽默带上某种神秘的色彩。当然，只有在里根与中曾根康弘这样的身份的人中间，这种神秘感才有它特殊效应，因为他们代表的是世界上非常重要的两个国家，他们的一言一行、一举一动都有极大的重要性，都值得人们，特别是关注两国关系的人去费尽心机地分析钻研。如果不是这样的人物，而是普通人物，在通常情况下就不可能被详加分析。当然这是通常情况下，而不是特殊情况下，应该说，任何一个人都有可能在特殊情况下，在特殊的对象心目中，有特殊的重要性（例如在谈恋爱和竞争的双方之间）时，如果一方把他的幽默语言笼上一层神秘使对方感到高深莫测，就不但是有利的，而且是容易被对方欣赏的。

这个规律不但在人际交往中，而且在舞台表演上也是适用的。法国一位作家萨沙·吉特里在评论卓别林时这样说：“卓别林使我们笑得热泪盈眶，他能令人不得不笑，他能使盎格鲁人、撒克逊人、拉丁语系人、斯拉夫语系人、中国人、黑人以及老老少少的人都发笑。然而他的幽默是并不完善的，因为有一个人从来不笑，这个人就是卓别林本人。”吉特里在这里用俏皮话说出了他对卓别林的最高赞赏。

很可惜，我们许多相声演员还没有真正悟出这个道理。

二、钝化锋芒

幽默的大忌乃是故意对抗，幽默产生在避免冲突，卸除心理重负之时，但这不是说一旦面临着敌意和冲突，幽默就注定自行消亡，这要看幽默的主体是否有足够的力量。如果幽默的力量强大，它就可以帮助你从凶险的冲突、怨恨的心理、粗鲁的表情、一触即发的愤怒中解救出来。

即使你不可能改变你的攻击性，幽默感仍可以帮助你钝化攻击锋芒，或者说，由于恰如其分地钝化攻击的锋芒，你的心灵获得了幽默感的陶冶，你游刃有余地以更有效的方式来表述你的意向，并避免弄僵人际关系。

美国的赫伯·特鲁在《幽默的人生》中说：“有个人走到邻居门口，手里拿着一把斧头说，‘我来修理你的电唱机了’，只要他不把邻居的电唱机砸坏，他便恰当地表示了对邻居的电唱机太嘈杂的音响的不悦，而用不着对他大发雷霆。”这里的攻击性由于斧头只能砸坏而不能修理电唱机而钝化了，其妙处就在这种器非所用的荒谬性上。如果拿了斧子说，我要砸你的电唱机了，只能显得粗鲁；或者拿了仪表说，我来替你修修，只能显出他好心，却不能让人发出会心的微笑。

锋芒被钝化，在表面上往往是夸张化：

马克·吐温收到一位初学写作者的来信，信里说：“听说鱼骨里含有大量的磷，而磷是补脑的，那么要成为一位大作家，是不是必须要吃很多的鱼呢？”马克·吐温的回答只有一句：“看来，你得吃一对鲸鱼才行。”

本来这样的问题就说明这位读者不是当作家的料，可马克·吐温把回答的锋芒钝化了，鲸鱼极大，绝不是一个人能吃得下去的，何况是两条！这样就把回答中攻击性的含义虚幻化了，让对方感到这并不是一种很认真的回答，但是其绝对不可能吃下与绝对不可能成为作家恰成正比。

在现实生活中，交通拥挤，人事关系复杂，公共秩序混乱，夫妻感情不和谐，物价飞涨，随时随地都有许多因素在刺激你想出言不逊或与人发生一次冲突以求发泄，但在发泄以后却长久地感到心情沉重和对自己失态的不满。如果你能在发作以前作幽默的宣泄，在宣泄时钝化你攻击的锋芒，很可能会留下愉快的记忆。当你在公共汽车上忍受拥挤的时候，当一些人因此而互相攻击的时候，你要让自己从恶性的心理环境中解脱出来。当你在排队购物的时候，在那漫长的等待中你可能忍受着恶劣情绪折磨，这时如果是在买鱼，你可以说，等轮到我，那里的鱼都成了鱼干了，不过那样也好，吃烤鱼干可省事了。

专门研究中国的笑的艺术的薛宝琨在《中国人的软幽默》中有这样一段话很值得引用一下："幽默是民族修养的表现，往往润饰并调解着人际关系，比如在公共场合，在汽车上，一个人踩了另一个人的脚却毫无反应，被踩的这个人就会以幽默的语言表示意见，说声：'对不起，是我的脚放得不是地方。'对方拘于面子，自然会向他道歉。一个小伙子坐在'孕妇专座'上面，孕妇则站在旁边被挤，聪明的年轻人就会在他面前大声地念：'乃妇专座。'他更正说：'错了，是孕妇。'年轻人立即告诉他说：'孕妇在这儿'。"这两个例子都是转弯抹角地把批评性的意向间接化、淡化，从反面提醒对方，唤醒对方，让对方减少被攻击的被动感觉，从而主动地顺从你的诱导。不过，这也得看对方是否有起码的幽默感，如果没有，仍然无动于衷，就很可能引起公愤，爆发一场冲突，其结果是攻击的锋芒锐化，而不是钝化。

这说明，第一，幽默的效应因人而异，不能不看对象。第二，幽默并不是万能的，对于那些顽冥不灵的人来说，它的效力不如群情激愤的压力。第三，幽默只适用于与人为善的启示，而不适用任何野蛮的暴力。如果对方存心侮辱你的人格，你光用钝化锋芒的幽默感去对待是不够的。幽默只能在你处于实质上的优势的情况下（不论是精神的还是物质的）才能奏效，如果你遭受欺凌而且反击失败，这时如果还来钝化攻击锋芒，就可能变成阿 Q 式的自我安慰、精神胜利，这是一种自我麻醉，而不是自我修养的陶冶。

幽默的适应范围是小小的不愉快，并不是十分严重的后果，一旦后果严重化了，就无法幽默。反过来说，幽默的分寸感很重要，就是在它适应的范围内仍然要淡化其效果，因为幽默与心情的轻松分不开，幽默与刻薄不能相容，但是若用适当的夸张使攻击性虚幻化，则并不显得刻薄，反而显得亲切。相传苏东坡的脸很长而且多须，其妹苏小妹额头相当突出，眼窝深陷，苏东坡以诗非常夸张地强调了他妹妹的深眼窝说："数次拭脸深难到，留却汪汪两道泉。"妹妹反过来讥讽哥哥的络腮胡子："口角几回无觅处，忽闻须内有声传。"哥哥又回过来嘲笑妹妹的"奔儿头"："迈出房门将半步，额头已然至前庭。"妹妹又戏谑性地嘲笑哥哥的长脸："去年一滴相思泪，今朝方流到腮边。"虽然是极度夸张双方长相的某一特点，甚至达到怪诞化的程度，但却没有丑化，至多是让人感到可笑，这就无伤大雅。如果互相嘲弄的目标是生理缺陷，就可能使人感到刻薄，因为生理缺陷在人的心目中是个储存隐痛的禁区，而触动隐痛哪怕是很轻微的暗示，也可能锐化敌意，而不是钝化攻击锋芒。

总的说来，幽默是一种很精致的心理体验，其微妙的情致，要有相当准确的分寸感才能掌握，粗心大意地对待，很可能弄巧成拙。

三、由愤转谐

愤激与幽默是完全不相容的。幽默是一种宽容大度的表现，幽默家的本领不是放任自己怒气冲天，而是抑制怒气。愤激则直接针对所要攻击的对象，一旦攻击，轻则怒目而视、悻悻不已，重则恶意谩骂。

愤激离幽默甚远，当情感紧紧被对方的伤害意向所控制，就很难从中解脱出来，更不可能从另一个方面着想，去考虑对方的自尊或对对方的愚昧做悲天悯人的退让，更不可能对自己作冷静的审视，作自我调侃：

有一对夫妇吵得很凶，吵到后来丈夫觉得后悔，就把妻子拉到窗前，看外面两匹马正在把一车干草往山上拉。

“为什么我们不能一起把人生的重担拉向山顶？”

太太的余怒未消：“因为我们两个人之间有一个是驴子。”

如果此时丈夫感到失败，或者又被激怒，就意味着幽默感的消失。具有幽默感的丈夫，不但应该看到这时妻子余怒未消，同时也应看到妻子由于进入想象境界，离现实的争执已稍远，而且由于这句话说得很聪明，有点幽默的意味而多少有点得意。这正是她的心情有可能转化的机遇，聪明的丈夫这时要抓紧这个机遇，让她从原来愤怒的心情中解脱出来。在这种场合如果能继续将她的幽默发挥下去，比一下子一本正经地提出和好的建议要自然而有效得多。但要幽默下去，该怎么说呢？这就是对丈夫的考验了。丈夫可以这样说：

“驴子有一个特点你知道吗？”

“什么特点？”

“一旦发起火就永远不会认输。”

也许妻子能够容忍这种荒诞化了的隐含的攻击性，破涕一笑，风暴就过去了。也许对于有些妻子来说，这样玄虚化的攻击性还是太强，聪明的丈夫最好自我调侃一下。例如可以这样说：

“你看得出，两匹拉车的哪一条是驴子呢？”

“不知道。”

“我看是那一头正在喘气的、可怜巴巴的。”

“你怎么知道。”

“因为它是一头怕老婆的驴子。”

这时使用这种几乎没有攻击性的自我调侃安全系数最大，风险最小，但是对主动退让者的要求很高。第一，他得有过人的宽广胸怀；第二，他得有处变不惊的镇静；第三，他得有急中生智的本领，在紧张的对峙中他要善于处理幽默中的攻击性和调侃性之间的关系。

不管在任何情况下，运用幽默要达到预期目的，最重要的是与争执的对方分享幽默。一旦你因为对方不能领悟你的幽默而责备对方太笨时，无异于承认你自己的幽默已经失败，因为你不能使他和你分享幽默。

自然，要使愤怒的对方分享你轻松的情致是相当困难的，但是并不是不可能的。特别值得提起的一点是，幽默的攻击性与调侃性是可以经过试探、补救而更正的。话说得不得体可以想个办法打圆场，甚至挽回。例如，上面所说的那个丈夫在夫人气消了以后如果感到刚才的让步做得太大了，他可以在另一种场合突然把刚才的事情作为一种“典故”来运用。如果她夫人请他去做一件事时，他可以不去，说：“那驴子有一个新发现，那就是他没有必要怕老婆。”说完，当然他最好还是替妻子做事，妻子也可以运用这个典故，作相反的推演。

一个典故可以反复运用，互相在走样的运用中增加分享幽默的机会，提高同一幽默题材的使用率。

任何此类典故中，由于突然转移到一个毫不相干的情境中而显得十分逗笑，甚至愤怒的吵架本身也都可以因变成典故而反复更新地用。

四、答非所问

一般说来，幽默感是一种轻松的情绪，它有利于宽松人际关系。过分紧张的对峙，会使幽默无用武之地。幽默可以缓和对峙，但不管怎样缓和，它毕竟还是对峙。幽默有它的局限，它只能在程度上缓和对峙，而不能在性质上改变对峙。

在原则性的对抗中，能寸步不让，又能带上幽默的色彩，这种幽默属于硬性幽默。

但是对原则的坚持，并不一定要锋芒毕露，收敛锋芒而又英气逼人才显出硬性幽默的威力：

一个画家去拜访德国著名画家阿道夫·门采尔，向他诉苦："我真不明白，为什么我画一幅画用了一天工夫，可是卖出去却要一年？"门采尔认真地说："请倒过来试试吧，亲爱的！如果你花一年工夫去画它，那么只用一天工夫就准能卖掉。"

门采尔本来是批评这位画家作画粗制滥造的，可是用了一种建议的、假定的语气来表述，特别是用了"倒过来试试"这样的俏皮话，就把批评的锋芒收敛在温和的语气之中了。

为了把硬性的锋芒藏起来，幽默家常常使语言带上玄虚感，让你在一下子摸不着头脑时为他击中：

一位打扮时髦的富商的妻子，来拜访一位名作家，她想知道什么是开始写作的最好方法。

"从左到右。"作家回答。

表面上顺顺当当地作了回答，实际上等于没有回答，这意味着，这个问题根本不值得回答，这里硬性的锋芒被"从左到右"这一毫无实用价值的玄虚话语掩盖了。

绝对硬性的幽默是没有的，因为幽默之所以成为幽默就是因为它是软的、含蓄的、轻快的。硬性幽默中，不管怎样，也有软性的成分，哪怕是攻击性很强的，也得软化。硬性幽默感在很大程度上是一种软硬兼施的功夫。硬性幽默的艺术可以说是某种用软性语言表达某种硬性原则的艺术。原则是坚定的，但是软化的巧妙各有不同。把锋芒别出心裁地伪装起来是硬性幽默家的基本功夫。

有个向导，陪伴一位法官打猎。回来时，有人问他："法官今日收获如何？"

"法官枪法高明，"他回答，"只是上帝对于飞鸟特别仁慈。"

实际上他说的是飞鸟很幸运地逃过了法官的子弹，可是他把原因归诸上帝。软化的玄虚感由于他口头上肯定了法官的枪法高明而增加。

这里软化的方法就是玄虚化的方法，间接化的方法，曲折化的方法，不怕自相矛盾的方法。

有时，为了更玄虚一点，更曲折一些，不惜采用答非所问的办法：

德国一位名叫贝仑哈特的年轻钢琴家为诗人席勒的诗《钟之歌》谱曲后，特地举行了一个演奏会，把大名鼎鼎的勃拉姆斯也请来了。勃拉姆斯凝神地听着，有时还满意地点点头。演奏结束后，贝仑哈特问勃拉姆斯："阁下是否很欣赏此曲？"勃拉姆斯笑着说："《钟之歌》到底是首不朽的诗。"

问的是曲子如何，答的是诗很好。答非所问，似乎连起码的逻辑也不懂，很玄；但也很曲折地暗示，他所欣赏的是席勒的诗而不是贝仑哈特的曲。

回答越是玄，幽默的硬性越是减弱，而到了答非所问、顾左右而言他的程度，软性就占了上风。原因是针对的锋芒完全收敛了，正是为了回避正面的攻击性才不作直接的回答（喜欢，还是不喜欢）。

软硬兼施，曲尽其妙，才是幽默家高明的表现。

五、歪曲经典

在导致荒谬的办法中，喜剧性效果比较强的要算歪曲经典法，因为经典最具庄严的意味，语言又多为人所共知，一旦小有歪曲，与原意的反差就分外强烈。在我国，古典经籍又多为文言，与日常口语相去甚远，在通常情况下，不要说加以歪曲，就是把它翻成现代汉语的口语或方言，也可能造成极大的语义反差，产生不和谐之感而显得滑稽。如一首唐诗中写到一名男子为一位姑娘所动而尾随之，写得很有诗意；可是把它翻成现代汉语的“盯梢”，就不但一点没有诗意反而显得很不正经了。又如一位语文工作者把唐朝时的这种轻薄青年翻译为现代汉语的“阿飞”，就变得极其滑稽了。这是由于古典诗歌的庄重的或浪漫的词义作为国人潜在的、共同的意识是相当稳定的，千百年来已经沉积在人们的无意识中，只要在语义上、风格上稍有误差，人们都十分敏感，以至在还没有来得及意识到为什么时，就可能忍俊不禁。

司马迁的《史记》上有一句名言，叫作“一诺千金”，说的是秦汉之际，和刘邦一起打天下的武将季布，只要他一答应，多少金钱也无法改变。香港有个笑话就歪曲地解释了这个典故：

有一位女士问先生：“‘千金一诺’怎么解释？”先生说：“‘千金’者，小姐也，‘一诺’者，答应也。意思是，小姐啊，你答应一次吧。”

把历史英雄的典故，通过词义的曲解变成了眼前求爱的语言媒介，二者之间距离有多遥远，滑稽的程度就有多大。对于立志谈吐诙谐者，对这一规律应当深深领悟。通常人即使要作暗示性的表达，也都易倾向于近取譬；然而近取譬，容易抒情，却不容易产生不和谐和相当的滑稽感和诙谐感。要使自己的讲话有谐趣，则应从不甚切合的远处着眼，以远取譬为上。古代典籍之于凡人，一般距离都十分遥远，既遥远而又歪曲，自然容易生谐趣。古与不古不是问题的最关键之处，最关键仍然是曲解。

如果这种曲解不是一次性的，而是连锁性的，其谐趣则相应层层放大：

有一个县官，处理一切事情的唯一依据是一本《论语》，他常说：“人家都说，半部《论语》可以治天下，何况我有整整一本。”

有一天早上，他升堂判处三个贼人。

第一个贼人偷了一只小鸡，县官一翻《论语》，便判道：“黄昏时分，将此人处死。”

旁边一位幕僚暗暗对他说道：“太重了！”县官瞪大眼睛嚷道：“《论语》上不是说过‘朝闻盗，夕死可矣’吗？”

其实，《论语》的原文是：“朝闻道，夕死可矣。”

第二个贼偷了一口钟，县官看过《论语》以后，匆忙宣布释放。幕僚莫名其妙，县官说：“《论语》云：‘夫子之盗钟，恕而已矣。’圣人规定盗钟要宽恕。”

其实《论语》的原文是：“夫子之道，忠恕而已矣。”他不但读了白字，而且弄错了句读。

第三个是杀人放火的惯犯。县官看了案卷，知道此人的父亲也是个大贼，三年以前已经被斩首。他竟马上离座，对贼人纳头便拜，连声说道：“‘三年无改于父之道，可谓孝矣’，你是个大孝子，公差无礼，还请见谅。”

三个案件由于对《论语》的曲解程度和宣判失当的程度越来越离谱，因而显得越来越荒唐，诙谐效果也就随之层层递加。

这种诙谐故事结构看似复杂，好像难得有这样互相连锁的巧合事件，但是，对编故事的人来说，并不是先有三个巧合于《论语》中语句的故事，而是倒过来，先在《论语》中选三句可能被歪曲者，以同音异义为媒介，使经典原义与故事中的现场歪曲语义尽可能拉开距离，导致显而易见的荒谬，最后按荒谬的程度顺序编排，把最严重的放在最后作为高潮。

这种歪曲经典的方法很便于放在表演性的幽默上，而难于直接用之于人际交往或谈吐之间，但若能改变角度，结合其他方法则仍可以用之于人际交往之间，增加谈吐的谐趣。至少可以在两方面加以引用。

一是用以针对自己，即用之于自我调侃，如故作蠢言或故作大言，以大智若愚的姿态出现，使对方与你之间缩短心理距离，增加分享谐趣的渠道。当然这得有一个条件，那就是心领神会，对方至少要熟悉你所歪曲的经典，同时对方的智力能够达到明白你是故意歪曲的水平。如果他达不到这种程度水平，把你的故意歪曲，当作无意的错误，还起来纠正你，那就必然导致幽默感的丧失。

二是用来讽喻他人。有时不便直接指示对手的错误，可以借讲故事的形式，把对手的错误转移到古人头上去。

当然，这时需要类比得当，而且分寸也需斟酌。如果类比不当，对方可能无所感觉；如果类比过分直露，可能失去分寸，不但显示不出你智慧的丰富，而且会招致对方的反感。

立志于谈吐幽默诙谐者切忌“引喻失当”。诸葛亮在出师前上表蜀后主刘禅，就提出过这样的警告。这是因为作为蜀国的君主，他的地位要求他讲话要明确，不可含糊，而且要有威严，引喻失当可能有损威严。

当然，在今天，任何人都不需要皇帝的威严，但是在领导与下级之间、教师与学生之间、父母与子女之间，有时也要有一点严肃性，有时则要有一定的亲切性。以歪曲经典之法喻人，既可产生亲切感也可导致轻浮感，其间分寸，应视具体环境与关系性质灵活掌握。文武之道，一张一弛，运用之妙，存乎一心。只有在长期的实践中，才能深深体会，准确掌握。

六、荤素调匀

玩笑有荤素之别。这本是西方的观念，似乎是这几年才引进中国的，其含义不是动物性食物或植物性食物的区别，而是性暗示的有无和强弱。

在幽默语言中，不管是舞台表演的，还是人际交往的，性暗示过分强烈的叫作“荤幽默”或“黄色幽默”，反之则叫作“素幽默”。黄色幽默发生在公开场合，可能有伤大雅，引起反感，即使本来可能接受它的人，也往往顾忌朋友、师长的态度而不知如何反应是好。

一般人的印象中，中国人的幽默很少与性暗示有关，特别是在正统戏曲舞台上，主角多为政治地位很高的帝王将相，或文化水平很高的小姐和公子，性暗示似乎与之无缘。即使对男女间有所调笑，也无例外都是素的。但是在戏曲和白话小说中，写到市井小民的日常生活，性暗示就不那么稀罕了，有时甚至是泛滥的。如“三言”“二拍”的某些篇章和以正面描写性生活著名的《金瓶梅》，在世界文学史上都是十分突出的。中国的戏曲和小说所描述的性，大多太直接了，感官刺激性太强，因而基本上没什么幽默感。尤其是戏曲中有些丑角的插科打诨，偶尔也有涉及性的，那就荤得不能再荤。这可能是因为中国在戏曲小说兴盛时期，并没有一个像西欧那样的个性解放运动，因而禁欲主义是相当严酷的，正统文人的诗文以禁欲主义为特性，甚至连许多严肃的白话小说，都有禁欲主义的明显倾向。学者夏志清在《中国古典小说导论》中很中肯地指出过，《水浒传》中的英雄在超人的食欲方面不亚于拉伯雷《巨人传》中的庞大固埃，然而，在女色方面则毫无例外是绝对禁绝的，也许正因为这方面禁绝得太厉害，太严酷了，在另一类小说中就有一种放任性冲动的现象。

相比起来，意大利文艺复兴时期薄伽丘的《十日谈》就不同，薄氏所讽刺的对象正是虚伪的禁欲主义，但他不像《金瓶梅》和“三言”“二拍”中的某些篇章那样去正面描写性生活，而是从侧面用幽默的笔法淡化其刺激性，以揭露禁欲主义的虚伪。每逢涉及性行为时，他总是用暗喻、象征、导致荒谬的办法，一闪而过，而把那掩饰人性中这种本能的荒谬效果加以充分的夸张。他在这方面的幽默虽然有些还是太荤，但大多数还算是比较素的。由于并不完全是素的，笔者在此无法引例作证。当然，这不是说，在中国人心灵中就没有以幽默的态度看待性关系的了，有肯定是有的，只是由于儒家思想的统治地位，被记录下来的太少了，虽然如此，要举出一些例子也并不困难。

《世说新语·排调》记载：

东晋元帝得了个儿子，普遍赏赐群臣。有一个叫殷羡的臣子谦让地说：“皇子诞生，普天同庆，我没有什么功劳，怎么犒赏到我？”

元帝笑道：“这种事怎么能让你们有功劳呢？”

对于中国皇帝来说，这可能是一个最荤的幽默，然而并不失体统，由于它相当含蓄，只可意会，不可言传。

这里既有亲切戏谑的性质，又有自我调侃的意味，如果不是在喜得皇子这样的喜庆之日，以皇帝之尊是绝不会这样宽容的。从这个意义上说，元帝这个玩笑与其说他太荤，还不如说他荤素得体好些，因为这里的性暗示微乎其微。

在冯梦龙的《笑府》中，相当荤的幽默，大概不在少数，以至周作人根据日本刻本编纂《笑府》的选本时，特别声明，太荤的不能不删去。

即使这样，在后来出版的《笑府选》中仍然留下了一些半荤半素的幽默故事，今选其较素者以供参考：

有客来访，偶谈及丝瓜萎阳，不如韭菜能壮阳。主人呼酒不至，问儿，儿曰：“娘往园中去了。”问：“何为？”答曰：“要拔去丝瓜种韭菜。”

一妇临产创甚，与夫誓曰：“以后不许近身，宁可一世无儿，再不干那营生矣。”夫曰：“谨依尊命。”及生一女，夫妻相议命名，妻曰：“唤做‘招弟’罢。”

第一故事有一点儿荤，性暗示较强，但并不粗野；第二个故事则基本上不属于性暗示了。

尽管我们可以举出这样的例子，但毕竟在中国浩如烟海的古籍中还是比较罕见的。

对于性暗示的回避成了中国严肃文学艺术的传统，直至今日仍然占据主流，以至于在1990 年中央电视台春节文艺晚会上，有一个《打麻将》的喜剧小品，表现一个老婆是赌鬼，丈夫怕老婆，被老婆唆使到处借钱，最后听从了母亲的劝告，有意酗酒，在醉意朦胧中写下一纸文书，把老婆租给同台主持节目的李默然，而且这纸文书还是由老婆在台上面向观众念出来的。

应该说，这样带荤的幽默，从 1949 年以来，在舞台、银幕、屏幕上还是第一次。起初，观众吃了一惊，但很快爆发了掌声。显然，这种程度的性暗示，他们能够接受。原因是，这纸文书是醉鬼写出来的，这就大大减少了它的荤性。

总的来说，荤素之间主要是一个掌握分寸感的问题。这不仅由幽默的一般规律决定，而且也由交谈对方的心理文化背景决定，不同的民族，不同的地域，不同的现场，乃至不同的形式都会影响到荤素的配比。

在这方面，风险和成功率是成正比的。

七、亲切戏谑

在人际交往中，真正带有攻击性的幽默相对来说是比较少的，纯调笑性的往往居多，但即使是纯调笑性的，往往也带着假定的虚幻的攻击性，日常生活中的开玩笑、取绰号都属此列。攻击性如果针对陌生人，则不管多么虚幻，也都是不礼貌，可能引起不良后果；但是如果是在非常亲近的亲属或朋友之间，恰恰又是交流情感的一种常用方法。攻击性更强烈的幽默，可以称之为戏谑性幽默，这种幽默的亲切感也更强些。越是亲近，越可攻击；越是疏远，越要彬彬有礼。

这也许可以称之为反比定律。

可以设想，你来到一个亲戚朋友家，如果你与他们非常友好，经常往来，不但家长与你熟悉，而且他的家属与你也非常熟悉，这时你就有条件与他们一家动用调笑性，甚至戏谑性幽默。比如说这家的女主人很胖，常为衣服越来越紧所苦。你一到，她便忙碌起来，倒茶、拿水果，这时你可以非常认真地制止她："别动！千万别动！"她自然感到奇怪，然后你慢吞吞地解释："你再动，衣服上的纽扣都要飞了。"于是主妇自然会报以一笑表示理解你的诙谐。

但是如果你与这个家庭之间还没有亲切到一定程度，这样使用戏谑性幽默不但不会有助于创造亲切气氛，反而可能产生心理隔膜，甚至种下冲突的种子。

幽默有许多奇妙的优点，但是有一个不可克服的缺点，那就是它只能缓解心理上的紧张，并不能解决实际问题，甚至不能解决智力上的难题，这种局限在戏谑性幽默中尤其显著。如果戏谑性用在陌生人中间，不辅以切实的解决问题的办法，那很可能会导致误会。比如，碰到这样的场景：

旅客："到火车站要多少钱？"

出租汽车司机："先生，七十元。"

旅客："我的行李该付多少钱？"

司机："免费。"

旅客："好吧，请你把我的行李载到火车站，我自己走路去好了。"

这种戏谑的意义，只有在你立即明白无误地把七十元付给他之时，才显示出来。否则可能引起缺乏幽默感的司机的困惑或恼火。

自然，在十分亲近的人中间，有时并不需要这样的辅助性的东西，原因是戏谑性幽默通常都是虚幻的、不可实现的，不言而喻纯粹是调笑性的。这样的戏谑建立在互相深刻的洞察的基础之上，强烈体验这样的相互洞察，会变成一种心灵的快乐享受。

马克思与诗人海涅有深厚的友谊。马克思受到当局的迫害不得不离开巴黎，临行前，他给海涅写了一封信，这样说：

亲爱的朋友，离开您最使我痛苦，我真想把您打包到我的行李中去。

这里的戏谑性不是由于陌生人间的切实可行的方法的附加显示出来，而是由于其不可行性而显示出来。

有时这种戏谑性幽默会达到非常高雅的抒情诗的境界。

美国哲学家桑塔亚那选定在春天的某一天结束他在哈佛大学的教授生涯。这天，在哈佛大学礼堂讲最后一课的时候，一只美丽的知更鸟停在窗台上，不停地欢叫着，这时正好他的演讲也结束了。桑塔亚那出神地打量那只小鸟，许久，才转向观众，这样宣告他的演讲结束：

对不起，诸位，失陪了，我与春天有个约会。

这样的抒情性幽默出自一个行将退休的教授之口，格外使人感到他的乐观精神和纯洁心灵。

戏谑性幽默一般是一些无伤大雅的噱头，在大多数情况下都用之于互相揶揄，有时多多少少带一点轻微的攻击性。对于幽默中的攻击性，一定要有非常准确的分寸感，过失和不足都会导致失败。为此，幽默家必须有精致过人的感觉能力和理解能力。

一位非常有钱的贵妇人，邀请意大利著名提琴家帕格尼尼第二天到她家去喝茶，帕格尼尼同意了。告别时，她特别补充说："亲爱的艺术家，我请你千万不要忘记，明天来时带上您的琴。"

"这是为什么啊？"帕格尼尼惊讶地说，"太太，您知道，我的提琴是不会喝茶的！"

帕格尼尼明明看出，贵妇人用请茶的借口，请他演奏；但他非常含蓄地表现了他的洞察，含蓄到迟钝的贵妇人不一定能马上弄清楚这位小提琴大师究竟是想拒绝还是在开玩笑。

这在分寸感上处理得十分成功，再往前走一步就变成了拒绝，再往后退一步，就可能因太含混、太微妙，对方会无所感觉。

这种分寸感的妙处就在于似感与非感之间。

一般的戏谑性幽默最容易犯的毛病是过分。

传说德国诗人海涅收到一个大邮包，里面塞着一大堆软纸，中间是一个小盒子，盒子里有一封信。这是一个朋友给海涅写的，只有一句话："我很健康，也很快活。"

不久这个朋友也收到一个邮包，是一个又重又大的木箱，请了搬运工人才搬了回去。打开箱子一看，除了一块大石头、一张便条外，并无别的什么东西。便条是海涅写的："亲爱的朋友，读到你的来信知道您很健康，我心里的一块石头也就落了下来。"

海涅在这里玩了个"以谬还谬"，这本是很有风趣的幽默，但是他在分寸上稍稍过分了一点。对方的戏谑在于软纸衬得太多，并无严重后果，而海涅还了人家一块石头，大到请了搬运工人才运到家里。

这样的后果就显严重了一些，有点不像是戏谑，而是恶作剧了。

正因为这样，这个故事看起来不像是真人真事，而是好事者虚构的。

第三章

颠倒逻辑

一、偷换概念

幽默是一种情感思维方法，它与人们通常的理性思维方法有相同之处，也有不同之处。对相同之处，人们不用细心钻研，就可以自发地掌握；而对于不同之处，许多幽默感很强的人虽已掌握，但不知其所以然。幽默感不强的人则往往以通常的思维方法去代替幽默的思维方法，其结果自然是幽默感的消失。

幽默的思维和通常的理性思维至少有两个方面是不同的：第一，在概念的使用和构成上；第二，在推理的方法上。这里我们主要讲概念在幽默中的特殊表现。

通常人们进行理性思维的时候，有一个基本的要求那就是概念的含义要稳定，双方讨论的得是同一回事，或者自己讲的、写的同一个概念前提要一致；如果不一致，就成了聋子的对话，各人说各人的。如果在自己的演说或文章中，同一概念的含义变过来变过去，就是语无伦次。看起来，这很不可思议，但是这恰恰是很容易发生的。因为同一个概念常常并不是只有一种含义，尤其是那些基本的常用的概念往往有许多种含义。如果说话、写文章的人不讲究，常常会导致概念的含义转移，虽然在字面上这个概念并没有发生变化。比如说“留声机”这个概念，谁都知道是一个可以放唱片的娱乐用品，北京人也叫“话匣子”。我们说“他有一架留声机”“他有一个话匣子”意思是一样的；可是如果我们说“他是一个话匣子”“他是一个留声机”，意思就大不一样了，虽然字面上没有什么大变化。在科学研究、政治生活或商业活动中，概念的含义在上下文中发生这样的变化是非常可怕的，因而古希腊的亚里士多德在他的逻辑学中就规定了一条：思考问题时概念要统一。他把它叫作“同一律”，违反了这条规律，就叫作“偷换概念”。也就是说，字面上你没有变，可是你把它所包含的意思偷偷地换掉了，这是绝对不允许的。人家叫你研究留声机，而你却去研究了一种没有自我表达的能力、专门照搬别人的套话的人；或者一种一碰到人就唠叨个没完的人，是智力不正常的表现。

可是幽默的思维并不属于这种类型，它并不完全是实用型的、理智型的，它主要是情感型的，而情感与理性是天生的一对矛盾，对于普通思维是破坏的东西，对于幽默感则可能是建设性的成分。有这样一段对话：

老师：“今天我们来教减法。比如说，如果你哥哥有五个苹果，你从他那儿拿走三个，结果怎样？”

孩子：“结果吗，结果他肯定会揍我一顿。”

对于数学来说这完全是愚蠢的，因为偷换了概念，老师讲的“结果怎样”的含义很明显是指还剩下多少的意思，属于数量关系的范畴，可是孩子却把它转移到未经哥哥允许拿走了他的苹果的人事关系上去。然而对于幽默感的形式来说，好就好在这样的概念默默转移或偷换。仔细分析一下，就可发现这段对话的设计者的匠心。他本可以向他们问还剩余多少，然而“剩余”的概念在这样的上下文中很难转移，于是他改用了含义弹性比较大的“结果”，这就便于孩子把减去的结果偷偷转化为拿苹果的结果。可以说，这一类幽默感的构成，其功力就在于偷偷地、无声无息地把概念的内涵作大幅度的转移。有一条规律：偷换得越是隐蔽，概念的内涵差距越大，幽默的效果越是强烈。

这里有个更深刻的奥妙。我们先来看这样几个例子：

甲：“你说踢足球和打冰球比较，哪个门难守？”

乙：“我说什么门也没有后门难守。”

这是把球门这个具体的、有形的门，一下子转移到无形的、性质完全不同的抽象的“门”上去了。又如：

“先生，请问怎么走才能去医院？”

“这很容易，只要你闭上眼睛，横穿马路，五分钟以后，你准会到达的”。

本来，人家问的是如何正常地健康地到达医院，并没有涉及问受了伤被送到医院去，可是回答却扯到你只要故意违反交通规则，就会受伤，而受伤的结果自然是被送到医院。回答虽仍然是到医院，却完全违背了上下文的含义。

这好像完全是胡闹，甚至是愚蠢，可是人们为什么还把幽默当作一种高尚趣味来加以享受呢？

这是由于在问的一方对所使用的概念有一个确定的意思，这个意思在上下文中是可以意会的，因而是不必用语言来明确地规定的。任何语言在任何情况下都有不言而喻的成分，说话的与听话的是心照不宣的；没有这种心照不宣的成分，人们是无法讲话的。因为客观事物和主观心灵是无限丰富的，要把那心照不宣的成分都说清，如果不是绝对不可能，就是太费劲了。例如说，当你向运动员发问什么门难守时，你得赶紧声明，我说的是具体的、有形的、运动场上的一个专门防守的那种只有门框而没有门扇的门，那种门与我们通常嵌在墙壁中可以自由开关的门不同，与我们常说到的走门子的门的意义也不同，是游戏和比赛用的那一种不完全是门的门。这样也许是比较严密了，但是却把本来简单的话变成了难以忍受的灾难。事实上这完全不必要，在具体的语言环境中，人们并不需要像科学家那样对于每一个重要概念都以严密的定义，明确规定其内在含义和外部的范围。人们完全凭着互相的心领神会来进行交流，因而任何发问者并不需要详细说明自己所用的概念的真正所指，对方也完全能心有灵犀，一点即通，因而发问者完全可以预期对方在自己的真正所指的范围内做出反应。但是幽默的回答却转移了概念的真正所指，突然打破了这种预期。预期的失落，产生了意外，这还不算幽默感的完成，幽默感的完成在于意外之后猛然地发现：概念被偷换了之后，道理上也居然讲得通，虽然不是很通、真通，而是一种“歪通”。正是这种“歪通”，显示了对方的机智、狡黠和奇妙的情趣。

概念被偷换得越是离谱，所引起的预期的失落、意外的震惊越强。

概念之间的差距掩盖得越是隐秘，发现越是自然，可接受性也越大。

如果从这个标准来看，以上两个对话有不同的水平。第二个，即关于去医院的那一个在概念的转移的幅度上是很大的，因而引起的惊奇也是很强的；但是概念之间的矛盾隐蔽得并不算最好，因而并不十分意味深长。第一个关于“守门”的则隐蔽得较好，读者的可接受性就更大些，而且在意味上也更深长些。

单纯着眼于概念转移，即使再巧妙，也可能缺乏深长的意味而变成肤浅的、油滑的概念游戏。自然，游戏也有游戏的价值，但真正的幽默却总是比游戏要深刻一些。那些意味深长的概念转移，不但给人以趣味的享受，而且给人以智慧的启迪。正是因为这样，说后门比一切球门都难守，作为一种幽默，就有比较深刻的认识价值，比较高尚的趣味。

在许多幽默故事中，趣味的奇特和思维的深刻，并不总是平衡的，有时主要给人以趣味的满足，有时则主要给人以智慧的启迪，但是最重要的还是幽默的奇趣，因为它是使幽默之所以成为幽默的因素，如果没有奇趣，则什么启迪也谈不上。有这么一则对话曾经得到研究者的赞赏：

顾客：“我已经在这窗口前面待了三十多分钟了。”

服务员：“我已经在这窗口后面待了三十多年了。”

这个意味本来是比较深刻的，但是由于缺乏概念之间的巧妙的联系，因而很难引起读者的共鸣。这看起来很像是一种赌气，并没有幽默，服务员并没有把自己的感情从恼怒中解脱出来。相反的另一段对话：

编辑："你的稿子看过了，总的来说艺术上不够成熟，幼稚些。"

这时作者如果赌气或者谦虚一下，就不如利用概念转移法把自己从困境中解脱出来：

"那就把它当作儿童文学吧。"

这就不但有趣味，而且又有丰富的意味让对方去慢慢品味了。因为被偷换了的"儿童文学"的概念，不但有含蓄自谦之意，而且有豁达大度之气概。

二、指鹿为马

如果你到一个朋友家参加聚会，发现你朋友的夫人越来越胖，你说："啊，近来你越来越胖了。"这不会有什么幽默感。如果你说："你近来发福了。"这就好一些，因为发福是一个很古老的褒义词，代表着过去的价值观念，一般与发财、营养良好、心意满足联系在一起。用过去的褒义词表达当代的贬义，就有点幽默了。如果这位夫人与你很熟悉而且互相间经常用戏谑表示友好，那么你还可以放开一点，开更带冒险性的玩笑，例如："你越来越有膘了。""膘"本来是限于描述动物，尤其是家畜之肥胖结实的，这自然就有点戏谑性的幽默感觉了。如果你觉得这样不大雅，你可以改一种说法："啊，你怎么越来越苗条了。"这就可能更幽默一点，她可能怪嗔地笑起来。

"你越来越胖了"是一句实事求是的话，不产生任何幽默效果；而"你越来越苗条了"，明明不符合事实，却有很强的幽默感。这是为什么呢？因为幽默感并不是一种客观的、科学的认识，而是一种情感的交流。情感是主观的，不是客观的。情感与科学的理性是矛盾的，科学的生命在于实事求是，情感则不然，实事求是必然消灭情感。幽默的生命常常在名实不符的判断中产生。指鹿为马是不科学的，但如果不是有意欺骗，双方心照不宣地名实不符，则可能产生幽默。在大家明知你开玩笑的时候，把白的说成白的，不如把白的说成黑的。鲁迅和许广平恋爱期间，许广平因学生运动受挫而伤心地哭泣起来，眼泪鼻涕齐流，鲁迅不说涕泗滂沱，而说她脸上有"四条"，眼泪和鼻涕的数量，恰与北京的一个地名——"四条"暗合，就有了笑的因子。

双方之所以能心照不宣，原因是语言表层含义的不同。从字面上听，你是指鹿为马，从深层意思上说你传达了另外一层意思，这层意思虽不明言，但已了然于心，而其了然的程度比明白讲出来更深，通常所说的指桑骂槐就有这种功能。《红楼梦》中，林黛玉看到贾宝玉在薛姨妈家喝冷酒，薛姨妈劝，他不听；薛宝钗劝说："冷酒喝下去，写字手打颤。"宝玉就听了。正在这时雪雁替他拿了手炉来暖手，林黛玉问："谁告诉你拿来的。"雪雁说："紫鹃。"林黛玉就指桑骂槐地说："我告诉你多少遍你都不听，她一说你就听了。"这里的"她"，字面上是紫鹃，实际上是指宝钗。自然，林黛玉这里如无醋意，幽默感会更强。通常人们之所以幽默不起来，就是由于太不敢名实不符了。人一生下来，从小学到大学的教育，基本上都是科学的、理性的教育，都以主观服从客观，实事求是的理性为主，从来没有一门课教学生如何名实不符以发展幽默感。其实不论什么人，本来都有一点不实事求是的主观调皮倾向，只是在长期的科学训练中，宝贵的狡猾之情逐渐被荡涤无遗。

笔者曾经观察许多小孩子，在七八岁到十一二岁之间，处于主观意向与客观规范的矛盾之中。如果这种矛盾是名实如一表达出来的，则他们可能受到斥骂或惩罚；如果这种矛盾用名实不符的方法表达出来，则效果大不相同，这就是调皮的孩子往往可爱的缘故。

笔者的女儿在十岁的时候，一次脚上擦破了很大一块，皮肉都露了出来，血流不止，以致需要做外科缝合。一进入手术室她就怕了，反复哀求医生不要用针缝。在缝合过程中，她大哭大叫、哀哀欲绝，恳求医生赶快结束手术，引得一些邻居妇女的同情和感叹。手术以后她母亲背她回家，一位邻居故意问她："你刚才在干什么？"女儿回答："我刚才在唱歌！"引得在场的人都一齐笑起来。

还有一次，在更早几年，她还在幼儿园，晚上她母亲接她归来，她忽然要求走一条通常不走的小道，她母亲依从了她。到了那里才发现，原来在转弯角上有一个炸油糕的摊子。她母亲心里明白，但故作不知。待到快要走过那油炸糕的摊子时，她见母亲仍然毫无反应，便说："妈妈，我不吃油炸糕是好孩子吗？"自然引得她母亲微笑起来，并且给她买了油炸糕。

所有这些故事的趣味都在于明明是这样，偏偏说成那样，双方又都心照不宣，二者一对照，反差就形成了，谐趣就产生了。

叔本华说："笑，不过是人们突然发现在他所联想到的实际事物与某一概念之间缺乏一致的现象。"这个定义很有名，被许多理论家引用，也遭到许多批评。原因是它不完全。观念与实际之间不一致，并不一定会使人笑。最明显的是一切认识上的错误和欺骗都不可笑。把鱼目当作珍珠出售以赚取暴利，把鹿说成马以欺骗昏庸的皇帝并钳制众口，都只有悲剧性而无喜剧性。喜剧性产生于双方都怀着正确认识而故意在口头上做违背真实的表达，口头与心灵的错位的表达比口头与心头一致的表述有更多的意外之意、意外之情。

这种方法可以用之于亲属之间日常调笑，也可以在非常亲密的人际关系中互相戏谑。

比方说有一个朋友明明不会做菜，可偏偏爱吹，如果在一次聚会上你吃到一个大家都称赞的菜，你就可以说这个菜肯定是他做的；如果他也做了一个菜，大家都说不好，你可以说这个菜，是一个很会做菜的人做的。由于大家心中都有底，则必然产生共享谐趣的欢乐。

这种方法的特点是其真正意味有相当强的弹性，因而即使在比较严肃的关系中，包括比较严峻的政治问题上也可使用。

早在古罗马时期就产生过语言违背事实的笑话。一天，在元老院的会议上，古罗马的军队将领吕居留斯受到指控，有人说他在属于国家的土地上放牧羊群。一位名叫阿毕尤斯的幽默家一本正经地大叫起来："吕居留斯的羊群在他自己家里，国家土地上的是一群自由的绵羊，它们完全按照自己的意志任意觅食，不需要向任何人汇报。"由于明显地背离事实，一本正经的发言立即变成了幽默。

这种"指鹿为马"式的幽默，还可以科学定义的形式出现。例如植物学的定义是：它是这样一种艺术，即将植物夹在吸水纸中，使其失水变干，然后再用拉丁文辱骂一通。这里定义形式的庄重与定义内容的荒谬显得格外不和谐而引起谐趣。

在下定义的庄重形式中装进风马牛不相及的内容，这种方法最易套用，只要把通常人所共知的共同认识放到一边就成。例如大学生就是个子很大的学生，家长就是专做家务的长官，妻子就是丈夫的影子，教授的特点就是越教越瘦，恋爱的首要条件就是一双厚底的鞋（以便来来回回地轧马路）。

由于这种方法需要双方对真相的心照不宣，有时有一方并不了解真相，这时就得结合其他方法把真相加以暗示，才能产生效果：

有人在一群人中间，被身上的虱子咬得很痒，用手摸得一个虱子，暗暗丢在地上，装着没事的样子说："我还以为是个虱子呢！"另一个看穿了他，便走过去把虱子找出来，拿到大家看得见的地方，然后说："我还以为不是个虱子呢！"

这个人用巧妙含蓄的、假痴假呆的方法把真相告诉大家，大家才发觉丢虱子的人在搞"指鹿为马"的把戏。

使"指鹿为马"带上喜剧性的条件是双方都看到了语言与事实的背离，口头与心头的背离，观念与实际的背离，而这种距离是有意的，而不是无意的。

有时这种距离并不一定要用语言表达出来，也可以动作或者无声的身体语言、手势语言表达出来。在电视屏幕上受到欢迎的喜剧小品起码有一半是靠动作夸张与实际的必要性拉开距离以取得效果的。在一次春节晚会上，一个喜剧演员表演吃鸡，鸡咬不动，逼得这位表演家把鸡一头压在桌腿下，用牙齿咬住另一头，用尽全身力气向舞台后边拉去，其结果还是被弹了回来。外国马戏用的小丑常常为了一件微不足道的小事而费尽心机，如挖掉了一座大山，只是为了寻找一只田鼠。夸张的动作与实际目的的矛盾达到显然荒谬的程度，就会产生滑稽的效果。

关于这一点弗洛伊德说过一段话：“我们为什么对小丑的表演感到好笑，因为他们的举止过分，与实际目的不相符，我们笑的就是这些夸张的举止。”

动作的幽默并不限于舞台表演，在人际交往中也同样有用，只要让动作与实际目的拉开距离就可以了。例如，你拿着一把板斧去给你的朋友修理电视机，挥动拳头对你的夫人表达爱情；当你的老师走进教室时，你做出害怕老虎的样子；收到你不爱参加的会议通知时，装作兴奋得昏倒的样子；或者为了表示对某一本书的热爱抱起它跳华尔兹，等等。这类动作的门类甚多，亦甚易为。违背目的，超过实际必要也可；把适用此一事物的动作，用于另一事物也可。总之，以不适当不协调不对头者为上。

三、一语双关

在人类的生产实践、社会斗争和科学研究中，为了保证思路的一贯，人们所使用的概念必须统一，不能朦胧模糊，不能任意偷换，否则，人与人之间的交流，不论是书面的还是口头的，都无法深入下去。正因为这样，古希腊的亚里士多德在他的逻辑学中所规定的第一条就是概念的同一律，也就是概念的统一律，这是最重要的规律。至于后面的矛盾律、排中律，不过是同一律的另一种说法，所着重的都是防止概念被偷换，它的公式是：一是一，二是二；不能是一，又是二。

但是幽默是一种情感思维，它可以超越通常的理性逻辑规范，它可以因偷换概念而提高其价值，这一点与科学研究有着明显的不同。在科学论文中，为了防止概念转移，防止在行文中概念交叉重叠、一语双关，就对基本概念下严密的定义；在幽默思维中，就绝对不用这种方法，为了方便偷换概念，幽默家专在那些界限比较模糊的概念上做手脚，他特别钟爱含义比较易于转移的那一种，比如一语双关，就常常是用来转移概念的良好媒介。

双关语的特点是同一概念中包含着两种不同的意思。它与一般的概念偷换不同，在一般的概念偷换中，行文过程中被偷换的概念逐渐消失，而另一个概念成为主体，最终只有一个意思起作用。例如：

甲：“我求你一件事，你能为我保密吗？”

乙：“当然可以。”

甲：“近来我手头有点紧，你能借给我些钱吗？”

乙："不必担心，我就当没听见。"

这里乙的最后答复把"借钱"的要求偷换为保密的要求，表面上他同意保密，而且在程度上还强化了，没听见，自然也不会传播出去；但实际上他是对借钱的要求"只当没听见"，因而也就不会借。幽默的核心全在于此，原来的概念（借而不泄露出去）已经被排除。

一语双关则有异于此，有时两种概念最后并存。例如中国古代有一个笑话：

有对夫妻急于要有个儿子，在生下第二个女儿时，便把她取名为"招弟"。第二年又生了一个女儿，便取名"再招"。第三年仍生女儿，他们仍不死心，就取名"又招"。第四年还是生女儿，他们不得不认命了，只得将这个最小的女儿取名为——"绝招"。

这里的"绝招"有两个意思。第一个意思是终止再招的意思。第二个意思是拿手好戏的意思。这两个意思同时并存、互相冲突，才显出了轻喜剧的幽默意味：终止再招是终于认输的结果，而绝招恰恰是得意之作的意思，二者结合在一起便使"绝招"带上了反语的色彩，格外显出重男轻女者无可奈何、哭笑不得的心态。

在偷换概念构成幽默的方法中，这种一语双关的难度最大。幽默家的任务是找到一个能容纳不同意思的概念，而且要让两个概念在具体上下文中同时显现。

如果最后这双重意思是互相抵牾的，那么其喜剧色彩就更浓，幽默感就强。如果双重意思并不互相抵触，而是可以和平共处的，则喜剧性就微妙些。但不管两者是否冲突，均以互相不相协调为上。我国唐朝段成式著的《酉阳杂俎》中有这样一段故事：唐明皇封禅泰山，张说被任命为封禅主管官，按照惯例，封禅后官员都要晋升一级。郑镒因为是张说的女婿，本为九品，却一下子晋升到五品。在一次盛大宴会上，唐明皇见到穿着五品红袍的郑镒感到奇怪，问他怎么晋升得这么快，郑镒很窘，答不上来。当时玄宗身边有个幽默机智的名演员叫黄幡绰，号称"滑稽之雄"，《唐阙史》说唐玄宗一天不见他"龙额为之不舒"。正在这个当口，黄幡绰恰好在场，他一语双关地说："此乃泰山之力也。"

这里泰山有双重语义：第一，泰山为我国东部沿海平原上之雄伟高大之山，又是明皇封禅的对象，泰山之力，乃非同寻常之神圣庄严力量也。第二，泰山又是岳父之称，意指岳父张说的人事关系。一为物，一为人，二者虽不绝对排斥，但也颇有距离，二者同时"和平共处"，显得耐人寻味。

一语双关的幽默并不为中国人所独有，外国人也常用此法。不管中外，往往都以同字异义词为媒介。美国的作家赫伯·特鲁在一些研究生中常常感到需要用自我调侃的办法来缩短自己和年轻人之间的距离，因而他在演讲时常常要主持会议者开开他的玩笑，而他自己虽然也十分严肃地看待自己的工作，但却以十分轻松的态度来调侃自己的学位和头衔。

例如他有时说：

我有 degrees（学位），但是你们可别被它吓住了，温度计也有 degrees（度数）。

他利用了英语 degrees 的两个含义来构成双关语。如果把两个 degrees 都理解为学位，就成为：我有学位，温度计也有学位；如果把 degrees 都理解为度数，就变成：我有度数，温度计也有度数；如果把 degrees 理解为学位或度数，那就是：我有学位或度数，温度计也有学位或度数。三者同样是很幽默的，用学位之尊严与度数之无足轻重的对比构成心理预期之失落和情感的波动。还有一个类似的故事：

美国的一位幽默女作家，有一次不得不听一个毫无幽默感的人发表观感。

这位毫无幽默感的人并不知道作家对他已经受不了了，还在自作聪明地诉说："我无法忍受（英语作 bear）呆瓜。"

这位女作家一语双关地说："哦，真有趣！可你的母亲就能。"

在英语中，动词 bear 除了有忍受的意思以外，还有生产的意思。女作家的意思是你不能忍受呆瓜，可你母亲就能忍受你这样的呆瓜。她用了一个双关语 bear，表面上好像是说你母亲就能把你生下来的意思。

幽默感是与显而易见的刻薄不相容的，幽默家应该把对人的贬义淡化。一语双关提供了另一重语义把你的攻击锋芒掩盖起来，使你的智慧情感和人格得以升华。

四、语义变迁

构思幽默语言或故事时，对于日常使用的逻辑规范不能太拘泥，因为逻辑是理性的思维规律，而理性并不是人的思维的全部。人在思维过程中还有情感在起作用，情感的思维自有另一套规范。对于一个完整的人，这两套各有各的用处，各有各的奥秘。

偷换概念就是情感思维的一种奥秘。幽默大师们在进行偷换概念时，除了用一语双关的办法以外，还使用一种促使语言的意义发生暂时变迁的方法。这种变迁的特点与一语双关不同，一语双关的语义并没有发生临时的变化，而语义暂变则使语词在特殊的上下文中发生新的、特殊的意义。

如在"四人帮"横行时期，有一种"学习班"。这种"学习班"有两种形式，一种是所谓问题比较严重的，即使晚间也不能回家；一种是问题不太大，态度又不那么顽固的，则白天"学习"，晚间可以回家。对于这样的形式，受迫害者在许多情况下往往以嘲弄的态度处之。作家王西彦有一次在报告中提到当时他们都进入了这样的"学习班"，有时朋友们互相询问情况，他们不愿用通常的语言说明他们在何种形式的“学习班”之中，如果晚上不可以回家的，他们称之为“全托”（托儿所的一种形式）；如果晚上可以回家的，他们则称之为“日托”（托儿所的另一种形式）。本来这是完全风马牛不相及的两种东西，进托儿所是幸福的、自由的，而进这种“学习班”则是受迫害、被侮辱的。但这并非词不达意，这是因为“日托”和“全托”在这样的具体语言环境中发生了临时的变异，用来描述这种特殊的政治待遇，而原来的关于托儿所的意义并没有丧失，二者形成了反差、不协调，表示了作家们既无可奈何又相当超然的心情，这种超然心情的表达则是原来字眼所没有的。

将一个在固定范围内才适用的词语，自由地转移到非适用范围中，造成词义的错位，以表达一种特殊的情致，是形成幽默感常用的办法。要获得这样的修养，就得对词语的含义有高度的敏感。不但对词语的通用意义（用词汇学的术语来说：中心意义），而且对词语的引申意义、联想意义，也要有高度的敏感，这本来是一般文学家所必备的修养。比如说，任何一个作家都要打比方。打比方有个窍门那就是要很贴切，这个贴切就包括语词的引申义、联想义的贴切。比如说你可以把一条新开的、笔直的小河比作琴弦，因为琴弦和新开的小河一样直，可是你不能把小河比作同样笔直的木棍，这是因为琴弦可以使人联想到音乐，与小河有流水之声的联想相契合，而木棍的坚硬与小河流水的柔软的联想不相容。作为抒情的比喻来说把小河比作琴弦是艺术的，但毫无幽默感。在特殊的上下文中，如在相声中、在喜剧的丑角口中把小河比作木棍，则可能有幽默感，因为幽默感正是产生于联想意义与特定的上下文发生冲突的时候。

这可以说明，幽默与抒情是两路功夫，在处理词语的联想意义时，二者是背道而驰，又是各得其所的。正因为这样，幽默家是要有点怪才的，他所追求的正是对词语的联想意义的不恰当运用，在联想意义与上下文不相契合中施展他的才华。

我国古代有一个幽默故事，说是有一个姓朱的财主，很想表现得文雅一点，他对新来的小猪倌说：“记住我家的规矩，不准你说话时带‘猪’字，叫‘自家老爷’好了。平时说话要文雅一点。比如：吃饭要说‘用餐’，睡觉要说‘就寝’，生病要说‘患疾’，病好了要说‘康复’，人死了要说‘逝世’，犯人砍头要说‘处决’……”

第二天，一头猪得了瘟病，小猪倌慢悠悠地对财主说：“有个‘自家老爷’‘患疾’了，叫它‘用餐’它不‘用餐’，叫它‘就寝’它不‘就寝’，恐怕难以‘康复’了，不如把它‘处决’了吧！”

姓朱的财主气得说不出话来。

小猪倌见状，接着说：“要是不想‘处决’，就让‘自家老爷’‘逝世’也好。”

这个故事中的老爷为了装得文雅一些，要求做猪倌的小孩子不用日常口语词汇，而用非常雅致的书面语词汇。一般地说，这两种词汇的中心意义是相同的，但是其联想意义和适用范围是大不相同的。书面语词汇适用于庄重的、文雅的场合，一般是与高级官员和文化水平相当高的文人学士联系在一起的，可是被小猪倌用来描述一头猪的病情，就使书面语词汇中隐含的高贵文雅的意义，与他所描述的下贱的对象之间的矛盾尖锐化起来。这一点由于用“自家老爷”代替了猪而显得更加弄巧成拙。由于一系列的词义变迁，层层递加，使本义和临时变迁义之间的反差成了一个系统，因而显得特别夸张。这时的幽默已突破一般的轻喜剧的范围，而且有闹剧的特点。

词语的本义与临时变迁的意义误差越大，喜剧性越是强烈。拉开词语意义的误差距离是幽默家的一项基本功。在所有词义变迁中，幅度最大的是同音词，因为同音词不但引申义不同，而且连中心义也不相同，二者之间粘连的不过是语音。

传说古代吉州有一位举子赶考，为了让自己与大名鼎鼎的欧阳修拉上关系，便高举着一个牌子，上书：“庐陵魁选欧阳伯乐。”有人便送给他这样几句诗：

有客遥来自吉州，

姓名挑在担竿头；

虽知汝是欧阳后，

毕竟从来不识“修”。

由于“不识‘修’”与“不识羞”同音而临时产生了语义变迁，构成二者的巨大反差，产生了喜剧性。由同音词构成的幽默的妙处，在于语义反差比一般同义词大，反差越大，心理预期的落差越大，效果越强烈。但是这也是有条件的，那就是起码得在语音上要巧妙地、哪怕是偶然地相同。如果在语音上一点共同性都没有，不是说他不识羞（不识“修”），而是去骂他不要脸，那就一点幽默都没有了。

构思这种语义变迁的法门是找到语音相同的环节。有了这个相同的环节，拉开语义的距离就不成问题。

据说，清代末年李鸿章有个远房亲戚，不学无术却去参加科举考试，试卷到手，不能成文，焦急之余，想在试卷上写上“我是当朝中堂大人李鸿章之亲戚”。又不会写“戚”字，竟写成了“我是李中堂大人之亲妻”。主考官阅后，批道：

所以我不敢取（娶）。

由于取考生的“取”与“娶”同音（在古汉语中“取”也有娶妻之义），就把两件风马牛不相及的事扯到了一起。同音产生了一个连锁递进的演绎过程：先是“戚”与“妻”同音，产生词义反差；跟着产生“取”与“娶”同音，又派生出另一词义反差；而这个不取（娶）正好又与草包考生的希望相反。在这样一个简短故事中就包含着双重复合的误差，使读者的预期多次失落，又多次在失落中偶然地重新升华。

此类幽默要领在于谐音成趣，如果在语音上不太相谐，共同性薄弱，就会减少听者心理预期的失落和升华的自然程度，而产生某种做作感或者强制感。例如 1990 年中央电视台元旦文艺晚会姜昆与加拿大留学生合演相声，加拿大留学生用英语向观众祝贺新年，姜昆自吹懂得英文，翻译成完全不相干的意思，语义相去虽然甚远，但幽默意味并不强，原因是姜昆所译汉语与加拿大留学生所说英语在声音上并不太相谐，观众的心理期待失落之后，无法借语音重新在偶然的相合中有惊喜的发现。

语音相谐和词义暂变是相反相成的，二者缺一不可。二者互相制约，相得益彰。

由于语音相谐纯属偶然，所以这类幽默虽然喜剧性较强，但往往流于肤浅，缺乏很深刻的内容。例如，有一个富翁请客，酒席倒也丰盛，但有一盘发臭的鳖和一些又酸又涩的生梨。席上有个读书人套用了两句古诗道："世上万般愁苦事，无过死别（鳖）与生离（梨）"，一座大笑。这也是同音异义，但是临时产生的新义"生离死别"与现场情景没有什么联系，因而纯属调笑性质，更没有什么可以使人心灵升华的，有耍贫嘴之嫌。如果同音词语于现场情景和社会情景有所讽喻则不同了。《时兴笑话》有一则：

一猴死，见阎王，要求转世为人。阎王说："要做人，得把你身上毛拔光才成。"就让夜叉去拔，才下手，猴子连声叫痛，阎王说："你一毛不拔，也要做人？"

这里虽然没有明确点出在什么场合针对什么人，可一看就知是讽刺为富而吝啬的人的。语义有了讽喻，就不纯粹是耍贫嘴了。

这种同音异义的幽默在西方国家也很盛行。英国著名哲学家培根家里来了位不速之客，名叫荷格，是一名惯匪，法院正对他起诉，看来非判死刑不可。他来请培根救他一命，理由是：荷格（Hog，意为猪）和培根（Bacon，意为熏肉）有亲戚关系。培根笑着回答说："朋友，你若不被吊死，我们是没法成为亲戚的，因为猪要死后才能成为熏肉。"

培根这样回答比断然拒绝要好得多。原因是把两个人同音异义的名字用来构成一种临时的因果关系，恰恰与培根所要说的（他要被判死刑）相重合。

五、同语异指

人类的语言非常奇妙，它的功能变化万千。有些立志学英语考"托福"的人为了增加词汇量，有空便拿起本字典来念，虽然下了很大功夫，可收效甚微。其原因是在字典里，词的解释是有限的，而且是十分不完善、不周密的。一切词语的丰富含义只有在具体的上下文里才能真正显示出来。离开了上下文，词是死的；只有进入了具体的上下文，词才活起来，才有了生命。

同样一个词语，只要换一种语言环境，意思和味道就很不一样了，不懂得这个门道的人是很难利用语言的这种活性来开拓它的幽默途径的。

《红楼梦》第三十回描写了贾宝玉和林黛玉吵了一架以后，贾宝玉主动向林黛玉赔礼道歉，矛盾才得以解决。宝玉心里高兴，恰好与薛宝钗等一起聚会，说话造次，不慎将薛宝钗比作了杨贵妃，从来很少发脾气的薛宝钗非常得体地讽刺了贾宝玉的不庄重。在一旁的林黛玉因而搭讪着问宝钗看了些什么戏，宝钗便说："我看的是李逵骂了宋江，后来又赔不是。"宝玉便笑道："这出戏叫作'负荆请罪'，你怎么不知道？"宝钗说："你们博古通今，才知道'负荆请罪'，我不知什么叫'负荆请罪'。""负荆请罪"本来是指古人的事，与宝玉与黛玉无关，可经宝钗这一说，她看了这出戏，而且特别声明，只有宝玉和黛玉才懂，而她却不懂，其所指就转到宝玉和黛玉吵架又和好的事上去了，而与李逵、宋江无关了。

利用一种特殊的语言环境把词语的针对性转向谈话对方，常常产生幽默的效果。在《红楼梦》中运用这种办法最多的并不是薛宝钗，而是林黛玉。

有一次，薛宝钗、贾宝玉碰到一件事，本来应该让林黛玉参与的，正巧林黛玉在卧床，有人建议让林黛玉知道，贾宝玉漫不经心地说："管她呢！"此话林黛玉听到了，但装作未听见。后来在另一个场合，三人都在场，林黛玉裁剪衣裳，有一块布角扯皱了，小丫头建议把它弄平，林黛玉引用贾宝玉不久前说过的话道："管它呢！"把针对的锋芒指向了贾宝玉。

针对的锋芒发生了一百八十度的变化，可是词语都没有变化。这时说话的人越是不动声色，语义的反差越大，幽默感越强。

明代的《玉堂丛语》中记载着这样一段故事：永乐年间，有一位叫曾鹤龄的与一群浙江少年同舟赴试。浙江少年都有点狂妄，高谈阔论，锋芒毕露；而曾鹤龄为人不善言谈，和众人比好像没有什么能耐。浙江少年举出经书中疑难之处问他，他都非常谦让地推说不懂。那些少年便嘲笑他是个笨家伙，"肯定是偶然被推荐上来的"，都叫他"曾偶然"。然而考试结果出来这些浙江子弟统统落榜，只有曾鹤龄名列前茅。于是曾鹤龄写了一首诗：

捧领乡书谒九天，
偶然趁得浙江船；
世间因有偶然事，
不意偶然又偶然。

这首打油诗的特点在于反复强调地引用别人藐视他的语词"偶然"，表面上好像是调侃自己一切都是偶然，可实际上是调侃那些当初瞧不起他、以为他没有资格参加考试的人。语词没有变，而所讽刺的对象却指向了相反的方向。

明代通俗文学家冯梦龙在他的《笑府》中写下了这样一则幽默寓言：

凤凰过生日，百鸟都来朝贺，唯独蝙蝠不去。凤凰责备他："你是我的下属，为何倨傲无礼？"

"我有四足。当属走兽，贺你有什么好？"

有一天，麒麟过生日，蝙蝠也不去。麒麟责备了他，他说："我有两翼，本属飞禽，为何贺你？"

后来，麒麟和凤凰会了面，谈及蝙蝠，彼此慨叹道："如今世风日下，生出这种不禽不兽之徒，真是拿他没办法！"

本来，既不是飞禽，也不是走兽，是蝙蝠的自卫语言，而到了另一种语言环境中变成了对蝙蝠的嘲讽。

这种幽默与一般幽默不同之处是攻击性很强，其间幽默的意味已经为讽刺的意味所淹没了。只要带上尖锐的攻击性，幽默也就变成讽刺了。

六、同枝异花

通常情况下，相同的原因产生相同的结果；不同的原因产生不同的结果。如果同样一个人，同样的一件事，同样的原因、条件，却产生不同的结果，从正常的道理来讲，是不合逻辑的，做这样的推理是智力水平低下的表现，而对于幽默感的构成来说却不然，在许多情况下，越是同因异果，越可能构成幽默。这就好比在同一棵树上开出颜色相反的花朵，对于大自然来说是不合规律的，可对于园艺家来说，恰恰是技艺超群的表现。

做人总不能总在同一事情上颠过来倒过去而总是有理，然而按幽默感来看，若能颠倒有理，左右逢源，则属智慧与谐趣之上乘。

爱因斯坦初到纽约，在大街上遇见一个朋友。这位朋友见他穿着一件旧大衣，劝他更换一件新的，爱因斯坦回答说："没有什么关系，在纽约谁也不认识我。"

几年以后，爱因斯坦名声大震，这位朋友又遇见了他，他仍然穿着那件旧大衣。这位朋友劝他去买一件新大衣，爱因斯坦说："何必呢？现在，这里每一个人都认识我了。"

爱因斯坦的过人之处不但在于他甘于淡泊，而且在于肯定相同衣着时，总用了形式上看来是互不相容的理由。以不变应万变，不管情况怎么变幻，理由也跟着变幻，而行为却一点不变。

这种幽默在人际交往中很有实用价值，它能让你在情况极端变幻的条件下，总能找到有利于自己的理由，哪怕是互相反对的理由，也都能为己所用：

旅馆职员对前来住宿的旅客说："对不起，我们的房间全部客满了。"

旅客问："假如总统来了，也没有房间？"

职员回答："当然有！"

"好，现在总统没来，那么你是否可以把保留给他的房间给我？"

这里的妙处在于提出一个极端的假定，然后从肯定与否定的两个方面去考虑，从总统来了，引出房间之有，总统没有来也证明房间之有。

当然，由于这是从假定前提引申出来的，因而纯属调笑。其实，该旅馆并不一定真的拥有总统套房，即使真的总统套房空着，旅客也不一定能付得起昂贵的费用。这种调笑的功能不同于科学家的推理，它不能直接解决实际问题，但可以缓解你与职员之间的对峙关系。最后很有可能这位旅客住进了并非为总统保留的房间，或者在这位职员的帮助下，他在别的旅馆中找到了适当住房。

当然这种方法的功能不仅用于松弛人与人之间的紧张关系，有时也可以用作相反的目的，使人与人之间的关系保持紧张：

马克·吐温有一次答记者问，说："美国国会中有些议员是婊子养的。"

国会议员们大为震怒，纷纷要求马克·吐温澄清或道歉，否则便要诉诸法律。

几天后，马克·吐温的道歉声明果然登出来了："日前本人在酒席上说有些国会议员是婊子养的，事后有人向我大兴问罪之师，经我再三考虑，深悔此言不妥，故特登报声明，把我的话修正如下：'美国国会中有些议员不是婊子养的。'"

表面上是马克·吐温作了一百八十度的大转弯，实际上却是作了一个概念游戏，"有些是"就意味着有些不是，而"有些不是"则意味着有些是。在形式上是从肯定到否定，而实际是否定暗示着肯定。

这里有一个非全部肯定与非全部否定之间在逻辑上相通的空子，常常为人所忽略了。人们习惯于认为肯定与否定是绝对相反的，忽略了两者在可能性上往往相近或相同。例如有人问你：明天下雨的可能性如何？你若答：有 50% 的可能性，就等于什么也没有说。因为不言而喻，还有 50% 是不可能性。如果你答，有 50% 的不可能性，好像难听一些，其实不言而喻，还有 50% 的可能性。因而凡估计可能性要大于 50% 或小于 50% 才有意义。至于比百分比要含混得多的"有些"，既可能等于 50%，又可能大于 50%，也可能小于 50%，所以说“有些不是”并不能排除有些是。至于是大于 50%，还是小于 50%，或等于 50%，在这里都没有意义，因为对于每一个议员来说，哪怕有 1% 的可能性都可能落在自己头上，尽管对于全体来说是 1%，可对于个人来说却是 100%。

马克·吐温在这里玩的就是这样的概念游戏。

对于用汉语作为表达工具的中国人来说，玩这样的概念游戏更为方便。因为在汉语中，有许多在语言形式上是否定的，可是其真正的含义却与肯定形式完全相同。例如：“他差一点跌倒了”和“他差一点没跌倒”，“不可战胜的”和“不可战败的”等，字面上相互否定，但意思是一样的。不过，这种情况是很特殊的、稀少的，也正因为稀少，才能导致对方期待的失落。在通常情况下，肯定与否定在语言上是绝对不可混同的，例如“战无不胜的”和“战无不败的”，意义就完全相反。

当然，这一类的幽默如果仅仅限于概念游戏，用多了，也叫人讨厌。最好是在做概念游戏时尽可能往思想深度上加以发掘，幽默家以能通过概念游戏达到含义隽永、耐人寻味者为上乘。

古罗马人有一则逗笑的故事就是这样：

> 葆拉想要嫁给普利居斯，因为她颇有鉴赏力。然而普利居斯却不想和她结婚，这也不奇怪，因为他也颇有鉴赏力。

这也好像是同样的原因（双方都有鉴赏力），但这只是词语的相同，而针对不同的对象，其真正的内涵却不同。同样的词语，把两种内涵掩盖得越是隐蔽，越是耐人寻味；不同内涵之间的差别越深刻，其意味越是隽永。两种完全相反的判断被紧紧地纠结在同一个概念之中，越是难解难分，越是相互干扰，读者也就越是为它的魅力所诱惑。

七、模拟反讽

柏格森在他研究笑的经典性著作中，曾经指示过一种产生笑（滑稽）的方法，那就是移置。例如，把主人比较高雅的行为和语言移置在仆人身上。一般的移置不一定能产生笑，只有走样的移置才能产生笑。一切语言和动作都是与当时的具体情境水乳交融地结合在一起的，如果你把其中的一个动作或语言孤立地抽出来，移置到另一个不相同的情境中，必然就有某些因素与之不和谐而显得怪异，原来庄严的可能变得亲昵。把文言的书面词语用于日常交往就有这样的效果，如《镜花缘》中写一个酒保问客人要多少酒，不用口语而用文言说：“要酒一壶乎？要酒两壶乎？”就显得很滑稽。之所以是滑稽而非幽默，原因是酒保并非故意把古文中的书面雅语移置到生活中来，而是习俗使然。如果是故意为了调笑，为了讽刺某一个人或某一种人，说话总是不必要地酸文假醋的，就可能有幽默的意味了。

构成这种幽默的效果有一个条件，即那原本的语言和情境是大家熟悉的，一旦移置新义就与原义形成对照，产生不协调之感。如果不熟悉就不可能产生对照和不协调之趣。比如 19 世纪德国幽默作家利希特尔这样描写日出："天空由黑转红，好像一只正在炒着的龙虾。"如果读者不熟悉德国作家描写自然景色的文雅语言，就不会感到用这样不雅的语言来形容大自然风景有什么不协调之处。

因而要创造出这种不协调的对比效果，最好的办法莫过于选中一种人所共知的语句，加以走样的模拟，以便使读者自然而然地感到不协调的对比。

苏东坡有一次与朋友刘贡父在一起小饮取乐，引古人的语言互相戏谑。刘贡父年纪已大，且又苦于风疾，苏东坡和他开玩笑道："大风起兮眉飞扬，安得猛士兮守鼻梁。""大风起兮"暗示刘贡父的风疾，可能刘贡父风疾发作时脸上有痛苦之状。苏东坡这两句是模拟汉高祖刘邦的诗"大风起兮云飞扬，安得猛士兮守四方"。原诗很有名，气魄宏大，情感豪迈，而经苏东坡改了几个字，用来形容刘贡父为风疾所苦的衰老之状，不论在描绘的对象上还是情调上都绝然不相协调，这本来是滑稽的效果；但由于是用来嘲弄自己颇亲近的朋友的，有一种亲昵的幽默意味。柏格森说："把庄严和亲昵这两种笔调一加移置就可以取得极大的效果。"

《万历野获编》上有一段这样的记载：有一个文人学士丢了貂皮耳套，到了冬天，很恼火。与他同榜登第的朋友模拟唐人崔颢的《黄鹤楼》诗嘲弄他：

贼人已偷帽套去，（原文：昔人已乘黄鹤去，）
此地空余帽套头。（原文：此地空余黄鹤楼。）
帽套一去不复返，（原文：黄鹤一去不复返，）
此头十载光油油。（原文：白云千载空悠悠。）
寒眸历历悲燕市，（原文：晴川历历汉阳树，）
短鬓凄凄类楚囚。（原文：芳草萋萋鹦鹉洲。）
九十春光何日至？（原文：日暮乡关何处是？）
胸包权戴使人愁。（原文：烟波江上使人愁。）

模拟的要诀在于出人意料地把毫不相干的事扯在一起，内容越是风马牛不相及越好，距离越大越能引起惊讶。幽默的诀窍还在于使不相干的东西突然相干起来，因而得有一个纽带。模拟之所以需要它，首先在于它的相似性可以作为桥梁，使不相干者相干，因而模拟在形式上则越是接近，越有幽默的效应，原因在于越是接近越能引起读者对原文的联想和回忆。故上述这首诗只更改了不得不改的描述对象，其他则尽可能地模仿，包括句式和重叠词的运用，即使内容半通不通也要把句法和词法的相似性体现出来。

走了样的模拟使原诗中非常高雅的抒情变成了非常滑稽的讽刺。

全部的诀窍在于既要模拟得像，又要走样得绝，才能产生反讽的效果。

有时模拟反讽不仅仅限于语言，还包括音乐。把一种音乐曲调保持原封不动、而把歌词改成完全不相干的，也可能产生反讽效果。我们经常听到调皮的孩子或发牢骚的青年用这种方法表达他们对某一现象的不满。

单纯的模拟的特点，保持整体结构不变，只改变其中一部分词语，或者完全保存其曲调只改变其歌词。有时，内容较为复杂，就不能局限于部分的改动，也有可能作必要的增添。但这时，原文必须有相当完整的保存，否则，相去太远，无法引起读者对原文的回忆和联想。

《万历野获编》中记载了一系列这类的材料。嘉靖年间，一些有地位的人倒了霉，其中就有人引用古语不伦不类地反其意而讽之。有一位秀才出身的姓汤的通判，罢官归来，穷得要命，就说："书中自有千钟粟，汤通判家吸薄粥。"有一位姓赵的，曾在朝中为官，因占了寺院的地基被和尚打了，于是就说："书中自有黄金屋，赵主事被和尚打得哭。"有一位姓陈的，及第后请假归家，与一徐姓妇女通奸，并与她商量谋杀亲夫，发觉后，被砍断了一条腿，于是就这样说："书中自有颜如玉，陈进士被徐秀刖（砍）了足。"有一位钱举人很穷，买不起车马，走路又跛，便这样说："书中车马多如簇，钱举人独身走踯躅。"以上第一条是讽刺人穷的，第四条是讽刺人的生理缺陷的，都显然品味不高，有损幽默的宽厚，作者思想境界甚低。二、三两条没有这样的毛病，是讽刺不道德行为的，但也是滑稽而已，原因是太直白了，很不含蓄。我们所以引用这些，不过是说明：一种文雅的正剧风格，与一种通俗的甚至是恶作剧的语言风格直接联系在一起很容易造成不和谐的怪异感。

有人模拟《红灯记》中李铁梅的唱段，另编了一段唱词用以讽刺不正之风。原文是："我家的表叔数不清，没有大事不登门。虽说是亲眷又不相认，可他比亲眷还要亲。爹爹和奶奶，齐声唤亲人，这里的奥妙我也能猜出几分。他们和爹爹都一样，都有一颗红亮的心。"改编后的唱词是："我家的表叔数不清，没有私事不登门。虽说是也有亲眷也有生人，可他们比办公还热心。群众和街坊，人人很气愤，这里的奥妙我也能猜出几分。他们和爹爹都一样，都有一颗为私的心。"

这样，内容上积极意义较大了，但是看起来幽默的味道并不很浓，原因是太不含蓄了。幽默除了要求有某种怪异感外，还得比较曲折，不能把什么都讲得明明白白。讲白了，对方就没有在曲折的暗示中被诱导、被启发，最后产生顿悟的乐趣了。

太过明白的教训意义是枯燥的，损害人的刻薄是低级趣味的。幽默家正是在排斥这两种倾向中显示出自己高尚的情操。

八、不伦不类

日常生活和科学研究一样，凡分类都得用同一个标准，如果不用同一标准，则必然造成概念的混乱，导致思维无法深入进行。早在小学语文中，我们就开始训练孩子掌握这种最起码的思维能力。比如说，教师在黑板上写：香蕉、苹果、菠萝、水果，要求孩子们把不属同一类的名称划去。绝大多数孩子都能把水果删去，原因是水果是相对于干果而言的，而在水果中再分，则又可分为香蕉、苹果、菠萝等，二者层次不同不能随意并列。这个道理很科学，但并不幽默。在分类时要产生幽默的趣味，恰恰要破坏这种科学的原则，对事物加以不伦不类的并列。这个方法很简便，可以广泛地用来作自我调侃或朋友间的戏谑之用。

有一次，在一个大学里，一位口才非常好的教授正在给大学生们做一个关于“演讲与口才”的报告。他说他的演讲风格主要是受了三个人的影响，一个是曾经的苏联领导人赫鲁晓夫，一个是前印尼总统苏加诺。说着他停了下来，大家屏声静息地等待他的下文，他环顾了四周后说道：“第三个就是我七岁的女儿。”阶梯教室里顿时哄堂大笑。

这是因为前两个都是20世纪五六十年代国际上很有名望的政治家，与一个七岁的小女孩根本无法作相称的排比。

在朋友们的聚会上，如果你要讥嘲什么人，你也可以用这种办法。比如说，你想贬抑一下什么人，你就把他和几个人所共知的坏人或低级的人士生拉硬凑地排列在一起。或者你想用显然虚假的奉承来调侃什么人，不管是他的英语、书法、服饰，还是他的为人，你都可以把他和众所周知的出名人物联系在一起，出他的洋相。例如你对他说，世界英语水平最高的，除了莎士比亚就数你了，等等。

这种办法实用性很强。生活中随处可以运用。周末你和孩子到郊外野餐，孩子提出下次可以让妈妈一起来，你可以补充一句：“我想最好是带妈妈和百事可乐一起来。”

这种不和谐的排列，并非只限于语言，也可以用于语言与动作之间，这在西方的喜剧中比比皆是。如在演说到最激动人心的地方，忽然打一个喷嚏，或者捂着下巴说牙痛发作，有时则是还没有讲完一句开场白，就突然停下来抱怨鞋子太紧，或裤带勒着肚子等。

不过，这种动作不和谐的办法有闹剧性质，在人际交往的许多场合并不适合运用，用得不是时候，或不是地方，有丑化自己的危险。一般地说，还是以语言的不称排比较好控制，其适用范围比较广泛。

清代梁章钜的《楹联丛话》中记载了一则故事：一个开药店的发了财，拿钱捐了一个“同知”（相当于县长）的官衔，又买了一名官员的别墅，每逢喜事宴会，动不动就穿起五品官服来。有人就写了一副对联来讽刺他：

五品天青服

六味地黄丸

“六味地黄丸”是一种很流行的中成药名称，把官品制服与中药的名称用严格的对仗组合在一起，形式的密合和内容上的拒斥形成反差，幽默之趣油然而生。

清朝《笑得好》载：有一王婆婆，家道富裕，希图风光风光，想在寿材上题些堂皇的字句，就拿了一大笔钱给道士。道士没有办法，只好写：

翰林院侍讲大学士国子监祭酒隔壁王婆婆之柩

头衔很大而关系甚薄，明显不伦不类，幽默感就产生在这里。

除了用不相称的分类和排列引起怪异之感以外，还可以用不伦不类的比喻制造滑稽的效果。

通常从修辞学角度来说，比喻要在本体与喻体之间有一致的地方，就是通常所说的可比性。比如说，一尺布可以与五丈布比，但不能和一斤铁直接相比。不能比就是没有可比性，把没有可比性的直接相比，就犯了无类比附的错误。这是修辞学的规律。可是把没有可比性的事物直接扯在一起，却是幽默感的规律。

清朝的《新刊笑林广记》中有一个利水学台的故事：

秀才家丁，把娃娃撒尿，良久不撒，吓他说：“学台（考官）来了！”立即撒尿。秀才问其故，答曰：“我见你们秀才，听学台下马，吓得屁滚尿流，才想出这个主意。”

把撒尿和秀才考试相比已经荒唐，小孩一听学台之名立即撒尿，则更是荒唐之至。

在汉语中有一种特殊的修辞方法，就是歇后语。歇后语本来属于比喻的暗喻之列，但是它有一个特点，就是本体与喻体之间是不伦不类的，因而大都十分滑稽。如形容人做事有条不紊或唱曲子有水平、从容不迫，口语叫“有板有眼”。这是一个带着褒义的词语，可是有一个歇后语是：光屁股坐板凳——有板有眼。这里的有“板”是指板凳之板，而有“眼”则指肛门。这与做事或唱戏有水平不但风马牛不相及，而且在联想意味的雅俗上也不能相容。绝大多数歇后语都以本体与喻体之间的无类比附为特点，因而茅盾认为歇后语是一种“文字游戏”。歇后语不是一种正经的修辞方法，而是一种戏谑性的修辞方法，由于它往往远及无类而强加比附，常常奇趣横生。如形容人做了无用功：脱了裤子放屁——多此一举；形容人说话不实：阎王出告示——鬼话连篇；说人潜力不大：老鼠尾巴长疖子——有脓也不多；说人意图不善：黄鼠狼给鸡拜年——没安好心，等等。

多数歇后语以荒诞、滑稽取胜，但是也有一些滑稽意味并不太浓的，如：大水冲了龙王庙——一家人不认识一家人。还有一些非常粗野的，或者太荤的，在使用时，要细心鉴别，否则可能产生不雅的效果。

不但不雅的歇后语要鉴别，而且任何一种不伦不类的比喻都要留心使用，比如有这样一句话：

> 商业就像性生活一样，有总比没有强：景气之时，它无与伦比；即使不景气，可挑剔之处也不多。

用性生活和商业相比，本来是极冒险的，但这里说得相当曲折含蓄，在有些场合，如书面形式，而非大庭广众之间，则可以有限度地使用。

第四章

歪曲推理

一、无理而妙

人处在窘境中，正如处在愤怒中，很难幽默起来。窘境往往不是在个人独处时产生，而是在人际交往特殊场合、自尊心受到损伤时产生的。尤其是在公共场所，一般人都追求自己形象出众，然而窘境以自我形象的破坏为特点，令人尴尬、难堪、神经紧张，在多数情况下，连正常的智慧都难以发挥，与幽默需要较大的心灵的回旋余地相矛盾，因而在窘境中仍然不失去幽默感，实在是难能可贵的。

幽默家兼钢琴家波奇，有一次在美国密歇根州的福林特城演奏，发现全场座位不到五成，他当然感到失望，而且很窘，但是他不为窘境所拘，相反，他在窘中求趣，以幽默的语言打破了窘境。他走向舞台向听众说：

福林特这个城市一定很有钱。我看到你们每个人都买了两三张票。

大厅里充满了笑声。

这种化消极现实为积极情致的幽默，有两个关键点：第一，不为窘境所拘。人之所以为窘境所拘，无非一个原因，那就是面子上很难堪，自尊心受到挫伤，但愈是感到挫伤就愈是消极，愈缺乏打破这种恶性循环的心理能量。其实这时最聪明的办法是横下一条心，从另一角度去看待产生窘境的原因。第二，对产生窘境的原因作想象的、玄妙的甚至荒诞的解释，并让在座的人与你一起分享你的精神的自我解决。

这位钢琴家的成功就在于他对空座位原因的解释是这样荒诞，又是如此奇妙，以至于一刹那，由于幽默的胜利产生的喜悦感大大压倒了演奏会失败的挫伤感。

对于这位钢琴家来说，与其说是幽默的胜利，不如说是他敢于荒诞地曲解失败的胜利。他奇妙的解释是进入了荒诞境界的结果。如果荒诞性不够或不奇妙，则幽默感也会相应地减弱。

美国钢铁工会主席亚柏当选该职时，到一个地方去演讲，恰巧这个地方的群众，一大半人反对他而投票给另一个候选人。他并没有为身陷反对者的包围感到发窘，反而说：

谢谢你们，要不是你们的支持，我不可能当选。

据引用这件轶事的作者说："那些反对他的听众笑了，并且不再反对他。"

细心的读者读到这里肯定会产生困惑，把反对者当成支持者固然有幽默的意味，但并不强烈，因为这虽荒唐，但并不巧妙，读者很难看出为什么"反对"成为他胜利的特殊原因。如果有一个荒诞的原因也好，可是这里并没有提供任何联想线索。没有荒诞的原因，找一个现实些的原因，是否会好些呢？例如说：

很感谢各位，要不是你们反对我的都是一些鸡毛蒜皮的事，我早就落选了。

这并不见得更好一些，原因是太不荒诞了，也就不可能产生心理预期的落差。如果让他荒诞一些，说：

很感谢各位，你们那么反对我却没有把我送上断头台，要不然我即使获胜，也只好没头没脑地站在这里了。

这可能好一些，幽默意味强些，为什么呢？因为它除了更荒谬些以外，还更像一种歪理，这得力于"没头没脑"的双关语，使之有一种荒诞的逻辑性。

窘中求趣是一种愿望，但如果没有相当勇敢的、超乎常人的荒谬的想象，那也只是愿望而已。有了这样的想象而不善于在想象中借助偶然的因素来构成某种歪曲的推理，也是很难成功的。荒谬之妙，就在于荒诞的逻辑性。

荒谬的逻辑性可以归结为一句话，即"无理而妙"，越是幽默的同时也就越带纯调笑性，纯调笑性越强，与某种切合实际的办法和道理的距离就越远。反过来说，越是一本正经地把道理讲得头头是道，也就越不幽默，越不幽默也就越可能带上某种现实推理的特点。越是带上现实的推理性，幽默就越是让位于机智：

一个星期日，狄更斯到河边钓鱼，半天也钓不到一条，一个陌生人走过来和他攀谈，狄更斯诉说："今天运气不佳，昨天在这里一下子钓到十五条鱼。"

陌生人说这里是禁止钓鱼的，而他是负责看守的，他从口袋中掏出一个本子，要对狄更斯科以罚款。狄更斯急中生智说道："你知道我是谁吗？我就是作家狄更斯。我刚才说的是一个虚构的故事，而虚构故事正是我们作家的职业。"

这件事情荒诞色彩并不浓，看起来很合乎通常的推理规律，因而也具有保护自己的实际效用，在这里，机智超过了幽默感。

在通常情境中，人的自尊心不受到任何威胁，心理并未失去平衡，纯调笑性的幽默往往比机智给人带来更大的精神享受，这种精神享受常常是以在场人物的共享为特点的。而在人的安全面临威胁或尊严遭受损害的严峻关头，纯调笑性的幽默就不能应付现实的危机了，切实可行的机智自然就更为迫切地被需要了。

在阿拉伯民族的民间传说中有一个机智幽默的大师朱哈（在新疆他叫阿凡提），在极端的困境中他常以机智取胜：

朱哈想进一座锁了门的果园，他用梯子爬上果园的篱笆，又把梯子搬进园里，再沿着梯子下去。刚一下梯子就看见园丁在等着他，园丁问："你是谁？到此有何贵干？"

朱哈说："我是卖梯子的。"

园丁说："怎么跑到这里来卖梯子？"

朱哈说："老天爷，难道你不知道梯子是到处都可以卖的呀！"

机智使朱哈摆脱了偷盗的嫌疑。

他的妙处不是荒诞，而是很现实，现实到似乎是真实的。

如果说窘境中的幽默可以无理而妙的话，那么窘境中的机智可非得有理而妙不可。

二、歪解包袱

我国的相声艺术家总结他们长期的实践经验，得出一个结论：逗观众发笑的方法之一是"歪解包袱"。所谓包袱，就是一个奇特的结果、一种可疑的结论。解包袱，就是为这种结论或结果寻找解释，或求其原因，而歪解包袱者，不求正正当当的原因，寻找的是不是原因的原因。如果一本正经找到了很科学的原因，反倒不幽默了；要弄出一种似是而非，甚至驴唇不对马嘴的原因，才能表达调侃之情，与对方共享幽默之趣。

比如说，你的朋友最近脸色变红了或者变黑了，通常人按逻辑常理去思考问题，往往就不由自主地想，脸红是因为身体健康、营养丰富的缘故，而脸黑则是过多地在阳光下暴晒的结果。这种因果很科学，很符合逻辑，但是它不幽默。幽默属于情理范畴，自有另一套逻辑，它与常理不同。所以，要有幽默感，首先得超越于常理之外。如果你说脸红的原因是由于近来多吃了西红柿，脸黑的原因是由于近来多吃了乌贼鱼，这不科学，但可能很幽默。

在人际交往中，如果你想用幽默来调节一下相互的关系，这时你得用一种超越常理的逻辑来思考问题，切勿为常理所困。中国古代一本幽默资料书《笑得好》中有这样一个故事：

甲乙两呆人偶吃腌蛋，甲惊讶地说："我经常吃蛋，都很淡，为什么这个蛋是咸的。"乙说："我是极明白的人，亏你问到了我，咸蛋是腌鸭子生出来的。"

在《笑林》中还有一个相类似的故事：

甲与乙打架，甲咬下了乙的鼻子。县官审案，甲说乙的鼻子不是他咬下来的，而是乙自己咬下来的。县官说："鼻子比嘴巴高，怎么能够上去咬？"甲说："他踩着凳子上去咬的。"

这里的可笑之处就在于：明明不是原因的原因，被一本正经地当作了原因。还有一个故事：

一位曾经做过宰相的人，退休归家，忽染重病，他对身边的人说："不知死后，日子好不好过。"在场的一位先生说："死后很好。"这位退休宰相问："你怎么知道？"这位先生有板有眼地说："如果死后不好过，死者都会逃回来的。但古往今来没有一个人逃回来，所以知道死后一定很好。"

这个故事的幽默感很显然不如前两个强，原因是这位先生所陈述的理由太接近于常规逻辑推理了，而幽默要求超越常规逻辑推理。前两个故事的理由很明显不成其为理由，正因为不成为理由才与常理构成反差，所谓在情理（不是常理）之中，意料（按常理之期待）之外者是也。

当然，这并不是说越是悖理越好。如果真是这样的话，则疯子的呓语和弱智人的胡说就成了最高级的幽默了。

超越常理的歪理最好是不但与常理构成反差对照，而且在另外一个层次上又与常理发生某种联系，间接地暗示更深刻的常理。如果纯是歪理，充其量不过是滑稽而已，很少有深刻的睿智在内。一旦有了更深刻的睿智，滑稽就上升为幽默了。所以，歪解包袱并非越是荒谬绝伦越好，其上乘者乃是歪中有正。这种区别非常重要。在人际交往中过分地歪解，缺乏智慧，可能变成耍贫嘴，给人一种油腔滑调轻浮恶俗之感；而智慧的渗入则可提高幽默的品级，把对方的心灵带到更高的层次，在轻松谈笑之间，你不但使对方为你的谐趣所吸引，而且为你的睿智和深思所震动。

正理的睿智和歪理之谐趣交织起来，就使纯粹的滑稽升华为幽默了。

我国古代笑话书中常有纯粹讽刺人的生理缺陷病理状态的，都非上品，甚至不少属于糟粕之列。有的虽非糟粕，也失之肤浅。冯梦龙《笑府》中有这样一个故事：

三个人同睡，一个人感到腿痒，直到抓出了血，第二个人摸到腿上湿处，以为是第三个人遗尿，就催他起身。第三个人去小便，听到隔壁酒坊滴酒声淅沥不止，以为自己一直没有拉完，竟站到天亮。

这个故事歪曲因果的连锁结构很紧凑，层层叠加效果也很强烈，但是意味不够深长。我们试以之与蒲松龄《聊斋志异》中一个短短的《骂鸭》作一下比较：

一人偷了邻居的鸭子煮了吃之后，夜间觉得皮肤很痒，次日清晨起来一看，浑身长满了鸭毛，一碰就痛。当夜他梦见一人告诉他说："只要丢鸭子的人骂你一顿，鸭毛就脱落了。"他只好去哄丢鸭子的人来骂他，谁知此翁竟不肯骂。他只好实情以告，这位老翁才把他浑身的毛骂个精光。

偷鸭是因，浑身长鸭毛是果，这已经很歪了；必得失主骂之（因），毛乃脱落（果），则更歪。这双重的歪曲因果关系（偷人鸭者自请失主骂之）又显示了一种常规道德观念，暗中偷盗者当公开蒙受羞辱。从这层意义上讲，《骂鸭》比之冯梦龙的三人同睡故事有更深长的意味。不过这个故事的结构比较单薄，不够曲折，若能充分利用鸭主反复坚持不骂，而偷者则千方百计诱逼他骂，用层层歪解、越解越歪的方法增强效果，则感染力肯定会大增。

在人际交往中，特别是在朋友亲戚等比较密切的人际关系中，歪解因果的方法有比较广泛的适应性。由于人际关系的亲密，双方都容易打破礼仪的拘谨，构成对常理的超越。如一个朋友唱歌唱得好，本来是由于他的天分和他的勤奋或有名师指点，可是用歪解因果的办法，就可以来一点任意性，你要开谁的玩笑，就可以说是由于谁的原因。例如，他的妻子在场，就可以说，此人本来根本不适合唱歌，今天由于他妻子在场，因而得以超水平的发挥。这样你就不但赞美了他的妻子，而且赞美了他们之间的爱情。如果你不愿这样去讨好一个在场的人，也可以随意给他一个不存在的原因，例如说，他今天之所以唱得好，完全是因为他已经得到消息，不久以后，瑞典皇家科学院将增设诺贝尔音乐奖，而他是第一个候选人。如果你觉得这样还不够曲折，太直白了，也可以把因果说得更曲折多姿一些。例如他唱得挺好，但平时说话口吃，在一般情况下，口吃不妨碍他唱歌天才得以发挥；但每当他夫人在场时，他唱歌就会结结巴巴。今天他夫人在场，他却没有结巴，原因是我在这里，只要有我在，他就不怕他夫人了。

这样做的好处是，可以把许多幽默技巧结合起来加以发挥。

三、导致荒谬

在辩论中，要反驳对方的论点，并不一定要去正面顶撞，也可以把他的结论肯定下来，作为前提加以演绎，引到一个显而易见的荒唐结论上去，由结论的荒唐从反面证明对方的荒唐，这是中西古代哲学家常用的方法，在形式逻辑上叫作“导谬术”。

用这种方法，由于结论是显而易见荒谬的，因而比一般反驳要有趣得多。

小学四年级上作文课，教师出了一个题目《放学路上》，绝大多数学生都写一些虚构的、俗套的故事，因而惊人的雷同。如果正面去讲评就只能说，这么多雷同，只能证明你们都是编造的。这样批评自然很正确，但并不一定有趣，也不一定能立刻使小学生心悦诚服地和教师在看法上一致。

这位老师没有用这种正面进攻的办法，而采用导致荒谬的办法。他说：

> 你们的作文，三分之一写捡到钱包交给警察，三分之一写在公共汽车上给孕妇让位，三分之一写扶老人过马路。别的不说，光说捡钱包，我活了这么大年纪，上班下班走了这么多年，就没有你们那样的好运气，我怎么一次也没有捡到过钱包啊？

小学生哄堂大笑起来。这说明，他们立刻分享了教师的幽默，也同意了教师的观点。

比之正面反驳，导致荒谬好处就在于它有趣而且能迅速为对方分享，使双方不但在认识上而且在情感上达到一致，幽默能消除二者在情绪上对抗的可能。

有趣的关键在于极端的荒谬。法国19世纪作家戈蒂埃说：“极端滑稽的就是极端荒谬的逻辑。”

不荒谬，就不可能有趣。可是对方的结论并不是天然就荒谬的。

荒谬是引申出来的，因而能不能幽默起来取决于你引申的能力和魄力。

在美国独立初期，法律规定，要有三十美元才能当上议员，这实际上是把当时还相当穷的黑人排除在外了。显然这条法律是不公正的，但在表面上不显得荒谬。

美国当时的进步政治家、科学家富兰克林反对把有钱当作可以竞选议员的条件。他用了导致荒谬的办法，他的杰出之处就在于从看来并不荒谬的神圣庄严的法律中引申出荒谬绝伦的东西来。他说：

> 要想当上议员，就得拥有三十美元。那是不是可以这样说——我有一头驴，它值三十美元，那么我就可以被选为议员了。一年之后，我的驴死了，那我的议员就不能当下去了。请问，究竟谁是议员呢？是我，还是驴？

法律由不荒谬变成了荒谬，是由于富兰克林加入了两个假定：第一,三十美元等于一头驴。本来三十美元也可以等于一只天鹅，但天鹅不蠢，很难导致荒谬。富兰克林的功夫就在于通过三十美元把一个蠢东西与神圣庄严的法律凑在一起，虽然是堂而皇之，却是听众无法拒绝的，因为他采用了等价交换的形式。第二，他又很自由地让驴死去，也就是借助偶然的事故，让驴与人分离。在这一合一分之间，就把三十美元与议员的关系（这不荒谬）转化为驴和议员的关系了。

这种导致荒谬的胜利也可以说是在假定中，把美元与议员的联系消除，而让驴与议员的联系建立起来的胜利。

这类幽默感的程度取决于荒谬的程度，越是荒谬越是幽默。荒谬感不足，则幽默感也不足：

某人要学佛法，夏夜赤身在山边坐卧，祷告表示愿“舍身喂蚊”。观音菩萨欲试其诚意如何，便化为一只大老虎向他扑去。此人大惊失色，拔足狂奔说：“我请不起这样的大客人。”

这里有一点荒谬感，但不足，原因首先是内在逻辑推理不严密。此人原祷告只表示愿“舍身喂蚊”，并未自愿“舍身喂虎”。导致荒谬的幽默，必须严格尊重其原有的前提。其次是荒谬的结论必须从前提中引申出来，不能越出原来的前提范围。这里最后的结论是：“请不起这样的大客人。”原前提“舍身喂蚊”中并无“请客”之意。如果改成：“我喂不起这么大的蚊子”，就严密得多，也就幽默得多了。

导致荒谬的逻辑也有荒谬的严密性。严密性与荒谬性的结合不够，会影响幽默的效果。

古希腊柏拉图学派的一位辩证论者与一个犬儒派的哲学家做诡辩游戏：

辩证论者说：“我与你不相同。”

犬儒派哲学家：“我同意。”

辩证论者：“我是一个男人。”

犬儒派哲学家：“同意。”

辩证论者：“因此，你不是一个男人。”

辩证论者设下圈套，首先让对方同意他与对方不同，然后肯定自己是男人，从而推出对方既然不同于男人，就应该不是男人。这是一种典型的诡辩，但是要反面反驳他，颇为不易。犬儒学派的哲学家用导致荒谬的办法来反证他的错误：

如果你认为这句话成立，那么请你允许从我这儿开始再说一遍……

如果由犬儒学派开始说，他与辩证论者不同，而犬儒派是男人，则辩证论者不同于男人，则应该不是男人。

不过是调动了顺序，就有两个相反的结果。

这显然是荒谬的，但其中幽默很少，原因是严密性虽有，荒谬性则不足，纯是智力游戏，理性的诱导而无双方情趣的交流和共享。

这个故事与中国古代庄周与惠施的争辩有相同之处。这两个人站在桥上看河里的鱼，庄子说："鱼游得多么自在快乐啊！"惠施说："你不是鱼，怎么知道鱼是快乐的呢？"庄子说："你不是我，怎么知道我不知道鱼是快乐的呢？"

庄子与古希腊犬儒学派哲学家最后的反驳都属于导致荒谬的方法，但是并不太荒谬，因而机智胜于幽默，幽默的意味几乎为机智的逻辑推理所掩盖。读者在双方推理的过程中紧张地追随尚恐不及，哪里谈得上与发话者共享其言外之情趣！

幽默的强度与一目了然的荒谬成正比：

19 世纪著名的俄国作家赫尔岑年轻时在一次宴会上，被当时轻佻的音乐吵得用两手捂住耳朵，主人见了忙解释说："正在演奏的是流行歌曲。"赫尔岑反问："流行乐曲就一定高尚吗？"主人很惊讶："不高尚怎能流行？"赫尔岑笑了："那么流行性感冒也是高尚的了。"

这就比庄子和惠施、辩证论者与犬儒学派的争论要幽默得多了，原因一目了然：荒谬，而且逻辑结构很单纯。

过分复杂的逻辑层次会影响幽默感的强度。

单纯的逻辑结构与荒谬的推断一旦结合，幽默感就大大强化起来。

冯梦龙的《笑府》中有个笑话，说是塾师打瞌睡，学生问塾师刚才干什么了？塾师答："去见周公了。"后来学生打瞌睡，老师责备他，学生说："我也去见周公了。"如果只到这里就结束了，这个笑话还不够荒谬，好在笑话下面还有，也就是荒谬还在发展。塾师继续问学生："你真见了周公，那周公对你说些什么？"学生说："他说他昨天没有看见你。"

这不但更荒谬了，而且更有严密的一贯性，因而也就更幽默了。

四、谬上加谬

一般的导致荒谬，只能作为一种普通的反驳方法，普通的反驳只要把道理从反面证明了就成，但还不一定有幽默感。要有幽默感还得使荒谬的程度加大，这就要求幽默家把微妙的荒谬性扩大为显著的荒谬性，把潜在的荒谬性提高为摆在面前的荒谬性。

这就需要有一种把荒谬性极端化或者把荒谬性层层演进的方法。中国古代有个笑话，说是一个人非常吝啬，从来不请客。有一邻人问其仆人他什么时候请客，仆人说："要我家主人请客，你得等来世。"主人在里面听到了，骂出声来："谁要你许下日子。"

本来说"来世请客"，由于来世的不存在，请客是不可能了，已经是彻底否定了，说的人和听的人都很清楚，没有任何疑问。从传达思想来说，这种极端已经足够了；但是从构成幽默效果来说，还不够，因为它太平淡了，不够极端。幽默感所要求的荒谬，得有点绝才成。

这里的主人绝就绝在明明来世请客是永远不请客的意思，否定的意思，他却认为不够，因为从形式上来说来世请客，终究还是肯定的，句式是肯定的，还没有达到从内容到形式绝对否定的程度。在他看来哪怕实际上是否定请客的可能性，只要在字面上有肯定的样子也是不可容忍的。正是这种绝对的荒谬产生了幽默感。

有一个古罗马时期流传下来的故事是这样的：有一个人想要安安静静地工作，就吩咐仆人对来访者说他不在家。这时一个朋友来了，远远看到他正在家中，虽然他不相信仆人所说的话，但是仍然回去了。

这里由于没有什么极端化的成分，因而没有什么可笑的地方。要让笑意不由自主地产生，就得往极端上推。

故事接下去说：第二天，这个拒绝见客的人去拜访他的朋友了，他的朋友出来对他说："我不在家，我不在家！"

这已经够荒谬的了，明明自己出来了，却说不在，但是还不够细，因为这种荒谬还带着赌气的可能，纯赌气则不属于幽默之列，它与轻松的笑无缘（除非是故意假装赌气）。客人表示大惑不解。他说：

> 你这人太过分了，昨天我都相信了你仆人的话，而今天，你竟然怀疑我亲口说的话。

这话真叫绝了。

绝就绝在一句话中包含着多个层次的荒谬：第一个层次，明明在，却自己说不在；第二个层次，你昨日明明在，却让仆人说不在，这成了我今日说不在的前提；第三个层次，我明明知道你仆人说谎而相信了你和仆人，你现在即使知道我说谎也应该相信我的谎不是谎，因为我比你的仆人地位更高。

强化幽默效果的方法除了把荒谬推向极端外，还可以把多种荒谬集中在一个焦点上，成为复合的荒谬，我们把它叫作"谬上加谬"或"谬上叠谬"。

这种幽默效果极强，但也极难构成。第一，它得把几层荒谬的意思压缩在同一句话中，而不是分别讲出，分别讲出来就不幽默了；第二，这一句话，还不能凭空冒出来，它得是以对方行为或语言为前提进行怪异推理的结果。在推理时，全都按理性逻辑演绎也是没有趣味的，而完全没有一点逻辑性也是没有趣味的，这就要进行怪异的、片面的、理由不充足的推理。上述古罗马故事的最后一句话就是利用对方的行为作前提加以歪曲的推理。歪曲表现在，唯一的理由是：主人讲的话一定比仆人可靠，哪怕比仆人更荒谬也一样。这与理性逻辑所要求的充足理由是不相容的，这是一种歪理。正是由于它歪，它才有幽默之趣。

幽默推理的效应是越推越歪，越歪越有趣：

一个人去酒店沽酒而嫌酒酸，店主很恼火，就把他吊在梁上。有人路过询问原因，主人如实以告。过路人说："借我一杯尝一下。"尝毕，皱起眉头对店主说："放下这个人，吊了我吧。"

这里荒谬的歪理之所以歪得顺理成章，就是因为他并不反对店主人本来就是荒谬的前提：店主认为酒甜，客人说酸就该吊。现在他尝了，明明不甜，照理说，可以争辩，却情愿挨吊，这说明酒酸到极点。但是过路人为什么不争辩呢？这一点就不去管他。

谬上加谬的推理是不管多种可能性的，它只管一条路往荒谬的结果上推演。

谬上加谬的特点是，不但前提是歪的，而且推理的方法也是歪的，歪理歪推才有强烈的幽默感，正理正推不成幽默。歪得不够，幽默强度会受损。

上述故事还有另一个版本：

有一酒店卖酸酒而不准客人说酸，有谁说酸，店家便绑之于柱。一天，有个道人背一大葫芦经过，见一人被绑，便询问原因，答道："他说酒酸。"道人说："愿尝一杯。"饮了半杯以后，道人一言不发扭头便走。店家见其未说酒酸，很高兴，叫住他说，"嗨，你忘了葫芦了。"道人回头说："不要了，你踏扁了它，做个酒招牌吧！"

这个"踏扁葫芦"不如"吊了我吧"那样强烈，因而幽默感也稍弱。歪理歪推，越歪越好，只要有一点片面的逻辑就成，不用考虑人物本身是否可能。如果去推敲这个人为什么不把葫芦拿了才走，为什么不与店主论理，那个人为什么不说不酸，而情愿让人家吊，或者吊起来后，为什么不反抗。这样考虑就是正理了，就不是幽默了。

五、将谬就谬

在人际交往中，互相幽默的攻击有两种，一种是纯粹戏谑的，主要为了显示亲切的情感引起对方的共鸣；或者为了炫示智慧，引动对方欣赏。一种是互相斗智性的，好像进行幽默升级的比赛，互相争上风，这时的调笑性比攻击性更重要。当然有时攻击性是很凶猛的，但表现形式是很轻松的。不管有无攻击性，都以戏谑意味升级为上。使戏谑意味升级，可以将谬就谬，即明明知道对方错了，不但不予以否定，反而予以肯定，肯定的结果是更彻底的否定。

一则西方的笑话，妙就妙在将谬就谬，使戏谑升级：

一位小姐与一位先生在聊天，小姐认为世界上最锋利的是这位先生的胡子，这位先生不解，小姐说："你的脸皮已经够厚的了，但你的胡子居然还能破皮而出。"

这显而易见是戏谑性的，因为其原因和结果之间的关系是荒谬的。与其说显示了先生脸皮之厚，不如说显示了小姐口齿之伶俐。在戏谑性的互相攻击中，戏谑性要递增，但方向要恰恰相反，正如中国古书上所说的"以子之矛，攻子之盾"。另起炉灶自然也可，但很难以递增效果，显示出自己的幽默胜于对方。将谬就谬则是升级的方便法门，明知你荒谬了，我要将你的荒谬往更谬处推演，不过我荒谬的根据是从你那里来的。这个故事中的先生用来反攻这位小姐的止是这种办法：

他笑嘻嘻地反问小姐："小姐，你知道吗？你为什么不生胡子？"小姐自然不知道。

"因为你脸皮更厚的缘故，连尖锐、锋利的胡子都无法钻破。"

这位先生反攻小姐的根据并不是另行构思的，而是从小姐攻击他的逻辑中引申出来的。既然我有胡子是因为胡子尖利钻透了皮肤，而你没有胡子则是因为脸皮更厚，再尖利的胡子也无用。同样的前提得出相反的结论，指向不同的目标。

这种以谬攻谬的幽默的特点是后发制人，关键不在于揭露对方的错误，而是在荒谬升级中共享幽默之趣，而要达到这个目标，得有模仿对手推理错误的能耐。在通常的辩论中，将对方错误愈是迅速加以指出，愈是有水平，而在戏谑性幽默中则不然，不但不能揭穿它，反而要去模仿它。要沉得住气，才是幽默家；沉不住气，只是小聪明而已。所谓不动声色、大智若愚者，上也。有一个阿凡提的故事说，某脚夫在一家客店里吃了一只鸡，店主人后来让他几百倍地偿还，理由是鸡能生蛋，蛋能孵鸡。阿凡提得知后就去替脚夫打官司。到了那天，阿凡提故意迟到。法官追问原因，阿凡提说："我明天就要种麦子了，可是我的麦种还没有炒熟呢！"

法官骂他疯了。阿凡提平静地说：

既然炒熟的麦子不能下种，难道吃下肚的鸡还能下蛋吗？

阿凡提的胜利是模仿荒谬推理的胜利。

在这种情况下，制胜的是荒谬结论，但是引申出荒谬的推理过程更重要，它必须是准确模仿的产物。要一眼看出并迅速抓住对手推理过程的荒谬要害，如法炮制。

模仿荒谬推理能力的大小，取决于类比能力的大小。对方在这一件事上荒谬，你把荒谬回敬给对方时，你得从中抽出身来，到另一件事上去。哪怕两件事极不相干，只要在道理上能够有类比就成。有时，也不一定要后发制人，也可以先发制人，关键是抓到类比：

一个高利贷者向阿凡提借锅，阿凡提说："我的锅正在生娃娃。"高利贷者很吃惊："锅还能生娃娃吗？"阿凡提反唇相讥："你的铜钱怎么能生娃娃呢？"

这里并不是先抓住对方推理的错误，而是抓住对方职业的特点，使之与一件绝对荒谬的事情类比起来，向对方发动攻击。一般地说，这种先发制人的幽默，攻击性强于一般纯调笑性的幽默。不过这种将谬就谬的幽默即使有攻击性也只是戏谑的性质，很少有真正的理性逻辑的说服力。因为凡幽默之推理都是歪理，大抵只是借助一个很片面、很不充足的理由来推理才有荒谬之趣味，如果是以很全面很充足的理由来推理，就很正经，就没有任何幽默之趣了：

一户人家一贫如洗，有贼来偷，主人虽知，但很坦然，听贼自偷。贼摸到米缸，脱下身上夹袄去包。主人想到此乃明日饭食，不可麻痹大意，遂顺手将贼之夹袄牵到自己身上。贼寻夹袄不着，惊醒主人之妻，妻乃唤主人速起捉贼，主人云："没有贼，睡吧！"贼乃答："没有贼，我的夹袄哪里去了？"

贼的答话是整个故事的焦点和高潮所在。从幽默的结构来看，有巧合的精致性。主人把贼的夹袄拿去了，贼就根据这一点回答主人之妻的问题：肯定有贼。可是，如果按当时的现实情境全面考虑，贼是不敢这样回答的。这是现实之正理，而不是幽默之歪理。按幽默之歪理，只要接着荒谬的前提模仿错误的推理方法，得出更加荒谬的结论，那就是"合理"。若不这样，老是考虑没有一个小偷敢这样回答，倒反而不合幽默之理了。

六、以谬还谬

幽默不能代替实际解决问题的科学方法，它不能助你减肥，也不能让你长高，更不能帮你考得高分，特别不能帮你进行发明创造，但是它能帮助你调节人际关系。不管是在和睦相处时，还是在发生误会、摩擦时，幽默都可以使矛盾得以缓和。在外交国务活动中，矛盾最多，也最公开，最不可回避，但是幽默却可以使关系保持正常或不致僵化。在家庭生活中，夫妻关系最为密切，矛盾也最为频繁，在危机发生之时，幽默可以消解迫在眉睫的冲突。当你和朋友争执不下时，幽默可以使你更轻松地争取对方同意你的观点，分享你的高雅感情。

当你拒绝别人不合理的要求时，直接拒绝会导致不必要的紧张。如果用以谬还谬的办法，让对方去体会他自己要求的不妥之处，比正面顶回去要文雅得多：

19世纪末，伦琴射线的发明者收到一封信，写信者说他胸中残留着一颗子弹，需要用射线治疗。他请伦琴寄一些伦琴射线和一份怎样使用伦琴射线的说明书给他。

伦琴射线是绝对无法邮寄的，如果伦琴直接指出这个人的错误，并无不可，但多少有一点居高临下的教训的意味。伦琴采用了以谬还谬的办法。

伦琴提笔复信道："请把你的胸腔寄来吧！"

由于邮寄胸腔比邮寄射线更为荒谬，也就更易传达伦琴的幽默感。

这样回答的好处是给对方留下了余地，避开了正面交锋的风险。在家庭生活中，尤其是夫妻生活中，针锋相对的争执常引起不良的后果，而以谬还谬的幽默，有利于把一触即发的矛盾缓和下来：一对夫妻闹僵了，妻子动手收拾行李："我再也待不下去了，我要永远离开这里！"丈夫这时如果去拉她，可能无济于事。聪明的丈夫可以同样提着皮箱冲出门外，向正在远去的妻子呼喊："等一等，我也待不下去了，我和你一起走！"妻子出走已不成其为家，丈夫也出走，更不成为家，这是一种荒谬。

丈夫本该留她，却和她一起走，这又是一重荒谬。正是因为双重荒谬，丈夫的真正意图才能让妻子自己去体悟，而不是由丈夫以冲突形式去强加。

这种幽默方法的特点是通篇没有一句涉及挽留的正面意图，正面意图全由不着边际的荒诞来反衬，因而给对方留下思索的余地甚大。如果留下的余地不大，就容易导致冲突。这种方法一般用于亲近的人际关系之中，作为调笑之用；有时也用之于关系疏远的人际关系之中，作为反击之用。

冯梦龙的《笑府》中有这样一个故事：

有一个人请来木匠装门，木匠却把门栓装到了外面。此人责怪木匠："分不清内外，真是瞎了眼睛！"木匠反唇相讥："你不瞎了眼，怎么会请我这个瞎眼木匠！"

这是利用以谬还谬的方式来反戈一击，而不是用来化解矛盾的，非不得已，不能运用。一旦用来反戈一击，则针锋相对的火药味就相对浓些，而轻松的幽默意味则相对淡些。以谬还谬的调笑功能和反击功能要特别细致地加以区分，稍有粗心大意都可能导致弄巧成拙。总的来说，反击功能分寸很难把握，风险较大，调笑功能则安全系数较大，因而运用起来也自由得多。后者在人际交往中有广泛的适应性。

用以自我调侃的，往往有故作蠢言的特点，不过不是一次完成，而是一种蠢言引起另一种蠢言，在效果上把荒谬放大了：

庙里有两个和尚，一个和尚爬上房顶，看到满天星斗，就拿钓竿去钓星星。另一个和尚看见了，就笑他："你真是个傻瓜，这么短的钓竿怎么能钓到，要换根长的才行！"

后面这个和尚是真傻还是假傻呢？我们不去管他，但作为一种幽默方法，凡所作傻言都要是假的才有味：

有一个翰林院出身的人做了苏州的通判，但胸无半点墨。有一次他走过一个墓地，指着墓前的"翁仲"（石人石马之类）说："这是仲翁啊！"手下掩嘴窃笑。事后有人写了一首诗：

翁仲如何作"仲翁"?

只因窗下少"夫功"。

如何作得"院林翰"?

只好苏州做"判通"。

本来就很荒谬，经过引申，就放大了。通篇没有一句正面攻击的话，但由于反语的排比构成了比正面攻击更强烈的效果。

七、谬极归真

在人们交往中，有一种共同的意向，那就是力求把自己的话说得正确，说得深刻，很少有人愿意自己说话荒谬，但是正确的言谈，如果说有一千种好处的话，也有一种坏处，那就是它没有幽默感，不能产生与对方分享特殊趣味的效果。

在幽默谈吐中有一种"故作蠢言"的技巧，就是明知其荒谬仍然用来交流情感，分享趣味，缩短心理距离。这是一种创造亲切气氛的纯调笑性幽默，显示情趣的成分多于显示智慧的成分。因此，它只能愉悦对手，而很难在复杂的情况下制胜对手。

有一则阿凡提的故事。国王问阿凡提："要是你前面一边是金钱，一边是正义，你选择哪一样呢？"阿凡提没有按通常人们的常规去选择正义，他故作蠢言地说："我愿意选择金钱"。

如果光是这样故作蠢言一下，不但不能压倒对方，反而贬低了自己。这时，还要加上一点补充，那就是对自己的蠢言突然作出异常智慧的解释，让对方在惊异还没有来得及变成得意之时，又迅速转为沮丧。阿凡提作了这样的回答之后，国王自然不解其意地说："金钱有什么稀奇？正义可是不容易得到的呀！"阿凡提平静地回答道："谁缺什么就想得到什么，你想要得到的正是你最缺少的呀！"

阿凡提的幽默由两个部分构成，第一部分是故作蠢言，甚至故作谬言，不怕违背常理到极点。第二部分则是出其不意地对极端荒谬的言论作出极其智慧的解释，提出一个似乎一本正经的因果关系。第一部分的荒谬与第二部分的一本正经形成强烈反差，使对方的心理也随之产生落差。这种幽默具有强烈的戏剧性。

和这个阿凡提故事相类似，西方也有一个幽默故事：

保罗正在路上走着，忽然路旁窜出一个强盗。用手枪对着他说："要钱还是要命？"

"你最好还是要我的命吧，"保罗说道，"因为我比你更需要钱。"

这里所用的幽默方法与阿凡提相同，都是在极端荒谬之时突然找到了逼近真理的缘由，但是这里想象的成分多于现实的成分。真正遇到持枪的强盗，恐怕没有一个人乐于用自己的生命开玩笑；而阿凡提的故事则有些不同，因为国王提出问题时是假定性的："要是你面前一边是正义，一边是金钱，你选择哪一样呢？"不过阿凡提所嘲笑的是国王，风险并不比嘲笑持枪的强盗小。

所有这一切说明，这种"谬极归真"的幽默，有很强的攻击性，用在想象性的故事中和用在现实的人际交往中是不大相同的。在想象性的故事中，不管嘲笑了什么人，都不会导致严重的后果；而在现实的人际交往中，则可能因对象的不同而有不同程度的风险。对于有志掌握幽默谈吐艺术者，对此万万不可粗心大意。

古希腊有这样一个小故事：

一场可怕的暴风雨过去了，坐在船上的一位希腊富商、暴发户，对索克拉特的学生阿里斯庇普说："我都没有害怕，而你却吓得脸色发白！你是个哲学家，这可真奇怪！"

阿里斯庇普回答道："这一点并不奇怪。我害怕，是因为想到希腊将要失去一位我这样的哲学家……但是，你有什么可担心的呢？你如果淹死了，充其量不过是少了一个白痴！"

阿里斯庇普使用的方法是把愚蠢荒谬的前提接过来，然后加以充满智慧的解释。他的高明之处在于并不去辩白自己究竟有没有害怕，这是普通人常常要掉进去而失去幽默感的陷阱。在通常情况下，人们首先从伦理道德的角度去评价勇敢和胆怯，谁也不愿承认自己胆怯。可是幽默感却可以曲折一些，可以退一步，找出比胆怯更重大的理由来致对方于绝境。关键在于你承认了对方的指控以后能不能游刃有余地找到雄辩的、出奇制胜的理由，在逻辑上构成相当奇妙的因果推理。

谬极归真的要害是，为消极的结果（或结论）寻找积极的理由。

理由不一定是很充足的，只要能沾边就行，太充足了，就变成纯理性的证明了，那就一点幽默感也谈不上。

幽默的生成，不在理由的全是，也不在理由的全非。全是则生涩无趣，全非则牵强不智。其妙处在于似是而非，似是则显其才智，似非则显其情趣，才智与情趣结合乃幽默之上乘。纯智与纯趣，均可能有损于幽默感质量。

上述这个古希腊的幽默故事，论才智有余，论情趣则不足。到最后，把对方直截了当说成是“白痴”，有谩骂之嫌。直接谩骂与幽默之暗示和与对方共享的规律相抵触。相比之下，这个故事就不如下面一个古希腊号称“第一个荒唐无稽的故事”来得幽默：

一个朋友嫌弃索克拉特穷，索克拉特并没有当场反击他，相反他找到了另一种方法。

几天以后，他看见一位骑士骑着一匹十分矫健的马，引得许多过往行人驻足欣赏。索克拉特走上前去说道：“我想，这匹马一定很富有……它一定拥有大笔财富。”

骑士笑起来说道：“你知道，任何一匹马都是不可能有钱的。”

索克拉特说：“没有钱？它和我一样贫穷！可是你瞧，这并不妨碍它成为一匹好马！”

没有钱可以成为一匹好马，暗示贫穷并不妨碍人成为好人。这种反击以故作蠢言开始，以机智巧辩结束。好在它的暗示性，给对手留下了回味的余地。如果故事能交代一下那位嫌弃他的朋友正好在场，就更有针对性了。如果说这个故事也有缺点的话，那就是它的现场针对性不足。

现场的针对性是幽默谈吐的重要基础，有了现场针对性，一切看来荒谬的、不合理的、词不达意的话语，都可能产生幽默感。

就因果律而言，幽默感的产生不在通常的因果之中，而在通常的因果之外。要使你的谈吐幽默起来，其法门之一就是在通常预期的因果之外再找出一个因果，哪怕是不三不四的也好。使二者形成错位，而不是重合。

有一个古罗马的故事说，热麦吕斯希望娶富有的玛梦妮尔为妻。他朝思暮想，请求她、催促她，向她奉献礼物：

“她真的那么美丽吗？”人们问。

“相反，没有比她更丑陋的了。”

“那么，她凭什么迷住了这个男人呢？”

“她咳嗽了。”

通常追求女性的理由是美丽，可是这里显示的理由是女方富有而健康有丧失之可能。

通常预期的原因与故事揭示的原因大幅度地错开了，其攻击性虽然很强，然而全凭暗示，并未直接揭露，因而幽默感并未因攻击性而削弱。

幽默可以用于攻击，但只能是间接的，并且是有趣的，而趣味的产生主要在于预期理性因果与暗示的不三不四的因果之间的错位，其间幅度越大，则幽默趣味越浓。

八、以正导反

幽默谈吐常常用于朋友之间的斗智，双方都力求显示自己的智慧优于对方，这时的交流往往有交锋的特点。互相交锋不同于独自演说：演说时，从前提到结论都是自己自由选择的，而交锋有论辩的性质，常常需要从对方的前提中引出自己结论。

对方的前提不外两种，一种是荒谬愚蠢，且有害于己（有时，出于引人就范的需要，自己也可以构想一种蠢言作前提）。通常情况下，人们对于似乎有害于己的，采取否定态度，加以揭露驳斥，这就没有幽默感可言了。对荒谬的蠢言先接受而后作出机智的辩解，使对手突然处于尴尬境地，这是“谬极归真”，是反击性幽默。它的适用范围并不太广，因为对手的言谈除了“故作蠢言”的幽默以外，很少有明显荒谬之处，如果将“蠢言”接过来以另一蠢言反击，这是“以谬还谬”。

通常我们遇到的是另一种情况，即对方所说的一点不蠢，而且似乎无害于己，你很容易接受他的前提。这时对方如果是幽默能手，则可能对正面的前提作反面的解释，对你发动突然的攻击，使你来不及反应，在斗智的游戏中失败：

一位画家到一个风景优美的地方去度假写生，他和一个农夫住在一起。假期结束时，画家想送给农夫一些钱，但农夫说：“不，我不要钱，你给我一张你画的画吧。钱有什么用？一个星期之内就花完了，但你的画将会永世长存。”

这对于画家来说自然是好事，是一个积极的有利于己的要求，是很难不接受的。

画家非常高兴，并感谢农夫称赞他的画。

农夫笑着答道：“我并非为了别的，我有个儿子在伦敦，他想成为一名画家。他下个月来这里的时候，我要把你的画拿给他看。我想这样一来，他就不会再想成为画家了。”

谬极归真是将荒谬的前提作了似乎一本正经的解释，而这里却将似乎一本正经的前提作了荒谬的解释。关键不在于先提出的前提如何，而在于后来作出的解释如何。幽默的奥秘都在出人意料、似真而谬的解释中。在这里，农夫的要求是正面的，而解释却是反面的。

提出正面的要求是为了引导出反面动机。在斗智性交谈中，这种“以正导反”式的幽默最难防守，但作为进攻却是比较容易使用的。在正常心理的顺序上，原因在前结果在后，反面的动机、原因，造成了正面的行为、结果；而在幽默的程式中则相反：正面的结果在前，反面的动机在后，这样才可能造成对方预期的失落和发现的惊异：

英国首相丘吉尔走出了出租汽车，回头对司机说：“我在这里办事要一个钟头左右，请等我一下。”

“不行！”司机一口拒绝，“我要回家去收听丘吉尔的精彩演讲。”

丘吉尔听了很高兴，马上多给了他 2 镑小费。

“唔。我想想看，”见钱眼开的司机改口说，“我还是在这里等你吧，管他什么丘吉尔不丘吉尔的！”

丘吉尔高兴的结果变成了对丘吉尔非常不利的事。丘吉尔一下子从高于大笔出租汽车的收入，降到了低于 2 镑小费的价值。司机从拒绝到接受之间的条件仅仅是一笔较多的小费。

这种以正导反的幽默的好处，不但在于正反之间转化的迅速，而且在于正反之对比：

一个男人说：“女人不能保守秘密。”

另一个男人反驳：“你这种看法是错误的。事实上女人很能保守秘密，只是在某种情况之下，一个女人保守秘密有困难，她不得不和别的女人联合起来保守这个秘密。”

前提是肯定女人能保守秘密，而解释的原因从字面上是肯定的，在内容上却是否定的：集体保守秘密就不是秘密。

以正导反的幽默关键在于：导向反面时，其理由要十分奇特，它必须别出心裁，它必须发人之所未发。它可以像农夫和出租汽车司机那样突然从肯定转向反面，也可以像这个男人那样全用反语，把否定的内容放在肯定的形式之中，读者对于这种原因的科学性是不会认真追究的，他不会因其理由欣赏它，也不会因其自相矛盾而排斥它，恰恰因其内容与形式错位而享受其中的言外之意、意外之趣。

这种类型的幽默，切忌拘泥，最要不得的是过分从实，放不开想象的翅膀。幽默感是一种情感的自由，是从现实的压迫中获得的一种解放；而解放的极致往往就进入了某种假定的境界，只有进入了这个境界，才够味。比如说，你要批评一个战士平时不练习武艺，一般只想象到他在战时会吃亏，所谓“平时多流汗，战时少流血”的说法，只是一种教训而非幽默。要使这样的教训变成幽默，就得把想象放开一点，让自由的想象提供广阔的假定天地，趣味就可能丰富了。中国古代有个笑话说：

一武官出征，将败，忽有神兵相助，反大胜。武官叩头拜谢，询问神的姓名。神曰："我是靶神。"武官曰："小将何德，敢劳尊神见救？"神答曰："感你平日在校场从不曾伤我。"

由于想象的假定性，使得有利的前提（神来相助，转败为胜）分外奇异，而所导出的否定性的缘由则更加奇异。你所讽喻的对象由于先是被奇异所惊，继而分享你的智慧，因而一时来不及对你的教训加以抵抗。

以正求反的大忌在就近取譬，其所贵在于远起远落，只给想象的点悟，不作从实之教训。

孟夫子说："人之患，在好为人师。"其实好为人师不足患，最足患者乃好为人师而又缺乏幽默感，而产生幽默的障碍乃小手小脚，急于直接教训，而不善于在想象的荒诞之中寓教于乐。不露痕迹，不着一语，意在言外，尽得风流者，上也。教师在课堂上，经理厂长在讲台上，贵在以庄重的道理和诙谐谈吐相结合，创造一种融洽的气氛。如果放不开想象，荒诞性不足，教训的意味太浓，则可能把幽默变成直截了当的讽刺。

《世说新语·简傲》上记载一个故事，说是一个文人吕安与嵇康很要好，吕安一旦想念起嵇康来，哪怕远在千里也驾着车去看嵇康。恰巧有一次嵇康不在，他的哥哥嵇喜出来接待，这位吕安根本不进门，只在他家门上题了个"鳳"（"凤"的繁体）字而去。这位嵇喜还以为他是赞美自己如凤凰一般杰出，其实吕安的意思是："鳳"字由"凡"字和"鳥"字组成，嵇喜只是一只"凡鸟"而已。这样由肯定赞美到否定的藐视，虽有些曲折，有些奇特因果性，但毕竟是过于直露，不留余地，因而其间幽默的成分弱于讽刺的成分。

中国古代一本《嘻谈录》中有一则这样的故事：

有一个官员，好酒贪财，对老百姓很苛刻。临到卸职之时，百姓送了一块"德政匾"给他，上面写着："五大天地"。官员问："这四个字是什么意思？"答道："官一到任时，金天银地；官在衙内时，花天酒地；坐堂断案时，昏天黑地；百姓含冤的，恨天怨地；汝今交卸了，谢天谢地。"

这里从肯定的"德政匾"，到绝对否定的解释之间几乎没有什么奇特的超越通常预期的因果性，不过是把百姓对贪官的怨恨暗含在并无明显褒扬之义的"五大天地"之中。因而这个故事比之上面那个故事更缺乏幽默感，更多讽刺意味。与此类似的故事还有一个，说一个县官离任了，百姓送他一块匾，上题"天高三尺"。官员看了很高兴，以为是赞扬他断案清明的意思；然而人们告诉他，这是因为他把地皮刮了三尺的缘故。这个故事就比上面那个故事有了更多的幽默感。原因在于，第一，"天高三尺"的中心含义有明显的褒扬之义，与后面的贬抑之间有较大的反差；第二，这里利用了"刮地皮"一词的双重含义，一重含义是官员搜刮百姓钱财。光有这重含义还不能与"天高三尺"形成巧合的因果，恰好刮地皮的字面上还有把地表的土铲去的意思。虽然这个意思通常是不用的，可是在这里却成了临时的双关语，这就显得奇妙了。这两重含义又构成一重反差，就使“天高三尺”的结果和原因之间形成一种复合的似非而是的关系，既在语义上有和谐之处又非常切合当时百姓所要表达的心情。这里的因果关系是这样不简单，因而其幽默感就比较经得起欣赏，相比起来，前面的两个故事在结构上和情趣上都不免单调了一点。

追求幽默感的人一要让自己的情致复杂些，二要让这种复杂的情致表达得微妙些。

九、反向求因

在生活中有某种常态，在思维中有某种常理，人们的联想都为这种习惯了的常态和常理反复训练达到自动化的程度，以致一个结果出来，便会自动地联想到通常的原因。比如，一个演员在舞台上演出结束时，观众报以掌声，按常态和常理来说，这自然是因为演得出色，观众满意。生活中常态是占绝对优势的，但并非全无例外，常理也并非滴水不漏。以下是一个例子：

甲：“你的戏演得真不错啊！当你离开舞台的时候，我亲眼看到观众都在热烈鼓掌。”

乙：“这是因为大家都知道我从此以后不再上台，我被开除了。”

这鼓掌，也可能是由于蹩脚的演出终于结束，这种可能极小，但是不能排除。即使你明知事实不一定如他所说，而是他的自我调侃，故意歪曲事实，你也不能不为他抓住了 1% 的可能性而惊异。特别是这种可能的理由与你通常习惯的完全相反，就更构成了与常理的反差。反差越是大，可笑的程度也越大。

这种幽默感要求在推理过程中善于钻空子，特别是往反面去钻空子：

主人和朋友谈自己的狗：“这是一只十分出色的看家狗，任何人走近我这房子，它就会立即让我知道。”

朋友问道：“它一定叫得很厉害，不让生人走近吧！”

“当它飞快地钻进我沙发下面去的时候，我就知道有人来了。”

这就是往反面钻空子。有人来了，狗叫，通常是因为机警勇敢的狗在守卫门户；当主人给朋友造成一种对常规因果关系的期待之后，突然往反面一转，原因恰恰是狗的胆怯。非常规的因果与常规因果之间反差是如此之强，怪异之感油然而生：

有一次萧伯纳脊椎骨出了毛病，需要从脚跟上截一块骨头来补脊椎的缺损。手术做完以后，医生想多捞一点手术费，便说："萧伯纳先生，这是我们从来没有做过的新手术啊！"萧伯纳笑道："这好极了，请问你打算付我多少试验费呢？"

同样是新手术，医生以其新而引申出难，意在多索取报酬；而萧伯纳却把新引向了第一次试验，反过来说自己的身体成了试验品。妙在同一核心概念向相反方向引申，引申方向相反，因果关系也相反。如果不善于抓住核心概念向相反方引申，也就不可能善于反向求因：

有一次萧伯纳收到英国著名女舞蹈家邓肯一封热情洋溢的信，信中说，如果他俩结合，养个孩子，那对后代将是好事："孩子有你那样的脑袋和我这样的身体，那将会多美妙啊！"在回信中，萧伯纳表示受宠若惊，但他不能接受这样的好意，他说："那个孩子运气可能不那么好。如果他有我这样的身体和你那样的脑袋，那可就糟透了。"

萧伯纳用的方法仍然是向反面钻空子，把哪怕是极其微小的巧合的可能性当成立论的出发点，构成对方期待的落空。在这时，萧伯纳幽默的特点是把自我调侃（长得不好看）和讽喻他人（脑袋不聪明）巧妙地结合在一起了。

这种向反面钻空子的特点是：把一个极其微小的可能性当成现实，虽然并不能最后取消对方提出的另一种更大的可能性。比这种类型的方法更具喜剧性的是有一种完全否定了原来因果关系的幽默方法：

约翰问医生："我能活到90岁吗？"

医生检查了约翰的身体后问道："你今年多大啦？"约翰说："40岁。"

"你有什么嗜好吗？比如说，喜欢饮酒、吸烟、赌钱、女人或其他的嗜好？"

"我最恨吸烟、喝酒，更讨厌女人。"

"天哪，那你要活到90岁干什么？"

本来读者的期待是，戒绝烟、酒、女人，得到肯定的评价；其结果则不但相反，而且把这一切当成了生命的全部意义，否定了这一切，就否定了活到90岁的价值，那就是这一切的价值并不是与长命的价值相等，而是高出于长命的价值之上。

看来，这一类的故事，在西方很流行，另一个故事和它是这样相像：

父亲对儿子说："假如你能克服一切坏习惯，我就给你一万美元。"

儿子回答："克服了这些坏习惯，我拿了钱还有什么用？"

这是互相排斥的价值挑战，在父亲看来，改变恶习是目的，而拥有美元是手段；而儿子的想法是，美元的价值由恶习决定，如果改变了恶习，美元就没有意义了。由于互相排斥很彻底，故其幽默的戏剧性很强。

当然，动用这种方法也并不一定达到这样的强度，有时，互相并不绝对排斥，可以进入一种矛盾的调和状态，这样，幽默就带着某种抒情意味：

某女士有四个孙女儿，来与她同住了一个月。

她告诉朋友们说："孙女儿们来，带给我双重的快乐。"

"怎么说呢？"

"她们来了，我很快乐；她们走了，我也很快乐。"

表面是抒情的，实质上仍然是喜剧的，因为同样一个快乐的概念中包含互相对立的成分：来时的快乐，是骨肉相聚的快乐；去时的快乐，是结束骚扰的快乐。

这样的幽默感比较细致微妙，戏剧性隐藏在抒情性之中。但如果交谈的对手是个粗心大意的家伙，切不可应用。粗心的对手，只适宜于一种把幽默感溶解在戏剧性之中的幽默，这种幽默的好处是，很容易把内部戏剧性对转很有层次地逐步显示出来：

某甲很穷，但从来不肯奉承富人。

某富翁对他说："我家财万贯，你为什么不奉承我？"

某甲答道："家财是你的，又不分给我，为什么要我奉承。"

富翁说："好吧，我分两成给你，你奉承我了吧？"

某甲笑道："两成？分配不公，我不奉承。"

富翁想了片刻："那分一半给你，总该奉承了吧？"

"到那时，你我已经平起平坐，我还奉承你干什么？"富翁把心一横说："我把家财全送给了你，怎样？"某甲笑道："到那时，我富你穷，该你来奉承我了。"

喜剧性产生于矛盾的层层转化，富翁越是期待奉承，就越多地分给某甲财产；越是多分出财产，就越是减少了被奉承的可能性，直至完全丧失可能。

这种方法的好处是并非重新另找一个相反的因果，而是由本身演绎出相反的因果线索来。原来是有财而要求奉承，而要求奉承的结果变成了无财，而无财只能去奉承别人。

这种幽默的可贵之处，不仅在结论，而且在推演的过程，要环环紧扣，层层深入。

十、歪语藏机

绝大多数幽默家的推理都不是一本正经的，即使表情一本正经，说话也都有点邪味儿，但如果全是胡说八道、满口昏话、一派胡言、海淫海盗，也叫人讨厌。幽默语言的特点是正话歪说。歪话，像一池透明的水，正话就像在水中摇曳的水草，没有透明的水，水草就无法伸展，只能蔫作一团，在阳光下也会丧失生命。

歪话有两种，一种是反话，一种是旁敲侧击之话。反话的进攻性很强，有一篇名为《挤车的诀窍》的讽刺小品，其中的语言都是反语，但意思很正：

朋友，你可知北京乘车之难？上下班乘车都成了一门学问。

先说上车，车来时，上策为“抢位”——犹如球场上的抢点。精确计算位置，让车门正好停在身边，可先占据要津之利。当然，必须顶住！此中诀窍是：上身倾向来车方向，稳住下身，千万莫被随车涌来的人流冲走。中策则贴边。外行才正对车门，弄得拥来晃去，上不了车，枉费心力。北京人不同于外地人，哈尔滨人上车是“能者为王”，上海人多少会顾及颜面，但动辄大呼小叫，使你无心恋战。北京人又想讲点风格又想早点上车，切勿在车门前上车。最好的办法是贴住车厢，装出一副泰然自若的样子，一点一点把“无根基”者拱开。只要一抓住车门，你就赢了。老北京都精于此道，所以售票员洗车，从来无须擦车门两边。——那全是老北京的功劳。下策呢，可称“搭挂”，将足尖嵌入车门（万勿先进脑袋），而后靠紧车门，往里蛄蛹，只要司机车门关不上，他就得让你上车。

这里说的都是反语，字面上是教人不守秩序的方法，实质上是讽刺不守秩序的人，暴露他们的心理活动。由于这些以肯定语气讲的话是明显荒谬的，因而才是可笑的。反话一般比较刻薄，攻击性很强。在这里，由于作者与被讽刺的对象并非面对面，因而用反语讽刺得尖锐一些，也没有太大的消极作用。

但是，如果用反语讽刺就在现场的对象，问题就复杂得多。

《五代史·伶官传》中记载着后唐庄宗身边一个幽默家敬新磨的许多故事，其中有些地方是用反语的：

有一次庄宗外出打猎，践踏老百姓的庄稼，当地县令在庄宗马前恳切陈词，为民请命。庄宗大怒，叫县令滚蛋，并准备杀他。

敬新磨把县令抓到庄宗马前说：“你身为县令偏偏不知道我们天子好打猎，还让老百姓去种庄稼、交赋税！为什么不让老百姓饿着，把这片地空出来，让我们天子来自由驰骋？你真是罪该万死！”说罢，建议庄宗将他处以极刑。庄宗忍不住笑了，反而把县令放了。

中国古代史上许多优伶常常是以反语讽刺君王的。这类记载很多，而且这样的讽喻大都逢凶化吉、遇难成祥，好像没有什么风险似的。其实他们的反语，常常锋芒过露，很难相信这样说不但没有触犯皇帝的龙威导致严重后果，而且使皇帝从善如流。

事实上，反语的刺激性比之正面讲述更强，更容易触怒对方，特别是在争论的热点上，反语只能火上加油，故而在日常的人际交往中，反语切忌用于争论热点。当然，在特殊情况下，如果你的目的就是要使关系恶化，使空气紧张化，自然可用反语，但此时已没有了幽默。

在非争论的问题上用来表达一种无伤大雅的戏谑，反语还是十分有用的：

合唱队员甲："你有没有发现，昨天晚上我的歌声盖过全场？"

合唱队员乙："我还看见，许多听众中途离座，好让你的歌声占据更多的空间！"

这种话表面上是用肯定的语言，表述了否定的意思，但攻击性仍然很强，使用在具体对象身上要注意分寸，主要是对方与你的关系是否经得住这样强烈的刺激，此外还得考虑场合和其他条件。有时同样一句话在一种场合下可以讲，在另一种场合下就不能讲，对同样一个人在他心平气和时能讲的，他心境很差时就不能讲。准确地把握对方的心境和环境的性质，同时把握自己说话的分寸是幽默家的重要修养。如果在这一点上粗心大意，那就不但幽默不起来，而且可能冒犯了对方的自尊心，弄僵关系。

许多学习幽默语言者不长于实际应用，而长于书本钻研。自然，书本上的幽默与人际交往的幽默其基本规律是相同的，但毕竟有不同之处。这种不同在书本上是没有的，这要你自己在长期的实践中细心体察。

总的说来，在书本上，不论攻击性多强，只要不是指名道姓引起法律纠纷，反语的刺激性都没有什么反效果。明代赵南星的《笑赞》中有这样一个故事：

一个秀才阳寿已尽，去见阎王，阎王偶然放了一屁，秀才立即献《屁颂》一首，曰："高耸金臀，弘宣宝气，依稀乎绿竹之声，仿佛乎兰麝之味，臣立下风，不胜馨香之至。"阎王大喜，增寿十年，放回阳间。十年期满，再见阎王，这秀才得意洋洋地走上森罗殿，阎王问是何人，小鬼说："就是那个做放屁文章的秀才！"

《屁颂》自然是正其语而反其意，虽然锋芒已经很露了，但仍然有些幽默。可是最后还要加上一句"就是那个做放屁文章的秀才"则简直是义愤之言，幽默已微乎其微。由于这是写在书面上的，没有具体的对象，因而问题不大，但在人际交往中，运用这样剑拔弩张的硬性幽默，是很危险的。

中国人的幽默，常常与道德教化相联系，因而对不道德的现象难免用反语表述愤激，便常有攻击性很强的硬性幽默。西方的幽默不像中国这样与道德教化联系得这样紧密，更多纯调笑色彩，因而硬性幽默就比较少，其攻击性很少以这种"卒章显志"的办法直接表达出来。

在古希腊罗马的幽默故事中，很少用反语来刺激对方，他们用得更多的是旁敲侧击的歪语：

甲："索克拉特，你的房间太狭窄了……"

乙："如果只邀请我真正的朋友来，这房间还嫌太大了一点。"

再看古罗马的一则：

迦太基统帅汉尼拔兵败逃到叙利亚，叙利亚国王让他检阅了一支浩浩荡荡武器精良的部队。国王问他："这一下可以打败你罗马敌人了吧？这么多兵对付他们足够了吧？"

汉尼拔回答说："现在很难说，我从未见过那么贪婪的敌人，他们从来不知足。"

房子虽小，但真正的朋友更少，当真正朋友来时房子反而嫌大了。这样就暗含着一种很大的可能性，那就是来人不算是主人真正的朋友，但可能性毕竟不是确定性，再加上那么曲折的推理，使对方的理解力不可能一下子紧紧跟上，因而攻击锋芒被大大钝化了，如果用反语就没有这么曲折了。

第二个故事本来是有点针锋相对的味道，但是汉尼拔回避了直接的对立，他没有用反语，而用旁敲侧击的办法，给双方留下了很大的回旋余地。

这就给我们一个启示：除非在不得已时，用反语不如用旁敲侧击的暗示。

第五章

机智游戏

一、声东击西

幽默是令人轻松愉快的，这不但适用于亲切调笑，而且适用于冒犯。冒犯本来总是有一些敌意的，但是用幽默的方法处理过的冒犯可以变成纯粹的调笑。

这就得将冒犯的内容淡化。淡化的方法之一就是把直接的冒犯改变为间接的冒犯；最普通的方法就是声东击西，表面上是在打狗，实际上是在骂鸡：

有一次，国王带着阿凡提去视察犯人，所看到的除了一个是真正的犯人外，其余都是无辜的百姓。阿凡提自然想就此冒犯一下国王，但是没有直接把话说出来．反而指着那个真正的罪犯说："请下命令，把这个人撵出去吧！他怎么混到你的监牢里来了？你的监牢里要关的应该是另外一些人呀！"

这是声东击西的一种技巧，那就是真话往反里说，好像睁着眼睛说瞎话，把反话说绝，说得明显地不符合当时当地的实际情景。明明监牢是关盗贼的，他偏偏主张把唯一的强盗放了，而把无辜的人关着，这种反话要说得连对方也觉得不对味才行。表面上是在说，应该把强盗放了，实际上说的是应该把无辜的百姓放了。直接说的明显不像话、不成话，推动你想到相反的方面，才成话。

通常人们之所以幽默不起来，就是太直接了，而幽默却要求绕个弯子，换个角度，把逻辑引向怪异：

女儿借了父亲的车子出去和小伙子幽会，结果却出了一点小小的车祸。后来小伙子问："你父亲对此说了些什么？"

“你要我把坏字眼省掉吗？”

“是的。”

“那他就什么话也没有说。”

通常，人们习惯于说这位父亲说的全是坏话，可是这位姑娘换了一个角度：省略了坏话就什么也没有说。

“什么也没有说”在通常情况下暗示的是宽大为怀、不以为意，可是加上了一个条件（省略了坏话），就完全是相反的意思。表面上的肯定和实际上否定之间形成的对比很是怪异，幽默感就由怪异中产生。

声东击西，转弯抹角，也可能是很正经的，毫无幽默感的，但只要把逻辑导向歪曲，引出一个怪异的结果，或暗示一种怪异的原因，笑就在完全出乎意料的带着某种歪曲形态的因果关系中产生：

一位父亲对他的朋友说：“我无法想象我儿子能够做什么，他是那么不可靠。”

他的朋友说：“去气象台搞天气预报吧。”

如果你直截了当地说，气象台的天气预报可信度不大，这是很正经的判断，没有什么幽默意味；或者你单纯地抱怨孩子不可信任，这也没有什么幽默意味。但是，使这二者之间构成因果关系，因为气象台天气预报不可靠，所以不可信任的人最适合在那里工作，就可笑了。这不是因为它在逻辑上因果关系能够成立，而是因果关系的不能成立。首先气象台的天气预报并不是那么不可靠；其次预报不可靠并不是接受不可信任的人的理由，相反，天气预报越是不准确，越是应该排斥不可信的人参加工作。

这类幽默感产生于一种奇异的因果关系，这种因果，并不一定经得起客观的验证。有时很明显，与其说它是客观的因果，不如说它是一种主观的歪曲，而歪曲中就显示出主观的诙谐：

有一个父亲对朋友说：“我为女儿所付的钢琴学费已经得到偿还了。”

当朋友面露怀疑的神色时，这位父亲接着说：“我的邻居听了她练琴之后，便赶紧把他的房子以三分之一市价卖给我了。”

人们在这里欣赏的不是钢琴弹得如此之好，而是糟到使邻居不惜低价出卖住房而远远遁去。这种强烈的效果暗示同样强烈的原因。二者之间的关系，如果完全是客观事实，是不会令人会心地微笑的，恰恰因为它客观性不足，才显示出主观态度之强烈。有谁会去追究这位邻居为什么这样不会打算，为什么不采取别的有效办法来制止糟糕的钢琴练习，而宁愿在经济上作出这样的牺牲呢？这些都属于客观的逻辑，不是幽默的逻辑。幽默所要解决的不是客观性问题而是主观情感的真切，只要主观情感是真的厌烦到了极点，这种因果在逻辑上就成立了：

> 苏联著名儿童文学作家盖达尔旅行时，一位小学生认出了他，便抢着替他提皮箱。
>
> 皮箱太破旧了。小学生问道：“你是大名鼎鼎的作家，为什么皮箱却是这样随随便便的？”
>
> 盖达尔笑道：“如果皮箱是大名鼎鼎的，而主人却是随随便便的，不是糟透了吗？”

这里从客观逻辑来说是片面的，盖达尔的回答并不周密，并没有穷尽所有的可能，他只选了一种可能性，即人随随便便而皮箱大名鼎鼎。其实还有两种可能，一种可能是，人随随便便，皮箱也随随便便，这自然不好。另一种可能是，人大名鼎鼎，皮箱也大名鼎鼎，这样即使不是更好，却也不能不说是同样的好，但盖达尔在这里不是和小学生作客观的逻辑推理，而是表达一种主观心境情趣，因而读者即使感到盖达尔的回答在逻辑上是有漏洞的，还是不由得打心眼里欣赏他的幽默。这种幽默有两妙，其一是前面所说的转弯抹角，说得粗俗一点，以打狗显骂鸡之意；说得文雅一点，手挥五弦，目送飞鸿。其二就是这里所说的主观随意，以情代理。欲得幽默之三昧，不能囿于世俗之常理，必须深谙逻辑常理与情理之不同。逻辑常理与情理之同，人皆知之；而其不同，人们却往往忽略了。在逻辑常理是天经地义的，在情理可能是煞风景的。逻辑常理在人类千百年来认识世界取得物质生活资料的过程中已成自动化定势效应，占据天然的优势，情理则较弱。一般人之所以幽默不起来，就是逻辑常理自动化地压倒了情理之故。故凡欲有幽默之趣者必须努力作自我训练，达到两个目标：第一，对逻辑常理的自动化压倒优势加以自由操纵，招之则来，挥之能去；第二，对情理则使之强化，在必要时使之暂时占据优势，使之与常理形成既有反差，又有某种联系的结构。反差而使人笑，联系而使人深思。后者十分重要，如果与逻辑常理完全脱节，而无丝毫联系，则可能变成愚昧疯狂，那样就不但违反了常理，而且亵渎了情趣。

这种幽默，在幽默技巧中占有重要的位置，事实上几乎所有的幽默技巧都有声东击西的特点。原因是幽默本身与直截了当无缘，曲折的暗示诱导对方顿悟为幽默构成之法门。声东击西的目的不过是为了与本来目标拉开较大的距离，构成较大的心理落差。正因为如此，幽默家才利用它转移对方的注意，诱其远离本来目标。

清朝扬州石成金所著的《笑得好》，往往在幽默故事标题下注明故事的真正目的，这就方便了我们去窥探幽默家如何使本来的目标与故事拉开距离的匠心。例如有一篇题名《剪箭管》的，题下注明“笑有事推诿的”。如果接下去直接讲一个遇事推诿的故事，就不好玩了。这位故事的作者把江盈科《雪涛小说》中的一条稍稍修改了一下，说是有一个士兵中了箭，疼痛不已，请外科医生医治。医生一看，连说："不难。"拿来大剪刀把露在外边的箭杆剪去，随即要了钱就想走。士兵说，箭杆虽去掉了，箭头还在身体内部，正急需治疗，你怎么就走了？医生说："这是内科的事，我外科的事已经完毕。"

真正要说的事与故事里说的事不能是重合的，二者距离越大越好，但在逻辑上必须有相当切近的类比，越是显而易见越好。箭头在内危及性命正如遇事推诿不关痛痒，二者的类比是相当切近的。

事理之切近与事例距离遥远，这是一个问题的两个方面，立志于谈吐有声东击西之妙者，不可不抓住这两点，才能切实把握两点之间相反相成、相辅相成、相得益彰之妙趣。

二、迂回取道

人们之间的交谈以简洁明了为上，把意思传达清楚是最重要的，但在特殊情况下，人们不得不拐弯抹角，这往往是因为怕冒犯了对方，把关系弄僵，在表述清楚之前，先做一系列侧面的试探。有把握就把真实意图表达出来，没有把握就知难而退。

这并不涉及幽默的问题。日常生活中的试探是一种认真严肃的试探，试探告一段落，跟着而来的是一本正经的交换意见。

如果你觉得这样太枯燥，太没有趣味，你可以用幽默的方法来曲折地表达你的意见。

幽默的表达与一本正经的表达不同，幽默的表达不但是曲折的、间接的，而且是带着很大的假定性的。你得把你的意见稍作歪曲，使它变成耐人寻味的样子，通过歪曲形式来使对方领悟你真正的意思。请看下面一则对话：

作者："先生，我这篇小说写得怎样？"

编辑："写得太好了，完全可以发表。不过，有一个地方需要略微改动一下。"

作者："真的吗？那么请你斧正吧。"

编辑："只要将你的名字改成巴尔扎克就行了。"

本来如果要直说"你这篇小说全文照抄巴尔扎克"，也许会简洁明了得多，但是太一本正经，太枯燥，太没有味道了。

一般人之所以缺乏幽默感，就是因为太习惯于直截了当、简洁明了的表达方式了；幽默则与直截了当不相容。所以要养成幽默感，就要学会迂回曲折的表达方式。明明看出抄袭，却不能说出来，你得把它当成写得棒极了。等他以为蒙混过去了，你才从某个侧面毫不含糊地点他一下，让他自己心里明白。

在这样做的过程中，你得时时刻刻与自己想直截了当地表现自己的洞察力的冲动作斗争。

你明明是聪明人，可你得装傻，只有你装了傻，才可能在下一步显得更聪明。你把傻相装得越认真越好：

编辑："这首诗是你自己写的吗？"

作者："是的，每一句都是我写的。"

编辑："拜伦先生，我十分高兴看到您，我以为您死了已经有一两百年了。"

装傻要装到底，把傻话当真话说，把真话当傻话说，两手并用，这时你才能不动声色地把对方的马脚一个一个地露出来。在这里把对方当作拜伦已经是一个很大的马脚了，但是还可能分量不足，再给他点出拜伦是一百多年前的人，让他感到无可逃遁。

在人际交往中，这种迂回取道的幽默自然并不限于对付抄袭的作者，要学会傻话真说、真话傻说、正话反说、反话正说，切忌真话真说、假话假说、正话正说、反话反说。

幽默之妙在于真则假之，假则真之，正则反之，反则正之，真真假假，正正反反，相映成趣：

著名的法国幽默家特林斯坦·贝尔纳有一天去饭馆吃饭，他对厨师很不满意。付过账后，贝尔纳请侍者把经理叫来。经理来后，贝尔纳对他说："请你拥抱我。"

经理奇怪地问他为什么。

"永别啦，您以后再也见不到我啦。"

如果贝尔纳付完账，立刻就说"我再也不来了"，那还有什么趣味呢？如果他不利用拥抱可能会有十分欣赏厨师手艺的预期，那也不会有趣的。他的幽默才华恰恰在于明明要贬抑厨师的手艺，却装出一种要高度赞扬的样子，让对手被迷惑以后，才给他迎头一个下不去。迂回取道的幽默功夫，要害在于先是迷惑对手，然后给对手一个完全相反的解释。这个解释要事先埋伏在迷惑他的语言中，而这种埋伏的语言必须是有可能作正面和反面两种解释的。

三、引人就范

强烈的幽默都有一个情境的对转，使对方突然产生期待的失落。为了使之失落，必先让他期待，这个期待必须是一个陷阱，一个突然变幻的概念的陷阱。不把对方引进你语言的圈套，当你真正的意图出现时，就不可能产生突然倒转的戏剧性：

有一个人去朋友家，见其家养着许多鸡，但没有拿来请客的意思，就指着鸡说：“这种鸡有六德，你知道吗？”

主人说：“只听说鸡有四德，没听过六德。”

客人说：“你若舍得，我就吃得，这不是又加了二得（德）了吗？”

这个客人的全部聪明就集中在把自己想吃鸡的意愿，通过谐音制造圈套，让主人愉快地发现自己上当。

这种幽默和许多以后发制人为特点而只能表示说话人反对什么的幽默不同，它以先发制人见长，因此它能准确传达主人正面的、肯定的意图。

操场上，一队士兵整齐地排着队。

“谁喜欢音乐，向前三步走。”长官发出口令，六名战士走出了队伍。

“很好，请你们把这架钢琴抬到三楼去。”

这种幽默的秘诀，就在于语言圈套。语言之所以成为圈套，是因为同一个语词有不同的词义，听话者首先期待这一个意思，突然发现转向了另一个意思：“鸡有六德”，就是让对方期待“鸡德”，结果却变成“你舍得我就吃得”的“得”；士兵原来期待的爱好音乐是与乐曲的创作、演奏或演出有关的，突然却变成了搬运乐器。

这里的关键在于使对方产生错觉，主要是让自己所使用的语言有多种可能的含义，然后，诱导对方的注意力在一种含义上固定下来，最后突然向另一种含义上转去：

罗斯福就任美国总统之前，在海军里担任过职务。一天，一位朋友向他问及在一个小岛上建立潜艇的秘密计划。罗斯福看了看四周，压低声音说：

“你能保守机密吗？”

“当然。”朋友回答。

罗斯福微笑着说：“我也能。”

罗斯福利用“保守机密”的不同指向，起初给朋友制造一种错觉，好像是他说出来以后要求朋友不得外传似的。可是待朋友上钩以后，“保守机密”却变成了罗斯福拒绝回答的原因。

这种幽默，比之任何其他形式的幽默都较简单，只要你能出奇制胜地把对方引入你的圈套。西方有一个笑话，说是有个卖报的人大喊“特大诈骗案，44 人上当！”有人买了报，发现报上根本没有什么诈骗案，便去问卖报的，卖报人则大喊：“受骗的不是 44 人，而是 45 人！”

这种方法事实上是一种偷换概念。本来不言而喻的是报上所登载的案件中有 44 人受骗，可后来的解释却是报纸新闻以外的人受骗。

这个笑话可能并不是现代西方人的创造，而是从古希腊一个著名小丑的故事中演化而来的：

有一天著名的小丑菲利浦说了一大堆笑话，却没能使客人露出笑容，于是客人们有点吃惊地看到，这个不幸的小丑一头栽倒在床上放声大哭。人们问他为何，他痛苦地蜷缩着说："人们都不会笑了？我也完蛋了。迄今为止，人们之所以请我吃饭，就是因为我能逗他们笑。现在还有什么人来请我吃饭呢？我要饿死了……你们的菲利浦死了，因为笑已经死了……"

看着他拼命地抹着鼻涕，绝望地跺着脚，所有的客人都一起大笑起来。

小丑使出了绝招，他终于获得了胜利。本来人们以为表演已经结束，后来却发现表演仍在进行。小丑菲利浦这一招非常惊险，为人们看到他承认失败时，没有料到进入了他制造的错觉的圈套，失败的错觉变成了胜利的事实。

电影《大腕》中，有个情节也属此类：

葛优一本正经地讲一个故事：一家精神病院里，由于病人太多，医护人员忙不过来，就想从病人中挑选出病情较轻的，协助管理。于是医生拿个苹果，问一楼的病人这是什么，只有一个病人说这是苹果，于是医生说："好，你就是一楼楼长！"医生又拿个香蕉，问二楼病人，也只有一个病人说这是香蕉，于是医生说："好，你就是二楼楼长！"

葛优接着说："医生来到三楼，手里拿着个带喇叭能放唱片的……"

听者："那是留声机！"

葛优："好，你就是三楼楼长！"

这个"带喇叭能放唱片的……"就是有意设置的，让听者误以为是葛优一时忘了它的名称，按正常思维定式给他指出，殊不知正好掉入"精神病患者"的陷阱中。

四、反戈一击

幽默贵在收敛攻击的锋芒，这是指一般的情况而言，在特殊情况下就不然了。尤其是在极其卑劣的事和人面前，或者外来的横逆忍无可忍之时，过分轻松的调笑，不但显得软弱无能，缺乏正义感，而且会导致对方更嚣张地进攻。在这种情况下，再不以牙还牙、以眼还眼，就会丧失人格了。这时的攻击锋芒，不但不可钝化，而且应该锐化。

越是锐化，越是淋漓尽致，越有现场效果，而现场效果最强的方法则是以其人之道还治其人之身：

苏格兰诗人彭斯，见到一个富翁被人从河里救起来，那个冒着生命危险救了富翁的穷人得到的只是一个铜圆的报酬，围观者群情激愤，都想把这个富翁重新丢到河里去。这时彭斯对众人说："放了他吧，他自己了解他生命的价值！"

彭斯的幽默是很有戏剧性的，表面上他扭转了众人的激愤，实质上他比众人更加蔑视这个为富不仁的家伙。彭斯幽默的妙处在于对于富人的吝啬作出了特殊的解释，把给别人报酬之低，转化为对自己生命价值的低估。

幽默的攻击性在这里恰如其分，幽默感并未因攻击性之强烈而逊色，这得力于彭斯的不动声色，而且貌似温和，实质上则是绵里藏针。

在这种情况下，针对这样的不义之人，如果仅用调笑性幽默就嫌分量不够了。20 世 30 年代林语堂提供的幽默小品，为当时许多作家所不解，鲁迅曾说幽默是把屠夫的凶残化为轻松的一笑，也不无道理。这是因为当时日本帝国主义已侵占东北三省，中华民族正在生死存亡关头，这时即使要幽默，也要一种战斗性的幽默。

有时不一定涉及国家民族之大计，个人面临轻慢或蔑视之时，也可以反戈一击，顺势而攻。特别是弱者对付强者之时，凶猛的反击比温良的微笑更能引起人们的同情。

《世说新语·言语》中记载：

孔融十岁时随父亲到洛阳，到一个名人家去，应对自如，主人及来宾均甚惊奇。有一位姓陈的官员却说："小时候挺不错的，长大后就不见得会有多好。"孔融说："看来你小时就是挺不错的。"

孔融的反应这么快，而且又这样顺理成章，实在是不可多得的，人们在欣赏他以弱胜强之时，对他的锋芒毕露就略而不计了。

在反戈一击时，要善于抓住对方一句话、一个比喻、一个结论，然后把它倒过来去回敬对方，把他本不想说的荒谬的话、不愿接受的结论用演绎的逻辑硬塞给他，叫他推辞不得、叫苦不迭、无可奈何。

德国 19 世纪诗人海涅是个犹太人，常常遭到无礼的攻击。在一次晚会上，一个旅行家对他说："我发现了一个岛，这个岛上居然没有犹太人和驴子！"

海涅白了他一眼，不动声色地说："看来，只有你我一起去那个岛上，才会弥补这个缺陷。"

用幽默的语言，用幽默的推理方式骂人，比直接骂人要含蓄得多。正因为含蓄，才可以把一些不便出口的有伤大雅的字眼包含在其中。而这些字眼又是从对方口中接过来，以逻辑的方法回敬过去的，对方要反击，除了取消自己刚才所说的话以外，别无他法。可是君子一言，驷马难追，谁有这等本领呢：

俄罗斯著名的丑角杜罗夫遇到一个傲慢无礼的观众对他说："要想受到观众欢迎，丑角是不是就必须有一张愚蠢而又丑怪的脸呢？"

"确实如此，"杜罗夫说，"如果我能生一张像先生一样的脸的话，我准能拿到双薪。"

反戈一击不难，反击得如此巧妙是很困难的，接过对方的侮辱性的话语好像是向对方屈服，不料突然一个对转，对方已经被自己击中，这样的幽默由于突然的对转就带上了戏剧性。

这种幽默的反击有一个特殊规律，即反击的性质，不由自身决定，而由发动攻击的对方决定。如果对方发动攻击时是侮辱性的，则反击也是侮辱性的。对方如果是带着几分讥讽的，反击自然也就会带几分讥讽。如果对方发动攻击是调笑性的，用反戈一击的方法演绎出来的幽默语言同样也是调笑性的。

英国讽刺作家斯威夫特一次出游，让他的随从刷一下靴子，但随从没有遵照执行。第二天斯威夫特问起，随从说："刷了有什么用，路上都是泥，很快又沾上泥了。"斯威夫特吩咐立即出发，随从说："我们还没有吃早饭呢？"斯威夫特立即回答："吃了有什么用，很快又饿了。"

随从借口并无恶意，斯威夫特的反击也无恶意。这种幽默以后发制人为特点。正如《圣经》所说，把上帝的还给上帝，把恺撒的还给恺撒。其适应性非常广泛，对方一旦露出丝毫的恶意，可以用顺势而攻、借题对转之法还他同样的恶意。有一则阿凡提的故事正是这样：

国王在宴会上赐给每个人一套华丽的衣服，同时叫来了阿凡提，把一块披在毛驴身上的麻布披在阿凡提身上。阿凡提恭恭敬敬接过麻布，再三道谢，然后高声向客人说："贵客们，国王赐给你们的衣服，虽然华贵，可都是从集市上买来的；可是赐给我的，却是他自己的皇袍。"

把侮辱奉还给皇帝，而且还彬彬有礼。

这种幽默便于等量回敬。但有时反击也可以酌情增量，这要看反击者如何权衡利弊，作出什么样的决策了：

阿凡提害眼病，看不清东西。国王取笑他："你总是把一件东西看成两件，是吗？你本来穷得只剩一条毛驴，现在可阔了，有了两条了。"

阿凡提说："真是这样，我现在就看见你有四条腿，和我的毛驴一模一样。"

这样的反戈一击，在程度上就加码了。当然反击者也可以在程度上减码。总之，采用等量、加码或减码还击，均可视具体情况，自由方便而行。

五、以退为进

古罗马演说家、雄辩家西塞罗说过，为了开玩笑，可以把对手否定的结论拿来加以肯定，回敬对方。例如，一位众所周知出身于卑劣家庭的人对勒利尤斯喊道："你背叛了自己的祖先！"勒利尤斯却反唇相讥道："你呢，你丝毫没有背叛自己的祖先！"

中国古话说，将欲取之，必先予之。说的是要从人家那里得到什么东西，最好是先给人家什么东西。在人际交往中，特别是口头交往中，最容易犯的毛病是寸步不让，针尖对麦芒。当然，针锋相对，有时也有必要，但为了更好地反击对方，以出奇制胜，有时得先让一步，特别是接过对方的话头，再出其不意地反攻过去。古代中国文人非常欣赏这样以退为进的幽默：

《世说新语·排调》中载，东晋丞相王导指着周伯仁的肚子说："你这里有些什么东西？"周答道："这里空洞无物，但是容得下你们几百人。"

"空洞无物"是接过对方的话头，好像是自我贬抑，可是突然转变成了可以容得下几百人的大世界，胸怀壮阔。

这个周伯仁幽默的妙处首先在于从貌似退让的话语（"空洞无物"）中，突然引申出带有鲜明进攻性的意思来，极富于戏剧性。其次，这种突然的对转，非常自然，腹中空洞正好成为胸中空间广阔的原因。从语词的情感色彩来说，空洞无物指的并非是物理空间，而是没有文化、没有计谋的意思，明显是带着贬义的；而能容纳数百人的广阔胸怀，则是思想境界上站得高，看得远，能够居高临下地驾驭许多人的意思，明显带着褒义。其之所以能自然地转换，是由于物理空间的广大，自然地变成了精神境界的高远。如果不能把对方话头自然转换成相反的意思，则戏剧性的幽默感便无从谈起：

一个被审判过好几次的骗子，又一次在法官面前受审。法官问："你出生到今天，究竟有没有以老老实实的方法，挣过一元钱？"骗子说："当然有过的。"法官问："是在哪一次？"骗子说："在最近一次的法官选举中，我投了你一票。"

接话头要接得自然，反攻过去要干脆利落。关键在把对方的意思换上自己的意思，但在表面上词语却不能变。在这个例子中，"老老实实挣钱"这个词语不能变，而矛头所向则要完全相反。

只要过渡隐蔽，转换自然，攻击性再强也不会妨碍幽默的生成，相反能增加幽默感的戏剧性：

法国19世纪作家大仲马常说："除开债主外，任何人，任何时候来找我要钱，我都不会拒绝。"

有一次，有个法院的下级官员死了，其家属请大仲马资助二十法郎的丧葬费，大仲马欣然应允说："这里是四十法郎，把两个法院官员埋了吧。"

这种幽默在转退让为进攻时，是很凶狠的，不像一般幽默那样温厚。在一般情况下，过分锋芒毕露会削弱幽默感；但在这种情况下，属于反攻性质，即使尖刻些也无伤大雅。

在转退让为进攻时，只要在逻辑上找到跳板，即使违背了事实也无妨。例如前例，按事实，明明只有一个法院官员死了；而按逻辑，二十法郎一个，给四十法郎则应该死两个。幽默的原则是逻辑高于事实，只要在逻辑上有可通的一点，违反了事实比不违反事实更精彩。

在生活中，自然是事实胜于这种片面的逻辑；而在幽默世界中，这种片面的逻辑比事实更重要。这种幽默，可以多方面地应用，有时不但用在语言交际上，也可以用在行为交际上：

有一次，德国著名的钢琴家库勒克应素不相识的富翁白林克之请，参加了一个宴会。宴会中，主人请他弹琴，钢琴家不便拒绝，勉强弹了一曲。

事后他了解到白林克原来是个皮鞋匠，暴发后便经常举行宴会，巴结上流人物，抬高身价。

不久，钢琴家也举行宴会，除了文坛名人以外还请了暴发户白林克和那天出席宴会的一些阔少和小姐。

饭后，库勒克捧出一双破旧的靴子递给暴发户白林克："请您帮忙补补。"

白林克惊奇地问："这是什么意思？"

库勒克说："我是钢琴家，你是皮鞋匠。上次宴会，你叫我当众表演我的看家本领；这一回，你也要当众表演你的看家本领。"

这样的反击是很凶狠的，本来是有失构成幽默的温厚之道的，但是由于白林克原来强人所难，以后也就自食其果。另外，库勒克的反击被"看家本领"这一概念掩盖得很巧妙，人们在这个概念中看不出演奏钢琴与修理皮靴这两件事之间高雅与粗俗之对立。

在这里钢琴家的目的并不是真的要让暴发户补鞋，而是显示自己智慧与情致的优越。

对于读者，最重要的并不是这个暴发户后来有没有为钢琴家补鞋，而是钢琴家引出让他补鞋的逻辑类比的巧妙。

六、借语作桥

幽默产生于对方期待的失落，期待的失落产生于思路突然转折，本来按常规思路应该向东的，结果突然发现它向了西，而且向西还有向西的道理。

这就要求本来的话里包含着两个可能：第一，向东的可能性是很显然的、不言而喻的；第二，向西的可能性是隐蔽着的，在一般情况下是不为对方注意的。幽默家的任务就是在讲话的过程中，突然把向东的可能按下，而把向西的可能提出来。这不是没有难度的，因为这是把占优势的常规思路变成了失去优势的，而把不占优势的非常规思路变成了占优势的，而且还使常规思路自然流利地过渡到非常规思路上去。在通常情况下，本来话头的表面意思都不是幽默家要讲的话，要讲的话得从本来的话头中引申出来。这种引申过渡的自然，很是重要，如不自然，则牵强武断。

这时，最值得考究的就是过渡的桥梁了。

这个桥梁要有一个特点，那就是两头都能相通，而且契合自然，一头与本来的话头相通，另一头与所要引出的意思相通，而且以天衣无缝为上。

如果以语义作过渡，就是一语双关。

如果以语音作过渡，就是同音异义。

一语双关和同音异义都是语词本身固有的，其数量有限。如果要超出这个有限范围，则可用语义暂变之法，将一个在有限范围内才适用的词语自由地转移到非适用范围之内，造成词义的引申、联想意义的错位，以表达一种特殊的情致。但是这一类的方法要求对词语的中心意义与引申意义有高度的敏感，一般人要进入这种境地很不容易。

通常用得最多的是抓住对方讲话中的词语（或概念）来搭桥，例如一对夫妇在对话：

丈夫："你从来不懂得钱是什么，你总以为任何特价品都是打五折的东西。"

妻子："所以我才嫁给你，你的聪明也是打过折扣的。"

这就用不着伤脑筋去找寻一语双关、同音异义和导致语义暂变的上下文了，你只要把对方话中的一个词语（一个概念）接过来，组织在你自己的另一句对方不愿听到的话中，反攻过去就成了。

以对方之语来搭桥，其难处不是寻找两头契合的词语，而是从对方的话头中看中一个词语，把它抽出来，这个词语要便于组成你自己的语句。这好像是小学生的造句练习，不过比小学生多了一个要求，那就是造出来的句子意思不得与对方的愿望一致或相似，只能与对方的愿望相反或相错：

马克·吐温有一次在邻居的图书室浏览书籍，有一本书深深吸引了他，他问邻居是否可以借阅。

邻居说："欢迎你随时来读，只要你在这里看。你知道我有个规矩，我的书不能离开这栋房子。"

几个星期以后，这位邻居来访马克·吐温，向他借用锄草机。马克·吐温说："当然可以，但是按我的规矩，你得在这栋房子里使用它。"

马克·吐温的幽默感表现在借用对方的词语表述了与对方意愿相悖的意思——

英国作家理查德·萨维奇患了一场大病，幸亏医生医术高明，才使他转危为安，但他欠下的医药费却无法付清。最后医生登门催讨了："你要知道，你是欠了我一条命的，我希望有所报偿。"

"这个明白，"萨维奇说，"为了报答你，我将用我的生命来偿还。"说罢，他给医生递过去两卷本的《理查德·萨维奇的一生》。

这比向对方表示拒绝或恳求缓期付款要有趣多了。其方法并不复杂，不过是接过对方的词语（生命），然后予以歪解，把"生命"变成"一生"。虽然二者在内涵上不一致，但在概念上能挂钩就成。

挂上钩的概念，越是有相关性，而你所说的与对方所说的内容越是相背，幽默的效果越强：

官员："你有穷亲戚吗？"

候选人："可能有吧，但是我不认识他。"

官员："你有富亲戚吗？"

候选人："也许有，可是他们不认识我。"

这里的幽默感更强些，原因是两次答话在形式上挂得更紧，不但都有"不认识"在其中，而且有句法的相似性，只不过主语、宾语颠倒了一下，而内容则完全相反。二者的契合与相背所形成的反差越是强烈，幽默也越是强烈。

这种方法在西方修饰学中属于反讽（irony）一类，正由于包含着对对方的反讽，可以用之于斗智性的戏谑。它的好处是虽然语含反驳，但仅限于暗讽，而不是明刺，因而具有硬中有软、软中有硬、软硬兼施之效，在公众场合可用，在私人交往中也可用。特别是在你想要表示对某人的嫌恶，而又不想直接与之冲突的时候：

在大街上，一个油头粉面的男子，盯着一位漂亮的姑娘。

姑娘突然停步，转身问他："你老盯着我干吗？"

“你太美了，我爱你！”

“我算不上美，我的妹妹在后边，她才美呢！”

这男子转身就走，但碰到的是一个老太婆。

“你骗我。”男子回头来找这个姑娘。

姑娘轻轻一笑：“你先骗我！”

这个姑娘的机智在于先诱导对方讲出一个“你骗我”来，再借此语作桥，反攻过去。一般的借语作桥是借对方的一个词语另造一句，而这里却把对方的整个句子借过来，原封不动地奉还完全相同的句子。出现于不同的人口中，就成了完全相反的意思，构成了高度的幽默感。

这种幽默的功能很多，不一定都用之于斗智性戏谑，也可用之于一般性的调笑，其特点是抓住对方话头中一个词语，构成一个无任何攻击的句子。比如，你丈夫气喘吁吁地跑来对你说：“我一路跟着公共汽车跑了回来，省了五毛钱。”你就可以把“省钱”这个词接过来，把他送到一个极端荒谬的境地中去。你可以这样说：

你还不如跟在出租汽车后面跑，那可以省下十块钱。

或者你可以这样说：

这样一来你就可以把这省下的五毛钱放在鸡窝里去孵，过一个月就省下 15 元，而过一年就省下 180 元了。

接过话头很容易，对你幽默感的考验是在接过话头以后。如果你说出一本正经的话：“好极了，跑步可以锻炼身体。”或者：“但愿你每天都这样跑，把省下来的钱给你夫人买一辆新自行车。”这都大煞风景，因为接过话头的目的，不是讲普通的实用的道理，而是开玩笑，开玩笑则意味着把对方引入到假定的荒谬的境地。

所以接过话头以后主要是让想象的翅膀展开，你要敢于往不可能、不现实的地方想，往荒唐的、虚幻的地方想，千万别死心眼、傻乎乎，越是敢于调皮捣蛋，越是善于胡说八道，越是逗人喜爱。

七、铺平垫稳

幽默之趣不在喜剧故事之开端，而在故事之结尾处。这时，结局越是出乎意外，越有心理落差，效果就越强烈。若是结果早已被对方识破，你包袱中的秘密就不成其为秘密，就没有任何心理落差可言。我国相声艺人很强调在把笑料抖搂出来之前、心理落差效果充分显示出来之前，一定要让听众感到有相当的可信性。在通常的情况下，可信性来自合理性，可是幽默之理不同于通常之理。幽默之理往往是超越常理之歪理，因而其合理性，就不是合乎常理，而是合乎歪理，哪怕越来越歪也不要紧。在情节层层递进的幽默故事中，最后导致高潮的结局，因果逻辑越歪越好。可是对于开端，则不是越歪越好，而是越是近于常理越好。因为越是近于常理，对方（或听众）越易被诱入圈套。如果一上来就大大超越常理，则可能造成对方的心理抗阻。故歪理要有一个展开过程，开头不太歪，越接近常理，对方越是难以发现你的陷阱。好比地面置物，不平处须铺平，不稳处须垫稳。凡是对方有可能引起怀疑之处，都要交代清楚，凡有可能引起对结局不信任处，都要不着痕迹地说明。

这好比变戏法，不过，道具是概念或判断，一切的前提都要当着观众的面装入箱子，所有的戏法都要利用观众的错觉，让他舒舒服服地受骗。只有在不知不觉的过程中，发现受了骗，他才觉得受骗是一种享受。同样，幽默家也可利用对手错误的期待，让他在不知不觉中享受期待落空。期待的是错误的，但是错误越隐蔽越好。

有一个单口相声小段叫作《橡皮膏》，说一个怕老婆的醉汉，在回家的路上跌伤了屁股，怕妻子责罚，便蹑手蹑脚进屋，幸喜妻子已经入睡，就对着镜子在伤处贴橡皮膏，然后安然入睡。但妻子第二天仍然发现他酗酒了，把他从床上揪了起来。原来他并没有把橡皮膏贴在屁股上，而是贴在了镜子上。

故事的高潮是橡皮膏贴在镜子上。造成这个结果的原因是害怕老婆的惩罚，而这样做的结果恰恰又使他逃不脱老婆的惩罚，这其间的因果关系是颇有歪曲之趣的。在通常情况下，橡皮膏没贴在伤口而是贴在镜子上，这与常理的距离太遥远，可信度很差。幽默家懂得，对于引发一系列后果的事端，要尽可能接近常理。正因为这样，这个单口相声把故事的主人公设计为醉汉，如果不是醉汉，则不可能分不清镜子里的屁股和自己的屁股，又特别交代贴后窃窃自喜，安然入睡了，要不然又有发觉自己搞错了的可能。所以这一切，虽然说的是醉汉，但其行事特点却合乎常理，这种功夫叫作铺垫。铺得平垫得稳表现为两点：第一，在开头不露马脚，因为马脚一露，概念和判断的陷阱就失去功效；第二，在结尾高潮不引起困惑，困惑乃享受顿悟之大碍。

有时铺垫之功不在故事的开端，而在故事的结局。有一个单口相声小段《醉酒》，说一个装疯的醉汉躺在马路上，自行车来了不躲，三轮车来了不躲，汽车来了也不躲，这很有违反常理之趣；待到消防车来了，听众按照逻辑推演，以为他仍不会躲，可是他却一反常态，突然爬了起来，乖乖地躲开了。原因是消防车轧死人不负责。故事到了高潮，不但没有更加违反常理，反而更加符合常理。消防车轧死人不负责，不但成为他爬起来的充分理由，而且成为他在其他车子开来时不爬起来的充分理由。这里常理与反常歪理互相映衬，互相得到说明。这就是铺平垫稳的功效。铺平垫稳，并不是绝对的平稳，而是相对的。所谓平稳并不是逻辑的全面论证，而是一点相通即可，如果科学的全面论证需要十条理由，而幽默之铺平垫稳只要一点能通即可。它不求全面，它不怕片面。俗话说真理只有一条，歪理有十八条。原因是真理十八个方面都能讲通，只有一个方面不通还是不成；而歪理只要一个方面讲通了，就成了。从常理来说，它还不够平稳；从歪理来说，它已足够平稳了。所谓铺平垫稳说的是一两个方面的平稳，片面的平稳，并不是全面平稳，《世说新语·夙惠》记载有这么一个故事：

晋明帝（东晋第二个皇帝）年幼时，坐在他父亲晋元帝膝上。当时有人从已沦陷的长安来，元帝和他谈话，问及洛阳（西晋原来的首都）消息。元帝随便问年幼的儿子道："你看长安远还是太阳远？"孩子答道："太阳远，因为从来没有听说人从太阳那边来。"晋元帝很高兴，第二天在宴会上．把这一切告诉了群臣，并当场重新问他："太阳近还是长安近？"可是这一回孩子却答："太阳近。"晋元帝十分意外，问他："为什么？"他说："我抬头可见到太阳，可是见不到长安。"

按照科学的道理来说，小孩子两种答案和两种理由都是不充分的，因而结论是不能成立的；可是对于幽默之趣来说，只要有这一点不成道理的道理就成了。只是这个小孩子当时常理还没有学通，因而他并非有意幽默，但是我们从第三者的角度来看，仍有一种天真的幽默之趣。

清朝程世爵写的《笑林广记》中有一个故事叫《谈天》，也是讲空间距离的：

有一群人在争论天地之间的距离。一个农夫插嘴说："天与地距离不过三四百里。从地到天慢走三四天可到，快走三天即到。六七天来去一趟，绰绰有余。"大家问他有什么根据，他说："你难道不知送灶神上天的风俗。腊月二十三送灶，腊月三十迎灶，时间也就是七天。去一程，三四天，最多也就是三四百里。"大家哄堂大笑。

靠主观感觉推理是这个故事的特点，从科学原理来说，自然是不足为据的，但是从幽默感的表达来说，有这么一点就够了。

要使你的谈吐有幽默之趣，说难也难，说容易也容易。难是因为人很难打破科学认识逻辑的强大优势，说容易是因为只要你随便找到一个主观感觉作为客观现实的根据，明知其不科学、不全面、不可靠，也不要紧，只要表达了你的主观情趣就成。

八、随机套用

幽默的谈吐大都是在人际交往间自然诱发出来的，在很大程度上需要诙谐的心理素质和迅速的反应速度，而这些往往得自于先天遗传、自我养成和后天有目的的训练。如果没有足够的训练而刻意为之，往往弄巧成拙。要增强幽默感最好的办法并不是在理论上做系统的训练，而是在实践中勤于应用，在应用中提高自己的心理素质和反应能力。

在实践中应用幽默的最好方法，是预先熟练地掌握一些与本人工作生活有关的幽默范型，然后加以灵活套用，最好能根据自己所处环境特点即兴加以发挥。

在这里，最重要的是提高自己套用这些范型的能力和自由转换这些范型的能力，套用的唯一要求是天衣无缝。

例如，你已经知道了以下几个幽默格言和故事：

“人类是上帝在周末已感疲倦之时创造出来的。”——马克·吐温

乔治·马歇尔将军带着如何加强陆军的计划去找罗斯福总统，然而每次都遭到曾在海军中服务过的总统的反对。最后，马歇尔说：“总统先生，您起码不要再把海军说成‘我们’，而把陆军说成‘他们’吧！”

老师面对全班同学说：“记住，你们不可能永远当第一，即使伟人，有时也要当第二的。”

坐在后面一位自命不凡者高声嚷道：“那乔治·华盛顿呢？他是第一位总统和第一位陆军司令，这样，他就成了战争中的第一，和平时期的第一，以及人民心目中的第一。”

“确实如此，”老师说，“但是别忘了——他是跟一位寡妇结婚的。”

如果你光是从报纸上把这些轶事收集起来、抄录下来，你的幽默才能并未因此而提高多少。如果你能在某种场合原封不动地复述出来，就算有了一点进步。即使这样，也只能增加你幽默的知识，而还没有达到提高能力的程度。这些知识还没有成为你生命、性格中的一部分。你必须把这些材料和知识天衣无缝地放在自己的思想和框架中，否则这些知识材料不可能活起来。

美国的尤金·埃里克和吉恩·霍斯在他们合著的《说服人的讲话技巧》中把上述几则

幽默例语用到特定场合的演说词中：

时间已经不早了，每个重要人物都已发过言。像这样把我安排在最后也许是个错误。我已感到疲倦，而且，每当疲倦之时，我都发挥不出水平。当然不止一个人是这样，正像马克·吐温曾指出的："人是上帝在周末已感疲倦之时创造出来的。"

作者把这则幽默语言用在自我调侃上。运用现成的幽默语言只要一个前提，那是创造一种话头，恰恰与现成幽默语言相通。在这里，作者以"疲倦感"作为话头正是为了自然而然地把马克·吐温所说的"上帝疲倦"引入自己的思想。

创造话头、自然引入是自由灵活套用的关键。我们再来看运用马歇尔与罗斯福争执的现成幽默故事的例子：

"谢谢你善意的介绍，当然，当你开始听我讲我必须讲的内容时，也许你就会觉得不那么友好了。我再强调一次，我还没有真正充满敌意的听众，现在你带着乔治·马歇尔将军去罗斯福总统那里，要求加强陆军中的地面部队……这位将军每次都遭到总统的竭力阻挠。总统从孩提时代起就酷爱海军，并且曾担任过国家海军部的秘书。"

最后，这位将军说："至少，总统先生，你不要把海军说成'我们'而把陆军说成'他们'了吧。"

这里话头是"没有真正充满敌意的听众"，而所引用的幽默故事并不能使听众一目了然地感到罗斯福的"敌意"，或者消失了的"敌意"，因而有牵强之感。

牵强是套用幽默故事之大敌，因为它不但不能有助于你观点的表达，而且引起听众注意力的分散，造成对你表达观点的干扰。

下面我们再来看对于华盛顿也不是永远第一的那一则故事：

我不愿重温今晚在这里已经说过的事情。既然你们已听过了今晚的主要问题，再听我的演讲一定觉得无聊。如果我随心所欲，我干脆就站起来讲讲我的观点，然后你们继续开会。这使我想起了一位老师跟他班上学生讲的一个故事：你们不可能总当第一。

当然，任何群体中都有自作聪明的人，我们班的一个小丑般的学生说："那乔治·华盛顿呢？他是战争中的第一，和平时期的第一，以及人民心目中的第一。"

老师赞扬地说："确实如此，但他是跟一个寡妇结婚的。"

这是一个更不成功的引用。作者几乎没有创造与故事本身相切合的话题，他只是说，我可以随心随欲地讲讲我的观点，并没有什么东西与"不可能永远是第一"挂得上钩的。

这就变成了为引用而引用、无目的地引用，不是作者驾驭材料，而是作者被材料牵着鼻子走。

此乃学习幽默者所忌中之最大者。

掌握一些现成的幽默的语言、轶事、故事以后，不但要做到不为所制，更重要的是灵活自由地套用它来说明自己的观点，解决自己面临的困境。这时，要有一种大加发挥的气魄，切忌拘谨。

有这样一则现代幽默轶事：

正在举行决战前的高层军事会议，统帅和将军们在全神贯注地研究作战方案。然而此时会议桌旁却传来了鼾声，有人居然呼呼入睡了。

这时统帅站起来对发言者打招呼：“轻点，轻点，那边有人睡着了。”

于是一阵哄堂大笑把那位酣睡者惊醒了。

有一位大学教授正在讲课时发现课堂上有学生睡着了，于是他中断了讲课，即兴引用了这段轶事后，说：

现在有人睡着了，这是对我最委婉的批评。

学生们活跃起来。接着这位教师把这个故事继续发挥下去：

老师讲课，学生睡觉，无非是两个原因：一是老师讲得实在无味，这自然怪不得学生；二是学生实在太困了，这是一种生理反应，不以主观意志为转移，与其勉强睁着眼，装着听得入迷的样子，不如干脆小睡片刻，等精神振作起来再听合算。小睡片刻只损失了片刻的时间，而勉强熬着倒把全部时间都浪费了，既没有听进去，也没有休息好。对于教师来说，学生睡觉，与其说是对他威信的一个打击，不如说是对他幽默感的一种考验。只有毫无幽默感的、最无能的教师才把昏昏欲睡的学生斥责一顿。其实学生可能是被冤枉的，谁能断定他是打扑克，还是学雷锋做好事帮老乡走后门到夜里三点才回家呢?

教室里哄堂大笑起来，大家扭头看那位酣睡的学生。这时他不但睡意全消，而且神采飞扬地和大家一起分享教授的幽默。他不但没有对教授的讽喻产生任何抵触、怀疑，反而对教授更加敬爱。

这位教授的成功，不仅是灵活套用的成功，而且是大加发挥的成功。

而在发挥时，就不仅是套用，而是创造幽默了。在这里，各种幽默技巧，都可以交替运用。

只有到了可以大加发挥，而且发挥得很幽默的程度，才能说你的幽默感已经有了提高，你所掌握的幽默知识已经成为你生命的一部分，而幽默已经开始渗透到你的心理气质之中了。

九、智力游戏

纯粹的智力、深刻的理性分析和周密的论证，只能使人惊叹其聪明才智，而不能使人产生谐趣。在一般情况下，严密的自然科学和抽象的哲学使人望而生畏，敬而远之。智力测验则稍好，因其有许多感性色彩，加之有些特殊的意外，使已经习惯的模式化的心理预期落空，因而便有些趣味。

总的说来趣味有三种，一种是纯粹诉诸理性的，叫作理趣。一个数学天分很高的中学生可以觉得数学很有趣味，一个沉湎于抽象思辨的哲学家可能觉得康德那本哲学著作有趣味。但是抽象的理性趣味不是自发的，没有经过特殊训练的人，不能直接进入这个境界，因而是很不普及的。第二种叫情趣，是直接诉诸感官欣赏的，它的对象是文艺作品，如绘画、音乐、文学等，都是通过感官通向感情的，由情而生趣。情有其自发性，不必经过特殊训练也能参与欣赏，这种趣味很普及。第三种是把抽象的推理和感情的共鸣结合起来的，虽具感性，但非艺术审美；虽属抽象推理，但与具体感情结合。属于此类趣味的幽默，既有理性的必然性、严密性，又具情感的自由和虚幻。

但这种幽默中，其内部成分往往不尽平衡，有时理性的严密推断多于情趣的自由想象。例如：

老师讲了一个故事，说是有个人每日早起游泳，必横渡三次大河而后快。有个学生说："这不可能！"

老师问："为什么？"

"这不明摆着吗？他三次横渡大河，怎么穿衣服呢？难道他光着身子在江那边过夜吗？"

这自然有理，也有趣，然而有理胜于有趣，因为有理得出乎意外，使固有模式化了的心理期待落了空，才有趣。这种趣味纯属理趣，亦即由于推理的严密，意外地发现了对方的漏洞而有趣。

理趣之趣比较有限，因为它毕竟要求对方具有同样的推理能力和速度，所以不可能像情趣那样一望而知、一目了然。

由于情感是自发的，所以情趣可与一切感觉能力正常的人沟通。

由于情感与感觉之间千变万化的关系，它的趣味不但易于感受，而且由于富于想象的自由，也更丰富多彩。

清朝的《新刊笑林广记》卷十三中有一则《圆谎》：

有人惯会说谎，他的仆人常代他圆谎。一日此人吹牛："我家一井，昨日被大风吹往隔壁去了。"仆人替他打圆场说："确有其事，因为我家主人的井，贴近邻家篱笆，昨晚风大，把篱笆吹到井这边来了，井自然好像飞到邻家去了。"一天，此人又吹牛："有人射下一头雁，头上顶着一碗粉汤。"仆人又替他打圆场："确有其事，我主人在天井内吃粉汤，忽然有一头雁掉下来，雁头正跌在碗内，岂不是雁头顶着粉汤。"一天，这家伙又吹牛："我家有顶蚊帐，能把天地遮得密密的，一点空隙也没有。"仆人皱眉道："你扯这漫天大谎，叫我如何遮掩得来。"

这个故事中的仆人好像是在认真地推理，来弥补主人说的漏洞，一直补到无法再补为止。其实，就是他好像补得很成功的地方，也不是真正的严密的推理，而是一种歪理，具有明显的偷换概念、强词夺理的性质。如果他那些圆谎的道理能够站住脚，那么最后一个谎就很容易圆过去。不管多小的蚊帐，只要挂起来，人往里一钻，天地自然会被遮得密密的，一点空隙也没有。这说明故事的趣味完全不在客观的推理之趣，而在于主观的情感自由之趣。当他想圆谎时，他连最难圆的谎都能圆；当他不想圆时，最好圆的他也不圆。这里圆谎不是以客观的充足理由为据，而是以主观不稳定的错觉为据。

这种幽默的情趣就完全淹没在理趣里了。

情趣与理趣是两种不同的趣味，在一般情况下，情趣在程度上强于理趣。但是也不尽然，只要推理组织得异常别致，也可能有很强烈的趣味。

有一则罗马尼亚的笑话，正是以理趣横生见长的：

火车进入隧道，车厢里一片黑暗，只听得一声亲吻，接着一记响亮的耳光。火车开出隧道后，车厢里四个素不相识的人都没有吱声，唯有德国军官眼圈发青。

老太婆想："这个姑娘人美，心灵更美。"

姑娘想："真奇怪，这个德国人宁愿亲老太婆，却没有亲我。"

德国人想："罗马尼亚人真狡猾，他偷着亲嘴，我暗中挨打。"

罗马尼亚人想："我最聪明，我吻自己的手臂，又打了德国人一个耳光，没人发现。"

三人都按常规推理，都有不同的漏洞，直到第四人的内心独白出现时，读者才恍然大悟。前面一连三个不同的推理，读者起初都看不出漏洞，读到最后一个时才发现全都错了。如果光有一个错误的推理，被下一个纠正，就不会有这么浓烈的理趣了，错误推理的连续导致了理趣的递增。

理趣虽较情趣为弱，但在高明的幽默家手中，则以叠加形式以增强其效果。

美国出版的《笑料百科》中有这样的例子：

甲乙两人在酒吧间喝酒，甲说："咱们打 100 美元的赌，如果我能用牙齿咬自己的左眼，就算我赢。"

乙认为不可能，于是欣然同意。等双方都拿出赌注以后，甲便将自己左眼窝当中的玻璃假眼珠挖出来放在嘴里咬了一下，乙输掉 100 美元。

甲又说："朋友，别急，现在我给你一个捞回 100 美元的机会。咱们再打一次赌，如果我不能咬自己的右眼，就算我输。"

乙心想，你总不会长两只假眼，便狠下心，又下了 100 美元的赌注。

谁能料到，甲摘下假牙，用手把它移近右眼。

如果不是乙第二次上当，其趣味不会有这样强，两个连锁结构等于把效果乘了两次。不过这种幽默毕竟受智性局限，其效果很难达到纯粹情感性的幽默那样的境界。

附：

理儿不歪，笑话不来[①]

在人类宝贵的心灵财富中，幽默感是最神秘的。

它不是一种科学理论，你不能指望它帮助你解决发明创造的难题；它又不是一种操作能力，你不能依靠它提高企业的产量；你工资入不敷出，它不能变成钞票；你考试成绩下降，它不能变成分数。它的特点就是既不科学，也不实用。它是情感的优裕和自由，只有心灵天地特别广宽的人才能获得这样的自由，而这种自由就是美的象征。

因此，它才有那样神奇的力量：在人生纷至沓来的困惑中，它会帮你化被动为主动，以轻松的微笑代替沉重的叹息；当你在严重的沮丧中不能自拔，它会给你的心灵以翅膀，让你的精神得以超越。

每一个人的天性中多少有些幽默感，在人际交往中，它是心灵与心灵之间和平与欢乐的天使。拥有幽默就拥有爱和友谊。凡具幽默感的人，所到之处，皆是一片欢乐和融之气氛。

在无法避免的冲突中，幽默感不强的人就面临考验。是拍案而起、横眉竖目，还是悲天悯人、大智若愚？幽默家的高明在于：即使到了双方针锋相对之时，也不像通常人那样心灵被怒火烧得扭曲起来，而是仍然保持相当的平静，在对方已感到别无选择之时，幽默家仍然有多种选择的可能。

如果你是一个教师，正在讲台上滔滔不绝地讲授，而台下却有人发出了鼾声，这时你选择什么？如果你选择责备小睡片刻的学生，则必然造成情绪对立；如果你先选择自我调侃，说："学生在课堂上打呼噜是对教师最坦率的批评。"然后再说学生不该批评，"也许是昨天学雷锋加上给老乡走后门到夜里三点才睡"，你会先让对方欣赏你的幽默，再让他领略心灵顿悟之乐。如果你的朋友来访，而他的孩子却穿着鞋子踩上了你洁白的床单，你是立即直截了当地制止呢，还是像冯骥才那样故意大词小用地说"我建议把你的孩子搬到地球上来"，先把孩子的父母逗笑了，再让他去体验一种复杂的意趣？如果你是一个美丽的女郎，你有没有考虑过如何摆脱轻率的追求者的纠缠，如何把调侃性与攻击性结合起来？你在反击无端的攻讦时，有没有掂量过如何分别使用硬性幽默与软性幽默，藏锋芒于调笑之中？

所有这一切都要求幽默家有心灵的余裕，自由地选择奇妙的态度、评价和表达方法。

然而这个要求对于一般人说来是太高了。原因是一般人幽默感都非常微弱，实用的需

① 本文原为《幽默答辩五十法》（厦门大学出版社 1990 年版）序言，收入本文后略有删改。

求和认知的追求却占着非常大的优势，沉重的生活本身再加上学校的智育，已经把人训练得这样驯服于实用的需求和理性的规范，以致达到了不动脑筋的自动化的程度了。一般人看见一个非常胖的妇女，几乎只能诱发出一个判断：一个胖女人。这很自然，很正确，很科学，很令人信服，几乎没有争辩的余地，因而也没选择的余地，好像是命中注定。但是，这只是一种选择，那就是科学认识的选择。可是，人的生命很丰富，科学的价值选择只是一种选择。科学的选择固然很重要，可它并不能满足人生的一切需要。如果它有一千条优点的话，也至少有一个缺点，那就是很枯燥，没有趣味。当人需要开玩笑以幽默感来缩短心理距离、调节人际关系时，就不能依仗这种科学的态度而要采取另一种选择，作出另一种判断。如果这位很胖的妇女和你很熟悉，又互相戏谑惯了，你恰恰可以作一个不符合事实的判断，而且夸张地对她说："报告你一个好消息。"她问："什么好消息？"你可以非常神秘地对她耳语："你变得越来越苗条了。"于是，她立即和你一起共享你的幽默。

你这个判断，从理性认识来说，不符合事实，不科学，不正确。

它可以有一千条缺点，可是它有一条优点，那就是它挺幽默。

幽默的选择不同于科学的选择，它的判断和推理与科学的判断推理属于两个路子、两种功夫。

本书提供了许多幽默谈吐自我训练的方法，都是具体的方法，而上述一点则是总的方法，方法的方法。

正因为幽默的方法不同于科学的方法，它才可以偷换概念、指鹿为马、不伦不类、假痴假呆、故作蠢言、答非所问、自相矛盾、将谬就谬、歪打正着、强词夺理、歪解因果，等等，总而言之它用一种与通常逻辑不同的逻辑去思考问题。找到了这个窍门，你就基本懂得了幽默是怎么回事。其实，它很简单，只要记住，它在进行推演时，用的是一种歪曲的推理方法，即我国艺人早就总结出的构成幽默的规律：理儿不歪，笑话不来。

如果你一辈子只会说咸鸭蛋是用盐腌了才咸的，那你就太拘泥，太一本正经，太放不开，太傻乎乎，太死心眼了，你就一辈子幽默不起来。如果你敢于把道理歪曲一下，狠狠心，硬着头皮说："咸鸭蛋之所以咸，因为它是咸鸭子生下来的。"那你就不那么傻乎乎，不那么死心眼，你脑袋里就有一点幽默细胞了。用学术语言来说，你就超越了科学的认识，作出了审美的判断了。

如果你读了这本书，壮了胆子，在朋友交谈中，不那么傻乎乎、死心眼，那就不但是你的胜利，而且是我的功德了。

1990年3月24日

幽默是有趣的人性和可爱的弱点相结合[①]

这是我写得最轻松的一本书，却没有想到有这么强的生命力。稿子完成于 1990 年春夏之交，初版在同年 11 月，那时我已在德国进修。很快香港和台湾分别出了繁体字本。1991 年底，电视台社教部的负责人在香港看到这本书，让一个导演把我“追踪”到了。1992 年初就根据这个本子，做了 20 集的“幽默漫谈”。这本书本来发行量就比较大，因为中央台的介入，印数达到 30 多万册，我记得光是封面就换了好几次。当时的稿费并不高，1990 年，官方的定价，大约是千字 10 元，等到我从德国归来，已经涨到千字 25 元。那时稀里糊涂，没有什么合同，更没有维权意识，连印数稿酬都不知道，出版商给多少就收多少。对显而易见的盗版，也未加追究。故至今也不知道究竟印刷了多少。

20 世纪末一家出版社又印了一次，很快就绝版了。

虽然这本书早就从我的记忆中淡出，但是有些事情却成为亲切的怀恋。当时全国各地的“粉丝”来信之多，出乎意料，这可能是因我在序言的末尾把自己的住处写进去了。一些来信提出的问题，对幽默学来说，很可能属于挑战性的课题。一个小学生来信表示对我的书感兴趣，这当然令我大受鼓舞。但是，他粗心大意，没有仔细看我的照片。那张照片是在巴黎金顶大教堂前面，一个瑞士留学生为我照的，当时我五十多岁，照片拍得挺秀气的，我就放在《幽默谈吐》的封底上。这位真诚的小读者虽然相当仔细地读了我的书，但却没有仔细端详秀气照片上显而易见的性别，以致他来信的开头的称呼居然是“敬爱的孙奶奶”。这使我非常失落。当时，我的女儿正好在我身边，她幸灾乐祸，乐不可支。这时，作为幽默学的研究者，不能不进入学术性的思考：如果这个孩子是故意开玩笑，则是对我的幽默理论的活学活用，我应有成就感；但是，孩子实际上是满怀敬意的抒情，可是他的抒情，在我女儿那里，却变成了幽默。

一位深圳的打工妹来信说：“你的幽默术很精彩，我努力运用，效果很好，但有一次却失败了。我跟一个大龄姐姐住一个房间，情同姐妹，形影不离，我非常依赖她。但是有一次，我走进宿舍，发现大姐姐正在跟一个小伙子谈得很热火。我想这是好事，白马王子出现了。我很识相，不去打扰他们，就走到自己床边打开录音机，听音乐。但是不久，大姐突然火起来了：‘你给我把录音机关上，要不然我把它和你一起扔出去。’我很震惊，本来可顶一句，但后来想到你的幽默书里讲，不要对抗，要用幽默之道缓解对抗，用显而易见

① 本文原为《口吐莲花——幽默自我训练 50 法》序言，收入本文后略有删改。题目系编者所加。

的歪理，进入虚幻境界，把自己和对方从对抗中解脱出来。我就用你的方法跟她说：‘用不到你扔，我自己把自己扔出去好了。’说完自己就走开了。但是，走到门口的时候，我的眼泪流下来了。”她问我为什么。

我回答她，这是因为你的幽默还没有磨炼到炉火纯青的程度。你运用了正确的幽默方法（自我调侃），但你胸中的宽容、智慧还没有达到相应的境界，就产生了与幽默不相容的痛苦。我说：你应该对这位大姐有充分的理解和同情。她长期等待着白马王子而耽误了青春，如今白马王子从天而降，两人谈得入港，心情是十分着迷的。此时，你的录音机，在你听来是抒情；在她听来，却是破坏性的噪音，十分可恶，所以她会突然情绪膨胀，发起火来。这在一般人来看，是缺乏修养的，显然是个缺点。但是，你既然和她情同姐妹，又具有幽默感，就要比一般人更能体会她的心情。有了小伙子，就不认小姐妹了，就算是缺点，难道不也是陷入热恋之人的常情吗？你如果光觉得她可气，就不能算是理解她；就是光觉得可笑，也算不上心胸宽广；而一个富有幽默感的人，要比一般人有更为高超的境界，你应该对她的这种反常心态，富有同情，你应该感到她好玩，哪怕是缺点，也是可爱的，人性嘛。幽默是精神的高度提升，心胸博大到可以包容不讲道理的人和事，不那么拘泥于理性的是非。从理性来说，这是个缺点；可从幽默的情感价值来说，这个缺点是太可爱了。

这里，涉及一个根本问题：幽默的博大，主要是对己和对人两个方面。首先，是对他人要有一种悲天悯人的胸怀。就是人家的缺点毛病，也不能取嫉恶如仇的立场。对自己呢？则要站在人类生存的高度上，把这种缺点、毛病当成人类的一种局限，这样，才能把个人的毛病当成人类普遍存在的毛病，因而就都能包容。乔治·桑塔亚那说：“我们所说的幽默，其本质是，有趣的弱点，应该和可爱的人性相结合。”关键是，你能不能把人家的“弱点”看得“有趣”，能不能从个别人的“弱点”中看到共同的“人性”，不管这种人性有多少缺陷，你能看出这些缺陷的“可爱”来。

桑塔亚那进一步说，不管人家有多么荒唐，不管我们觉得这种荒唐多么应该“摒弃”，越是荒唐、负面，也越能看出其“性格更为可爱”。这并不神秘。许多人说，中国人缺乏幽默细胞，我想这是片面的。绝大多数人并不缺乏这种素质，证明之一，就是春节晚会，我们都会欣赏那些小品演员，尽管他们所扮演的角色都是一些卖假货的、小偷，甚至是汉奸，但是，我们并不以公安局、工商局的眼光去看他们，而是把他们当作人，看到他们即使沦落到不堪的地步，也自我感觉良好，还有自尊心，就是做坏事，讲歪理，还有优越感，觉得自己歪得很有水平，自我欣赏，自鸣得意。看到这样的生存状态，我们站在高处，不难看出他们不但是歪得可怜、可笑，而且是可爱了。

活生生的幽默，不在任何经典作者的著作中。大师们说得再好，幽默也是死的；而在这样的互动、共创、生成和共享中，幽默才是活的。因此我顽固地坚信：幽默研究的焦点，不应该停留在学者的书斋里，而应该在这种生机蓬勃的幽默生成的地方。幽默作为学术的生命，并不在对于康德、叔本华、弗洛伊德、柏格森和鲁迅的引证中，而在日常生活最平常的言谈之中。把幽默从书斋、经典中解放出来，让它活在人们的日常生活、口头交流和心灵共享之中，这就是我的理想。

下编　幽默漫笔

本编内容系为香港《文汇报》等报刊幽默专栏的集结。

第一辑

幽自己一默

一、嘲弄一下自己

许多人埋怨自己幽默不起来，其实，要幽默起来并不难。有许多简明的办法，其中之一就是自我调侃。有一个美国幽默理论家把它列为幽默的上品。

我不知道这有没有经过严格的论证，但是我要说，这是一种比较切实可行的、富于操作性的手段。

以我自己为例，地位随着年龄和资格的增长而不断地提高。每到之处，总受到过分的尊重。在我年轻的时候，不少学生自由地到我宿舍里来，有时晚了就住在我的房间里。现在虽然我的住房比之当年大了不知多少倍，但是绝对不可能有任何学生有当年的自由了。为此我甚为苦恼。所以每逢有机会和同学接触，我先就嘲笑一下自己。特别是为一些新来的同学作报告的时候，看他们拿着笔记本，诚惶诚恐的样子，我就说：

> 你们不要以为我满脑子都是学问，其实，我的学问，并没有多少变化。唯一的变化就是头发，其中央部分有了“沙漠化”的危险。于是我就和毛泽东一样实行“农村包围城市”的政策，把四周的调动到中央来，这叫“地方支持中央”也可。不过我聊以自慰的是我的头发和我的学问成反比例。

我这么一说，底下全都笑了，气氛立即就轻松了。

二、标点符号和骂人

20 世纪 70 年代，我下放到闽南戴云山区，那里的孩子平时习惯讲闽南方言，只有上课才说普通话。小学六年级了，普通话还说得磕磕巴巴。

一个小学生问我，你们“工作同志”平时讲普通话，回到家里讲什么话？

我说，讲普通话。

他说，那么在家里骂人呢？

我说，也用普通话啊。

他说，普通话里没有骂人的话。

我笑了，说，难道你在学校里连一句骂人的普通话也没有学到过？他说，也有人告诉他“他妈的”是骂人的，不知道是不是真的。我说，是啊。

他说，但是不少讲普通话的干部，好像不用它骂人，倒是在骂自己，一开口就是“我他妈的”。

我说，有些人，可能比较谦虚，对自己的工作不满意，就骂骂自己。

他恍然大悟说，原来“他妈的”是自我批评的意思。

我一下子解释不清楚，只好说，可能是罢。

他又问，有些干部一句话好几个“他妈的”，是不是一下子自我批评几次？

我随便回答说，差不多。有些人特别谦虚。不过有些不是，在他们那里，“他妈的”等于标点符号。

他想了一会，说，不对，标点符号是放在句子后面的。有一个干部从来不说“我他妈的”，总是说“他妈的我”。他为什么不把标点放在句子后面？

我说，因为他在小学里没有学好标点符号。

他对我的回答很满意，表示今后要好好学习标点符号。

三、通货膨胀

一个朋友给他太太买东西，太太从来没有满意过，都是嫌太贵了，后来他就把价钱降下来一点，太太就喜笑颜开了。本来他以为这是自家的特别现象，后来几个朋友在一起闲谈，才发现这点小聪明是做丈夫的基本功，人人皆会的。

不久以后，这位朋友的太太告诉我，她给自己买衣服，把真实价钱讲给丈夫听，丈夫都不满意。因为做太太的，会精打细算，价钱杀得狠。价钱便宜了，丈夫就说，档次太低。她就得出了一个经验，把价钱往上提上个两三成，同样的东西，丈夫就不敢小觑了。

后来几位太太交换意见，这也是做妻子的基本功。

朋友两口子互相保密，但是却没有瞒我。有一次，我们逛街，看到好几家商店都挂出了大减价的招牌："三折起""五折起"。朋友的太太就说了：这些都是骗人的，可是又能骗得了什么人呢？我就说了，至少可以骗得了这些店主的老婆。丈夫莞尔一笑。后来，又到了一家服装店，标牌上的价格贵得惊人。太太就说了，实际上，是准备让你还价两三成的。标牌上的价格和东西的质量没有什么关系。

我说，至少把价钱抬高两三成，你先生就会相信质量会好过一倍的。

太太斜了我一眼，会心而笑。

四、需要真诚

幽默是一种假定的荒谬，但是它也最需要真诚。如果以为只要说胡话就可以有幽默感，那就大错特错了。但是在一个中学生的日记中，我却看到了一个被考试压得喘不过气来的、颇有生气的孩子真正活跃的心态。在交给老师看的作文中，我们看惯了学生对于老师的敬爱。也许这是事实，但是事情总是复杂的，不可能千篇一律。

这个孩子，成绩忽上忽下，老师对他的态度可能是恨铁不成钢，过分严厉了一些。在日记中，他这样写他的老师："讲到 teacher（老师），我认为没有一个好样的。除了朱某还差不多，没想到曹某（语文老师）是个爱说人长短的有心人。数学老师，我可不 like（喜欢）。英语老师就 sorry to you（抱歉）了，我没有学好你的科目。物理老师，你去死吧！其他的老师，我认为我的记忆不需要他们占领太多的空间，还是多存些同学和朋友更好。"

当我们读到"物理老师，你去死吧"不由自主地笑起来。这不是我们欣赏他的恶语，而是欣赏他的天真，同时也同情他为功课折磨的无奈。他的日记中充满了他的任性，有时只要讲些任性的话也就能幽默起来。

有演讲经验的人，一定觉得有共鸣。

五、团拜演说

不管是多么会说话的人，到了朋友或者同事的集会，都不太喜欢即兴讲话。因为在这种场合讲话，一般说，需要有点出格才有彩头，才能创造某种欢乐祥和的气氛。一般人讲起来，总是吃力不讨好。

年年春节，单位里为了免除互相拜年、跑来跑去的麻烦，就组织集体的团拜。除了吃吃糖果以外，总要有人讲讲话。推来推去，被迫讲的大都是一些煞风景的老生常谈：新年新岁、吉祥幸福、心想事成之类，说了也等于白说，会场气氛有点冷淡。主持人求我说几句调动情绪的话，我被逼得没法，只好站起来胡诌。正好克林顿的绯闻弹劾案在美国参议院被否决不久，我就借这个轰动世界的新闻作为由头，我说，祝男士们都有好心情，一年到头，好得比克林顿现在在白宫还好。

男士们欢笑起来。

我接着说：祝女士们越来越漂亮，比莫涅卡·莱温斯基更有吸引力。

女士们又欢笑起来。

讲到这里，气氛已经活跃了，大致也就可以了。但是，这还比较一般，我追求的是更加出奇制胜的效果，给欢笑加上一点胡椒面。就接着说：对于女士们，尤其是已婚的，我还有一点希望，就是发现丈夫有克林顿那样的行为时，能够像希拉里那样有大将风度。

同仁们不管是男是女都鼓起掌来。

六、抑制进攻性

老同事要求我参加他儿子的婚礼，我事先提出一个条件，就是不要让我讲话。因为我善于调侃，常常在聚会上被推出来讲话。这本来也可以是一种人生的自我价值的实现，但是弄成个常规，就成为精神负担。本来，参加聚会是一种享受，不动脑筋，全身心地放松。可是一旦被赋予了讲话的使命，就要构思，努力把话讲得好玩而且得体，这样就往往食不甘味了。

朋友倒爽快，就依了我。

但是，一到了宴会上，司仪就来找我了，无论如何都要我讲上几句热闹话。我坚决拒绝。朋友来了，我还是拒绝。

最后，朋友的妻子、新娘、新郎都来了，请我支持一下。

我别无选择。

正好，朋友作为家长，也有个讲话。他感慨万端，讲了二十几分钟还不算，还讲了一些废话，比如，孩子生下来的时候是难产，自己束手无策，引起了在座的宾朋的哄笑，弄得宴会上乱哄哄的。

我终于找到了题目，就在讲话时一方面大大表扬新郎，并且说，期待着再二三十年后，再来这里参加新郎孩子的婚礼，那时，我再来主婚，新郎的爸爸也要讲话。但是，有一个条件，就是不许他讲那么多，那么长。

底下哄堂大笑。

本来，底下我准备了一句：不许他讲什么难产，不许他对新娘子进行这样的威胁。

但是这样的幽默由于进攻性太强，不适合于这样的喜庆场合，话到了嘴边又缩了回去。

七、歪解因果

我写过一篇文章，题目叫作《恶性单眼视症》，我杜撰了一个说法：人为什么有两只眼睛？上帝为了让人用一只眼睛看好事，一只眼睛看坏事。如果两只眼睛全都看好事，会变得傻乎乎；如果两只眼睛全部看坏事，可能和坏人、坏事同流合污。这种因果，不是科学的，正是因为它超出了科学，才超越了人们的思维预期，因而就比较有趣。

但是，这还不够有趣，因为它还比较正经。要幽默起来，就得再歪一点。比如说，有一种说法：“婚前找对象，睁大眼睛；婚后看妻子，闭上一只眼睛。婚前睁大眼睛，是因为只有睁大眼睛才能找到最好的；而婚后闭上一只眼睛，是因为夫妇间，求同存异，避免互相要求太高，发生‘阶级斗争’。”

这个说法就比我的那个说法更为有趣。这是因为，这个说法不那么一本正经。脱离了一本正经，就可以往歪理上推，就可能造成某种荒谬之感了。有了荒谬感，再加上一点人生体悟，就差不多有点幽默了。

八、功能压缩

如果有人问，人的耳朵是用来干什么的？回答很容易，是用来听声音的。这样的思路与幽默无缘。如果回答说，是用来听真理的，这个回答也很好，但是也与幽默无缘。前一种回答太科学，后一种回答太抒情。

这就不离谱，不离谱就不好笑，回答要离谱一些才好笑。

为什么离谱会好笑呢？关键在于这个“谱”就是人的思想的常规，离谱就是越出常规。常规就是人们在交往中的一种预期。你还没有回答，我就提前等着你回答的路数了。一旦你的回答不是按照常规的路数，预期就失落了，就产生了意外了，意外就会产生滑稽感。越是意外，越可能变成荒谬，越是荒谬，在荒谬中再带上一点深层的人生体悟 ，就越是好笑。

就耳朵的功能来说，如果要让它荒谬一些就是要让它越出常规。常规的耳朵是用来听一切声音的，越出常规，就不让它听一切声音。比如说，耳朵是用来听老婆的话的。就有一点好笑了。如果再荒谬一些，可以说女人的耳朵是专门用来听男人的甜言蜜语的。还可以强化一些，例如，女人的耳朵有两种功用：一是用来接受丈夫的甜言蜜语，二是用来侦察丈夫的桃色新闻。增加了荒谬的程度，同时又渗透着男人与女人之间的特殊情感奥秘，也就强化了幽默的程度。

九、即兴调侃

活到这把年纪，少不得要在一些场面上讲话，这是一个苦差事。在推辞了一番之后，仍然不得不勉强讲上几句，往往是吃力不讨好。因为一时涌到嘴边的，大多是空话、套话、废话；不管怎么挖空心思想出彩，也没有几句是人话。除了表现自己缺乏即兴的才气以外，就是让对自己有热切期待的朋友的耐心面临考验。

有了多次失败的经验以后，就有了自知之明：不要让朋友的礼貌变成虚伪，每逢可能要讲话，总要在事前事后，思考一下如何避免讲废话。

1998 年，福建省文艺界举行迎春文艺晚会，会上抽奖，我得了二等奖。

女主持人曾是我的学生，要求我讲几句话。在这种情况下光讲一些一本正经的祝贺的话，是绝对乏味的，要让大家开心一点、活跃一点，就不能太实事求是。

我就说道，这几年我吉星高照，一连三年春节联欢都拿到二等奖。事不过三，这说明，明年我要拿到一等奖。主持人问，那你最希望得到什么奖品呢？我说，我所希望的就是我最缺乏的。我头发的状况已经是“绝顶聪明”了，明年的奖品，最好是像你一样亮丽的头发。

事后我分析了一下，我所使用的是自嘲和自夸相结合的幽默方法。

十、颠倒黑白和不一致原则

西方幽默理论中的“不一致”（incongruity）原则，说起来很简单，本来是语言和事实的不一致、不和谐；后来发展了，包括事实本身的不一致、不和谐。这种理论自然并不一定完善，但是很实用。通常，我们之所以幽默不起来，就是太老实了，不敢讲与事实不一致的话。

到一个什么地方去开会，或者去旅游，本来是一件喜事，却得了感冒。如果老老实实说，很倒霉，我感冒了，是一点也没有幽默感的。但如果说，我这次最大的收获，就是体验到在异乡感冒的滋味，这就有点幽默了。

幽默之道与日常实用逻辑的不同基本就在于此。

不久前，在武夷山开学术会，会议由我主持，第一个发言的是某位学者。我明明知道他的普通话讲得不太好，还是利用了不一致的原则来幽了他一默。我说：“昨天我们的会开得很好，但是有一个缺点，就是大家的普通话讲得不太好；今天我们要改变一下局面，请普通话讲得最好的这位学者发言。”我一说，大家包括那位学者都笑了。

他连忙声明自己的普通话不行，并且对我的幽默大加赞赏。

十一、把人骂笑

幽默一般情况下是与谩骂不相容的，但是并不等于幽默绝对不可以尖锐进攻。要骂人也得有符合幽默的规则，比如，编一个故事之类，尽可能把你所要骂的人，编到故事里去。

小时候缠着外祖母要听故事，外祖母就讲了一个猴子的故事。她说，有个木匠，在山里遇到一只猴子，猴子就缠住木匠给他做一个东西。木匠说做一个太师椅子吧，他不要，因为屁股太尖。木匠说那就做一个八仙桌子吧，他还说不要，因为不会读书、请客。木匠说做一个雕花的神龛如何？猴子说，没有神肯坐在猴子家里，最好是打一个大厅，让他住在里面。木匠听了，就笑了，说什么人都要厅，连个猴子也要“厅”（听）。

我一听就笑了。外祖母明明在骂我是猴子，可是骂得我心情十分舒畅。

这里的关键在于，她不是直截了当地骂，她是把我诱进了她的逻辑圈套，用“听”这个音节的同音异义、一语双关的办法，让我的思想先是迷糊了一下（这在康德那里叫作预期的失落），然后拐了一个弯，才领会了她的机智。失落的困惑变成了顿悟之乐，这样，她的进攻就变成了我的享受。

十二、坦诚和幽默

一个朋友问我有没有骂过某人。他说出了这个人的名字。这是个女作家，我们虽然有过一面之交，但没有多少交往。我立刻斩钉截铁地说：绝对没有骂过。

朋友说，但是，他们那个单位都在流传说我骂她，骂得大快人心。

我问，骂她什么？他说我骂她是个“艺妓”。

我不禁大笑。坦白地说，这句话，虽然不是我说的，但很像是我说的。

在场的人，听了都哈哈大笑起来。

事情过后，我一直在想，大家为什么笑呢？莫非我的话很幽默吗？我不过是坦诚而已。

幽默和坦诚不是一回事，一般的坦诚并不能构成幽默的效果，也不一定能引人发笑。只有讲了不该在公众场合或者某种社交场合中讲的话，才令人忍俊不禁。

天真的孩子，或者智力发育不良的人往往因为他们的直言不讳而引来笑声。《红楼梦》中的傻大姐不懂绣春囊上的男女之事，公然把这说成是男人和女人光着膀子打架，小孩子把父母亲吵架的事毫无顾忌地说出来，都是好笑的。但是，这最多只能说是天真，不能算是幽默。像我那样，当然不能说是天真，应该属于坦诚。

坦诚到这样毫无顾忌的程度，也能引起康德所说的期待的落空，而产生笑，使心灵沟通。

这种直白隐衷也能构成幽默。

十三、在校友聚会上胡侃

当老师不知不觉已经三十七年了，论财产，论社会地位，并没有什么骄人之处，只是有一点颇为令人欣慰，那就是碰到多年以前的毕业生，他们都要对我表示敬意。尤其是在一些集会上，总要受到特别的尊重。例如，一定要我像婚礼中的新郎一样坐到会场最为显眼的地方，席间总要让我们这些老头子讲话。这可是个苦差事。尤其是在毕业多少周年的纪念性的集会上，有些老先生，一本正经惯了，轮到他们讲话，还是像在讲课的样子，讲一些非常正确，却只能制造沉闷空气的话，有时还讲得很长。他讲得没有兴致，底下各自谈话的兴致却绝对高涨。主持会议的人好心，少不得请大家安静。这样的提醒，把本来心照不宣混乱的会场秩序给点明了，而且最多只有几十秒的效果，不久会场就又像蜂房一样发出嗡嗡的声音。

积多年之经验，在这种情况下要讲得有彩头，不能太一本正经。要讲得好玩一点，不怕胡言乱语。有一次，我被安排在这个班的班主任后面讲话。我实在没有什么好玩的话，最后，我决定胡说八道一番。当时我说，你们现在不少人已经发财。底下有人轻轻说，还没有发财，我就说，你们现在是还没有来得及发财，但是我相信总有一天还是会发一点大财。底下有人说，发大财谈何容易，我就说，发大财没有信心，那就发点小财吧，有没有信心？底下稀稀拉拉地说，有！我又大声问：有没有？底下的劲头来了，声音很大地说：有！我说，这就对了。到你们发了财的时候，记住今天我的功劳，至少是提醒了你们发财的自觉和自信。今天我要请你们在发财的那一天，为我做一件事，那就是为你们这个班级建造纪念碑，把你们全体的名字都刻上去，同意不同意？底下答：同意！我说，不过还得把班主任的名字刻上去，好不好？

底下说：好！我说，除此以外，还有一个要求。底下说，什么要求？我说，把我的名字也刻上去。底下说，行啊！我说，光把名字刻上去还不够。我的功劳大，没有我今天的提议，你们就不会想到建立纪念碑；没有我今天的提议，说不定，连发财的念头都动不起来。因而我的名字要刻在当中，还要用金子来刻，好不好？底下几乎所有的人，都同时地欢呼起来：好哇！

欢呼声还没有落，掌声就起来了。从此我就得出一个经验，逢到这种场合，要来点幽默感。说空话是一种方法。还有一个办法，就是找会场里一个人，来调侃一下。有一次，参加某级毕业二十周年纪念会，会上只能有一个教师讲话，公推了我作为代表。代表大家不能太不正经，我就先讲了一点正经的，有一点诗意的。比如，你们在读书的时候，那时你们什么都没有。现在你们有的当了官，有的成了大款，我们却和原来一样十分清寒。我们没有什么可以夸耀的，唯一可以吹的，就是你们某某局长、某某总经理是我的学生。从这里，我们感到了人生的价值和意义。这时，我看到其中一个同学，他是全班最大的财主，但是他的头发已经秃得发亮了。我就拿他来开玩笑，我说，但是到了你们面前，我就不好意思吹我是谁的老师了，现在唯一可以吹的就是我的头发比某某同学多。底下哄堂大笑。

十四、健康和长寿

在不管哪届校友毕业的多少周年的聚会上，我们这些老头子总是成为祝福的对象。前面总是一车好听的话，最后则是老一套的：“祝老师健康长寿。”

轮到我上去致答词，我说：“活到这把年纪，总是让学生捧到台上当代表谈感觉，并不永远都是很美好的事。你们祝我健康，我很高兴。年轻的时候，我很喜欢唱一首叫作‘祝你健康’的歌。祝一个健康就够了，多一个就是累赘，‘永远健康，永远健康’，是属于林彪的。事实上从一开始喊着‘永远健康’的时候，大家就知道他的身体不太健康，满脸鸦片烟的颜色。由此可见，什么都不能过分，过分了，就不能不走向反面，掉到温都尔汗沙漠去烤骨头。至于祝我‘长寿’，我就有点害怕，一旦到了要人家祝你‘长寿’的时候，即使说的比唱的还好听，也有摆不脱生命大限之感。哪有一个才戴上红领巾的孩子要人家祝他长寿？奉承你说长寿，就是因为人家看出来，你大概寿命是不会太长了，至少比之满街的少男少女是这样。与其要用言词来改变这任何人都难以逃脱的大限，还不如说：赶快去买人寿保险，像你这样的年龄，赚头最大。”

十五、和陌生人见面

大凡重要人物，在比较正式的场合少不得要讲话。这时他与听众多多少少是有一点陌生感的，如果按常规方式说话，也不是不可以，但是很难创造一种欢快交流的气氛。

有一次，我到一个地方性的小报社去参加他们报纸正式发行仪式。座谈以后，发现一位女士迟疑地、怯生生地向我走来。我意识到她很可能是我学生的太太，显然是早就知道我的名字，很想和我相认；但是，没有引见的人头和话题。

我就主动向她走去，先向她伸出手去。她笑了，自我介绍说她就是我学生的妻子。

我就随便地问她哪里毕业的。

知道她不是我们学校毕业的以后，我就问她怎么认识我那个学生的。也许这样的问题太复杂了。她脸红了，迟疑起来。

我就替她回答说：“是不是上当受骗，一言难尽？”

于是她笑了，之后我们的谈话就轻松得多了。

在这种场合幽默之道：为了减轻对方的精神负担，用一点近乎冒犯的话语，却能打消她的陌生感、距离感，创造出一种和谐的、会心的氛围。

但是这样表面上带有进攻性的话，要有极强的分寸感。我这句话之所以还不算冒犯，主要原因是针对她丈夫的，其次又迎合了女性在结婚以后往往有一点嘲笑自己丈夫的爱好。

十六、日本狂泉

认真说起来，什么是幽默，什么不是幽默，还真是个难题。犹太人有一句谚语说：人一皱眉头（想说话），上帝就要笑。

皱眉头就意味着开始动脑筋，人一动脑筋就免不了有错，而人却自以为是，所以上帝就忍不住要笑。这种现象从哲学上来说，可以看出人生的荒谬。

其实不用上帝那么高明，只要对人的所作所为取超然的旁观态度，就不难发现人是多么可笑。“文化大革命”期间，那些作为，在局外人看来，今天把人家拉来戴高帽，不久自己又被戴高帽，实在是非常荒诞，很可笑。

记得当时我在小组会上说：“你请人家提意见，人家就是讲错了，亦当取有则改之、无则加勉的态度，而不该把人家打成右派。”结果引起了哄堂大笑。

从局外人的角度观之，究竟是谁荒谬可笑呢？人类所作所为，往往如此。今天以神圣的名义去做的事，明天也许就显得荒谬了。自己以为庄严神圣的事业，以更为睿智的目光看来，其实是非常荒谬的。只是因为大家都在荒谬之中，才不觉得荒谬，反而把清醒的人当作荒谬者。这是人类历史上屡见不鲜的事。

有一则日本幽默故事是这样的：有一眼狂泉，国人饮之无不狂者，而国王不饮，保持清醒。国人遂一致认国王为狂者，于是大举为国王治病，火烧，针扎，药灌。国王苦不堪言，遂饮狂泉，与众同狂，乃天下太平。

这个故事有点历史倒退论的味道，太悲观了，但很幽默，很深刻。

十七、让客人放松

一个助教要去日本留学，主要为了挽救她那陷于危机的爱情：男朋友去日本好几年了，两个人的关系忽晴忽阴。要到日本大学就读硕士学位，必须有教授的推荐。她拿来了日本教授名字，让我推荐。可我从来没有见过这个日本教授，使我十分为难倒在其次，影响她的成功率事关重大。好在想到有一个权威中年教授，那日本教授在中国当研究生的时候，他就是导师。这位中年人，算起来还是我的学生辈。

于是死马当作活马医，写了一封信去请他玉成此事。

那个为了爱情而焦灼万分的助教拿着我的信找到他的时候，紧张得连话也说不出来。

没想到，他说：“只要凭这封手书，我什么都干。”立刻写了一封很恳切的信。

惊讶不已的女孩子问他，和我有什么特别的关系，他说：“第一次见面还在未来的某一天。”他叫女孩子不要惊讶，说：“这就是资深教授和中年教授之间的关系。”又说，这封信如果不行，他还可以叫一位更年轻的教授写一封，此人和那日本教授关系更好。

女孩子问他：“有把握吗？”他说：“绝对有。这就是中年教授和年轻教授的关系。”

女孩子真正放松了，而且大笑。

当胆怯的来访者的神经被陌生感压得喘不过气来的时候，你可以用幽默感挽救他们行将绷断的神经。

十八、学外语和狗叫

一些大学生和研究生常常苦于学外语的压力太大，时常来向我诉苦：外语压力太大，六级过不了，拿不到学位证书。自己是学中国古典文学的，古典文献已经多得一辈子也看不完了，就是学好了外语，也不可能经常用得上。

把研究生的外语卡得那么严，逼得他们在入学的头一年，甚至两年时间里把大部分时间花在外语上，实在不划算。

我自然是同情他们的，但是将研究生的培养与国际接轨的决心是不可动摇的。这种事讲道理是没法讲通的，只好讲一个故事：

> 老鼠妈妈带着老鼠孩子在玩耍，不幸遇到了猫。老鼠孩子们不免惊慌失措。老鼠妈妈想：猫虽然在老鼠们面前耀武扬威，但是却很怕狗。她急中生智，便无师自通地学着狗大叫了几声，那只猫便立刻吓得落荒而逃。老鼠孩子对妈妈这一手大为赞赏，老鼠妈妈感慨万分地说：“过去老是觉得学自己的母语才有用，学外语没用，今天才知道学外语的用处可大了。”

我一讲，学生们都会心地笑了起来。他们让我说说用了什么幽默技巧。我说用的就是“偷换概念”的原则。狗叫和学外语本来是风马牛不相及的，这样不伦不类地联系在一起，就产生了滑稽感。

第二辑

拿朋友开涮

一、舒婷向一棵树道歉

舒婷的散文以幽默见长，在众多的幽默作品中，她的幽默带着很强的抒情性。在许多幽默片段中，她所显示出来的才华并不是任何人都做不到的；但是有一处，我却以为是任何别的幽默散文家所难模仿的。

她在成名以后，回到母校厦门一中参加校庆，以这一次活动为题材，她写了一篇《回到十四岁》，文章的结尾处这样写：

> 走过我的老教室，那株巨大的木棉树有些苍老了，却一直保持着花期最早的记录。我曾在这株老树下的石桌上做过作业，挨过批评，写稚嫩的诗。哭过，笑过。这时一位手捧小说的男孩子一头撞向我，他茫然抬头看看我，又继续埋头于他的故事里走远了。我笑了，当年我也常常这样撞在电线杆上。

如果文章光是写到这里，舒婷的才气还不见得有多么杰出。令人叹为观止的是她跟着来了一句：

> 但我总还记得向电线杆说声：对不起！

最后的“对不起”明显是虚构，但却是神来之笔。不但写出了她对于新一代书呆子的赞赏和嘲讽，而且还写出了她对自己少年时代的自嘲和自豪。

这里既有幽默又有抒情，二者融合得这样紧密，真是水乳交融。

二、楼道歌手

忽忆做大学生时，虽然于音乐无甚修养，然时喜于楼道引吭高歌。此举对于酷爱晨睡、立志终生追随孔夫子弟子宰予的同学来说，无疑十分残酷。然而此乃后来数十年，才有的体会。当时，人心隔肚皮，难以沟通。虽然朋友不时建议我推迟练嗓，均遭吾拒绝。想吾生来别无所好，既不嗜酒，亦不耽舞，唯一之乐趣乃于楼道即兴高歌一曲。虽不如李双江，但是，走廊狭窄，回音甚宏，且所唱歌曲皆革命激情洋溢。此等义演，既不收费，又能鼓舞人心，友人等不鼎力相助反而从宵小之言，真是岂有此理。适逢反右运动，大字报满天飞舞，吾非右派，亦无心于政治，故并不担心飞来横祸。不意一日，于房间门上，发现有一小字报："每晨必闻歌声，其声如鸡。"遭此打击，万念俱灰，从此不复有兴。

四十年后，于一家晚报上看到一则校园小故事：作者所居七楼有一楼道歌手，喜在众人午睡时"引吭"，引来怨声载道。一日，歌手歌一著名歌曲曰："亲爱的爸爸妈妈，你们好吗？"此时，一宰予以同样的曲调答曰："孩子，我们挺好，就是午睡被人打搅。"引来一阵开怀大笑。自此，歌手销声匿迹。看来，四十年文明进化甚为显著，然而对于楼道歌手的义演，其理解的水准，并没有显著的进步。

三、荒谬讽世

用自嘲的办法讽世，比之直接讽刺世人的不知保护公共卫生，其艺术性要强得多，效果当然也会好得多。这并不是说只有抒情和自我调侃这两种方法。其实，其他的方法多得很。

最近一个从事电视艺术的作家跟我讲起公共卫生这个主题，他想就当前一般市民对于公共卫生太不自觉写一个系列的电视喜剧。

我告诉他，这很难出新意，因为喜剧比之正剧要难得多。用正剧和一般喜剧都不能讨好，最好是来一点荒诞。

他说，他也正是这样想的，他已经有了一个构思，一个创意。他不想用一本正经的眼睛来看待市民不讲卫生的习惯，而是让一个二百五来看，让他又机智又很傻，表现形式要相当荒诞。比如，面对街上那么多垃圾，绝大多数聪明人都视而不见，而他却看得清清楚楚。他百思不得其解。

后来他在街上拣到了许多眼睛，经过研究，原来是这些眼睛有一种特异功能，看到自己家里有一点垃圾、灰尘，就痛得要流眼泪，而在街上看到的垃圾越多就越舒服……

我觉得，达到这样的荒诞，就有一点幽默了。

四、身份证和黑色幽默

黑色幽默这个说法，从西洋文学中来。说来说去都是美国文学名著《第二十二条军规》之类，反反复复强调的是，人陷在困境中，甚至绝境中，还找不到敌手，弄不清被谁害了。

这是一种没有具体敌人的绝境。

我本想，这肯定是痛苦的，怎么可能和幽默的微笑联系在一起呢？大抵是艺术家出于形而上学的玄想罢了。长期以来我对黑色幽默心存狐疑，特别怀疑在日常生活中会有黑色幽默的现实运用。然而不久以前，朋友告诉我一件事，改变了我的看法。

他有一次出差，忘记了带身份证，不能购买飞机票，就让家里人从邮局寄来。等邮局通知来了，他去取，但由于没有身份证，不能取。有许多合法的方法都可以证明，他就是收件人，而邮局的规章制度却不能通融。

明明证件是为了证明人的，可是没有证件而不能证明自己。证件本来是为人服务的，但是有时证件却成了人的陷阱。人在它面前竟无能为力。

这一方面是很痛苦的，可是另一方面又是很可笑的。人常常陷入这种哭笑不得的境地，就是黑色幽默的最通俗的注解。

五、反向求因

男式手提袋我不敢用，原因是没有可以背在身上的带子，很容易在吃完饭、开完会以后，有什么令人兴奋的事，注意一转移，就忘记了。

在我看来，男式手提袋最可怕。没有它，丢起东西来，往往只丢一件，而有了这个东西，一丢就是一整套，手提电话、信用卡、身份证、电话号码本、飞机票之类一起完蛋。

有一次开会，一家出版社送我一个非常高级的男式手提皮袋，我就不敢用。后来我把这事告诉我的朋友南帆，他说，怕丢了就不用，这没有什么道理。因为，不用就等于没有，那么你为什么不干脆用，用到丢了为止。反正是要丢的，丢了也不心疼。

南帆是一个很机智的人，有时也很幽默，尤其是日常生活中。他的这个说法就既是机智的，又是幽默的。他说的道理既有很雄辩的一方面，又有很诡辩的一方面。

雄辩的一方面是，与其不用，等于无用。

诡辩的一方面是，好像用一下，就是为了丢掉似的。更为严重的是，用的时候，必然在其中放上许多重要的东西，而丢掉这种手提袋，就丢掉了比手提袋更为重要的东西。

所有这一切，在他提供的意见中都被隐蔽起来了。

这种不讲道理的道理，才是幽默的道理。

六、严肃的幽默

北大孔庆东者，文章甚幽默，描写自己宿舍的《47 楼 207》，将师兄、师妹，各以寥寥数笔述之，无不妩媚、可笑、可爱，此文风行全国大学校园，因此被邀至许多大学作演讲。演讲与其文同样充满机智和幽默，妙语惊人。

有评论文章称赞他的幽默，把他和一些著名的幽默艺术家相比，约他写幽默文章，他却写了一篇《我不幽默》。他说自己脾气不好，遇事认真，认死理，宁死不屈，嫉恶如仇，经常跟售货员吵架，对太太不会甜言蜜语。儿子《三字经》背得不熟，他打了儿子，还问："爸爸为什么要打你？"

儿子挥泪答曰："养不教，父之过。"

这本来已经相当幽默了，他还是一本正经地宣布自己不幽默。因为，在他幽默的外表下，隐藏着更为严肃的东西，他害怕人们过分注意幽默，而忘记了那深邃的执着。他之所以幽默，不过是为了把话说得生动一些。

他害怕为幽默而幽默。他希望读者越过他的幽默，体会他的严肃、他的认真、他的固执、他的迂腐、他的愤激，他的忧伤，总之是他的"不幽默"。

他还说，有人把自己和钱锺书相比，他愧不敢当，他最景仰的是鲁迅，而对于梁实秋、林语堂，他却坦白地说："不喜欢。"

七、往不可能处想象

北大严家炎先生的博士生孔庆东，因为写一本《47 楼 207》，引起了很大的轰动。该文被内地发行量可能占全国前数名的《北京青年报》全文转载。文章里所写的全是他所朝夕相处的北大研究生，一口气写了二十个，每人多则近千字，少则三五百字，居然人人面貌不同，真有点像金圣叹评《水浒传》所说的那样，人有其面貌，人有其性格。有的只几句话就把一个人的性情写了出来。例如他写一个姓黄的校园诗人，学外语的本领十分了得："成为北大外语学得最好的人——把外籍女教师学成了自己的妻子。"还有一位老朱，他说他长得高大威猛，原因可能是学了波斯语，所以跟西亚人差不多，形容他："高大肥硕，活像一架立起来的波音 747……吃饭用的家伙叫饭盒不如叫钢盔。由于经常游泳，加上谦虚，所以有些驼背，估计砸直了的话，能有 1 米 9。"

如果把他的特点仅仅归结于很传神地表现人物的特殊个性的话，就可能有点机械唯物论的嫌疑了。事实上，许多人物之所以生动，主要是因为他对人物有着一种特殊的幽默感。正是这种幽默感，使得他总是用一种虚拟的因果去想象人物特点的形成原因和可能结果。例如学外语学得好到把外籍女教师学成了自己的老婆；又如，如果把某个有点驼背的同学的背"砸直了的话，可能有 1 米 9"。这些都是不可能的，但是，艺术家的气质就往往让他在这种不可能的地方展开了荒谬的想象。没有这种荒谬的想象，就不可能有幽默感。

八、歪批法国足球队

一个朋友问我：世界杯足球赛期间，在电视机面前那些喋喋不休的中国球迷，有多少是货真价实的，有多少是假冒伪劣？

我说，真球迷大约不到 20%。

朋友问：达到什么样的水准才叫真球迷？

这颇使我为难。恰巧手头有一张《南方都市报》，上面有一则笔名叫"小狂"的《歪批世界杯》，其议论可真是令人振聋发聩。我说，能达到这种水平的，大概可以说是真正的球迷。

他这样说法国队：

> 法国队的前锋不济和他们的后卫强大形成了鲜明的对比。观众老是发现，后卫和中场队员历尽艰辛，把球送到前场，差不多都给前锋的败家子们白白浪费了。

这位颇有幽默才华的作者这样描写他们：

> 法国队以富有想象力的中场著称。看他们比赛，总有做梦的感觉。他们被人追杀，拔不出枪来，扣不动扳机；扣动了扳机，却打不出子弹；打出了子弹，却又打不着人。

这样的形容可谓得到了幽默的三昧：关键在于把法国队放到了一部枪杀片中，而又让他们处在笨拙尴尬的地位上。

但是法国队后来还是赢得了世界冠军。因而我增加了一个结尾：在半决赛中，前锋正为打不出子弹而苦恼时，后卫却准确命中。在决赛中，后卫正准备大发神威时，前锋连中两枪，使得后卫还没有下场就失业了。

九、居高临下

全世界所有那些在足球场上和电视机面前大呼小叫的球迷，有多少是高档的，有多少低档的，也许没有必要去弄清，可是有一点是可以肯定的：他们之中的不少人会在今后的岁月里逐渐提高档次。事实上，根本没有天生的球迷。几乎所有的球迷起初都只是随大流，后来才在喊喊叫叫、哭哭笑笑中提高的。

在球迷中最低档的，是那些追星族。他们把自己全部的感情乃至生命的价值全都献给了球星。因为着迷球星，而忘却职责，让犯人逃跑者有之；因为球星表现不佳，把老婆扔出窗外者有之。这都是在精神上跪着看球的缘故。要成为一个真正的球迷，应该在精神上站起来。像《南方都市报》上的一位作者，他这样讽喻德国队只重机械的章法而不重视人的传统：

他们把机器搬上剧院的舞台，而把天才的漂亮演员挤到了角落上。

他这样敢于把他崇拜的德国队描写得有点傻乎乎，给我一种成熟感。他还说：

支持德国队的人有两种：一种是过着刻板的生活而热爱秩序，另一种是过着混乱的生活而渴望秩序。

这样的讽喻是一种精神上的享受。这说明他不是一味跪着看球，让人家变得高大；他是把自己的腰板挺直，居高临下，不但让德国队而且让一些不清醒的球迷显得矮小。

十、不要急嘛

有一位朋友慢性子，很紧急的事，他都是慢吞吞的。人都急死了，而他永远是一句口头禅："不要急嘛。"有一次，研究生入学考试，派他去拿成绩，等了好久，他才姗姗来迟。大家都争着要看，他在口袋里摸了半天，没有拿出来，说是忘在办公室里边了。一个急性子的小伙子气得要揍他，他还是说："要揍也不要急嘛。"有一天，在自修室里，大家正埋头苦读，他忽然抬起头来说："我现在有一件事要说。"大家说你就说吧。他说："你们要作出保证，不要说我性子慢误了你们的事，我才说。"大家说，有这功夫作保证，还不如早早说了。他说不行，如果大家不作保证，他就不说。大家拗不过他，只好保证不怪他。他说，你们说话算数？大家被他胃口吊得要断气，只好什么都依他。到临了，他指着一个性子最急的小伙子的崭新西装说："你的新西装让香烟烧了一个洞。"那个小伙子气得要揍他，他说："我早说过，你不要急嘛。"我本以为这个家伙真是功夫到家。后来我看到一本中国古代的笑话书，原来他这一套完全是从一个古代笑话上模仿来的。

十一、活宝不活

生活中总有一些要贫嘴的活宝，所到之处，一片欢闹。这种人是很受欢迎的，但是也往往不受尊重，原因是他们层次不高，流于滑稽。有一位女士，近来有一点发福。有一位自以为幽默的人，当着许多人的面就说，啊，怎么几天不见，就长了一身膘。弄得人家很不开心。

另一种人恰恰相反。他们平时不苟言笑，木讷得很；但是这种人偶然说一两句话，往往叫人记一辈子。大学时代，有一个安徽同学，来自农村。他以老土自居，从来不开玩笑，大家也不轻易和他开玩笑，在一起读了几年的书，对于他家庭居然一无所知。终于班上有一位长得非常漂亮的女同学，以她的漂亮的特权去询问他："喂！你有老婆了没有？"他沉思了一番，慢吞吞地说："老婆嘛，有个吧。"脸上毫无表情。还有一次，有人给一位大龄的同学介绍对象，可就是长相差了一些。大家都比较尴尬，不知该怎么评价这位女性。他走进来稍稍看了几眼，慢吞吞地说："至于长相嘛，多看看就顺眼了。"在场的没有不会心而笑的。看来非常平淡的两句话，由于幽默的力量，居然非常生动地在我的记忆中活了几十年。

十二、新的和旧的

一位教授有了新房子，一些得意门生都主动来帮他搬家。

有些小伙子毛手毛脚的，使得他的太太很不放心。教授家有一些虽然不算太古老，但毕竟是有些年代算得上是古董的东西。比如民国初年的大花碗，清朝时期的已经不再发出任何声音的闹钟，还有一些古色古香的小瓶子、小罐子之类。

老太太神经越是紧张，调皮的小伙子越是拿她开玩笑，故意走得跌跌撞撞的样子。

老太太就跟在后面瞎操心，不断地嚷嚷："小心，别把那些上年代的东西给碰破了。"

起初小伙子还有点怕她，嚷嚷多了，小伙子就不拿她当一回事了。其中有一个小伙子就对她说："甭担心，旧东西碰破了，我赔你新的。"

他一说，老太太自己先笑了。

这句话之所以幽默，是因为这里的“旧东西”和“新东西”，有双重的意义在交叉着。按平常的意思，旧东西的价值比较小，而新东西的价值比较高，但是在这里恰恰相反。旧东西是古董，而新东西的价值不能与之相比。

这就构成了矛盾，不和谐，因而也就产生了幽默感。

十三、缓和紧张

有时候，人们失去幽默感，不是他们不想幽默，而是在情绪紧张的时候不会缓和。这样的情况比比皆是。我女儿告诉我，在她读高中的时候，有一次正逢会考，学校规定，在此期间，不得读任何课外读物，尤其是小说，但是有一个同学实在热爱文学，在物理课上还在偷偷地读小说，被老师当场捉获。于是气氛紧张起来，大家都预期着一场大发作。

这位老师当然是很恼火的，他的脸色明显地表现出愤怒，但是他没有发作出来，只是慢慢走向这位倒霉的文学爱好者。就在他走近这个学生的时候，他吸了一口气，终于忍住了，弯下身来，故意一板一眼地说：

难道，你，认为，世界上还有，什么，书，比之，物理书更，更，好看的，吗？

他的戏剧性的变化和故意弄得断断续续的语调，是那么幽默，一下子把课堂里本来透不过气的紧张解除了。

本来连大气都不敢出的学生一下子笑了出来。这个老师赢得了学生的敬爱。就在这次会考，在语文考卷的作文中，出现了这个动人的故事。

十四、中西合璧

学生的演讲比赛，我都听腻了，因为大都是按照准备得太充分的演讲稿朗诵，又带着装腔作势的表演，失去了演讲的真义。

这一次我把它改成了即兴演讲。抽签以后，只能作十分钟的准备，演讲完了听众还可以提出挑战性的问题，演讲者必须即兴回答。这样一来，素质比较差的，就语无伦次，而素质高的，就脱颖而出。

一个小伙子抽到的签是关于过生日的。他的论点是目前大学生过生日过分奢侈浪费，而且盲目追求模仿西方。他的形容是：“总要花上一点Money（钱），举行一个Party（派对），请来一些Lady（女士），这样才会Happy（快乐）。”

他这样一说，底下就有人鼓掌了。气氛顿时热烈起来。虽然他的普通话水平不高，但是，他的机智和幽默赢得了赞赏，我特地给他打了一百零二分。

事后我想：为什么他演讲的效果这样好呢？原因自然在于他的幽默感。为什么加上了几个英语词汇就幽默起来，而且引起了如此强烈的共鸣？我想，这首先是因为中英文夹杂，不讲英文语法，构成不和谐；其次，正好这几个英语词汇又是押韵的。这样就有一种巧合的奇趣了。

十五、左右逢源

目前甚为流行的辩论赛中有一个奇怪的矛盾，既有雄辩的水火不容，又有幽默的水乳交融。辩论要压倒对方，以自己现场的胜利为目标，这与幽默把进攻变为共同享受的精神是不相容的。有一次辩论的题目是：决定人才成长的是素质还是机遇。为素质而辩的一方提出一个相当雄辩的观点：你们坚持机遇决定一切，你们作为代表队，难道是随机抽样产生出来的乌合之众吗？观众立刻笑起来，鼓掌。这一招的厉害在于：用对方（明明是选出来的尖子）来反驳对方。对方幸而有一个辩手很有急智，她立即反驳说，照你这样说来，在场的观众和评委难道都是弱智吗？底下的掌声更加响亮了，而且欢呼起来。

这是一种机智，是雄辩。如果按林语堂先生的理解肯定要算幽默，因为林先生对于幽默的理解比较宽泛，凡比较机智者都叫幽默。他认为孔子是非常幽默的一个人。例如，阳货来见，正好孔子不在家。按照孔子的来而不往非礼也的原则，他一定要去回拜人家，可是阳货又是个为孔子所不齿的人物。于是孔子选择了一个阳货不在家的时间去拜访他。林语堂说，这就是幽默。可是在一般人看来，这只是机智而已，算什么幽默呢？因为这里明明是坚持原则回避对方，与幽默的精神上默默共享不合。

林语堂有林语堂的道理，因为他是用英语来思维的。在英语里有一个字叫作 wit，一般译作机智，但是也有译作笑话的。幽默（笑话）和机智有不可分的一面，但是基本区别还是有的。上面这个例子，显然机智有余而幽默不足。如果把它再引申得荒谬一点，如反驳的一方可以这样说：如果广大聪明的观众和权威的评委都是弱智的话，成为这样的“弱智”将是我最大的梦想，我相信也是大家的梦想——这样对方可能笑起来，就有一点幽默了。机智的话都有一些左右逢源的特点，左右逢源都暗含着不正常的成分。如果满足于暗含的不正常的程度，那就还是机智；如果把这种不正常的程度夸张地表现出来，就有希望把水火不容的辩论变成水乳交融的幽默了。

第三辑

文坛记趣

一、刻薄而又忠厚

如果只读钱锺书先生的散文和小说，就会留下一个印象：钱锺书先生的幽默往往是非常尖刻的。尤其是对于知识分子同辈、同行，他的幽默锋芒毕露。他特别藐视那种缺乏才气而又装腔作势的文人。比如明明没有什么艺术感觉，却偏偏要当文学批评家，他就说："这好像是后宫的太监，虽然有很多机会，却没有能力。"

诸如此类进攻性很强的幽默，在他的小说和散文中比比皆是，他很少像林语堂、梁实秋、贾平凹那样的自我调侃。

有时就令人联想到：钱先生在日常生活中，想必是比较尖酸的。

但是近来读了一些文章，其中有些资料又使我感到：钱锺书先生在文章中和在生活中不大相同，在日常生活中，倒是很善于自我调侃的。比如，他访问美国归来，送给老友一支烟斗，说："我向来不吸烟。这次，好比阉官为皇上选宫女，不知合用否？"

在日本一所大学演讲，他说自己是个日语的文盲，而日本则是汉学的宝库。来到日本，就像一个穷光蛋，既不懂得开箱的密码，又没有带撬门工具，瞪着个大眼看着保险柜。好在无知是勇气的源泉，只能信口开河了。

这样的自我调侃，就把钱先生秉性中忠厚的一面显示出来了。

二、不避粗野的黑色幽默

王小波有一首诗，其中有这样的句子：

走在天上

走在寂静里

而阴茎倒挂下来。

难得的是，他的妻子对这里表面上有点粗野的用词，十分欣赏，对之赞不绝口。

这可能是因为，虽然只有两句，却既有哲理意味，又充满了幽默感。

首先从思想上来说，这里的深刻性在于揭示了一种矛盾：人不管怎么充满了崇高的思想（哪怕是走在天上），但是总改变不了一个基本事实，人总还是人，是一种动物，不可否认的是，凡是男性都有千方百计要掩盖起来的部件，这个部件的姿态并不是很崇高的。这就直率地揭示了人性与动物性、精神追求与本能无法解脱的永恒矛盾。

其次，这里又有很强的幽默感，主要产生于大雅的哲理和大俗的生理之间不伦不类的对比。虽然用了很不雅的词语，但却没有庸俗之感，也没有很明显的进攻性。这还得力于，这里包含着很明显的自我调侃的色彩。他调侃的是自己。

张爱玲的散文中有句著名的话："生命是一袭华美的袍，爬满了蚤子。"这同样很深刻，但却不幽默。除了煞风景的对比还不如王小波强烈以外，还因为讽喻的是大家，包括读者，而不仅仅限于自嘲。

三、没有幽默感的"幽默诗"

买了一本《幽默诗》，封面上特别说明："二十世纪中国幽默精品。"翻了一下，居然没有几首是称得上幽默的。

最有代表性的一首，当推《后悔》。诗人看到一个青年，在广场的一角，在画蒙娜丽莎的笑。又看到一个老人，用一把旧提琴拉咏叹调。还看到一个少女，在兜售小布娃娃。诗人没有耐心欣赏这些世俗的艺术，匆匆离去。没有想到来了一阵大雨，小布娃娃溅满了泥浆，小提琴戛然而止，蒙娜丽莎面目污秽。颓然回到旅馆的诗人，忽然感到"后悔"。

诗写得如此一本正经，有什么幽默意味呢？

还有一首《不如一索子吊死算了》，写的是有一种人活着的时候，专门忙着嫉妒、暗算，出卖朋友的隐私，用小本记下人家说的话，那时他活得富有而充实。现在那一套行不通了，大家都在工作，在笑，在唱歌，他却彷徨街头，一贫如洗不知如何过活。诗人最后说，对这样的人，他有一个小小的建议：不如一索子吊死算了。

诗人已经把愤激都倾泻出来了，思路没有从愤怒中转移出来，就不可能有荒谬、滑稽感，更谈不上留在逻辑的空白里和读者无声沟通的幽默感了。

四、选美的喜剧

一整本的《幽默诗》竟没有几首真正引人会心而笑的诗篇。这是因为正面的说教把喜剧性的荒谬感窒息了；有些甚至在炫耀格言，比如《五官素描》中的《眉》：

唯有翅翼

而无身躯的鸟

在哭与笑间

不断飞翔。

哲理的庄重与幽默的游戏性质是互不相容的。要幽默就要从现实情境中解放出来，把所要讽喻的对象推向荒谬绝伦的境地，这是需要一点魄力的。

在这本书中，只有老讽刺诗人刘征的《选美记趣》，表现了这样的魄力：

管理春光的东皇，传旨要在百花中选出最美的皇后。具体管事的花神却愁眉苦脸，说是不论选上哪一种花，都会引起无法解决的争端。既然不能把每一种花都选为皇后，还不如干脆一个也不评。遭到东皇斥责以后，花神汇报新的结果：蒺藜当选为花后。理由是因为它有刺，只有它当选才没有人敢闹事。东皇重申不能把选美变成选丑。最后花神汇报：最佳候选者是太湖石。理由正是因为它不是花，才最为超脱；世界上全部复杂的矛盾，一点不沾；而且它是女娲的后代。东皇大怒，立即给花神以撤职的处分。花神不但不感到痛苦，反而如释重负，东皇却为找不到负责选美的管事人员而大伤脑筋。

越是导向通常价值的反面，越是在逻辑上荒诞、离奇，才越有幽默感。

五、王蒙的自嘲

王蒙小说的叙述，以思绪纷繁见长。在那纷至沓来的话语中，常常漫不经心地冒出来轻松的调侃和喜剧性的嘲弄。20 世纪 80 年代读他的《风筝飘带》，至今忘不了他为中国人居住面积的狭小而发出的感叹：我们伟大祖国有 960 万平方公里的幅员，城市里的年轻人居然找不到可以安全接吻的地方。

他是一个叙事作家，他所调侃的大都是作品中的主人公，不像散文作家（如余光中、舒婷）常常把自己作为嘲弄的对象。这次翻阅整整一本《幽默诗》，居然只有他的《自画像》一首最有幽默感：

身高不足一米七

体重徘徊六十七

头晕皆因爬格子

腹健不辞冷扎啤

心宽留得青丝密

意远容下鼠犬鸡

……

把自己的身高、体重、头晕和自己的事业（爬格子）结合在一起不是加以抒情的美化，而是带着自嘲的“丑化”，把自己写得有一点浪荡，但是，又不是一味地“油”，接下来就点到了很严峻的问题上：“曾有壮志挥椽笔，更无闲情争骡皮。”这两句是戏仿毛泽东的“独有英雄驱虎豹，更无豪杰怕熊罴”。

神清何惧演而变

气爽随它栽与批

这就不但表现了他悠游自适的自嘲，而且表露了他在栽赃与批判面前无所畏惧的自许。

六、苦涩的微笑

有时候，微笑不一定是愉快的，而是无可奈何的，甚至是痛苦的。这往往出现在比较高级的文学作品中。在西方有所谓黑色幽默，说的是陷入了非常残酷、恐怖的境遇里，可是又找不到敌人。美国小说《第二十二条军规》在中国产生影响之后，已经出现了不少类似的无可奈何的黑色幽默小说。《作家》1999 年第 1 期上著名作家莫言的《祖母的门牙》就是一例：

“我”的祖母指使、威逼父亲殴打了才过门三天的母亲，由此奠定了祖母和父亲长期联手毫无道理地欺侮母亲的惯例。这种没有道理的惯例，成了谁也不能不接受的现实，也就成了最不可动摇的传统。等到祖母老了，母亲终于忍无可忍，挥拳打落了祖母的门牙，祖母的威风随之被一扫而空。奇怪的是祖母在 99 岁高龄之时，又毫无道理地长出了两颗小门牙。这使得祖母又神气起来。十分尴尬的母亲终于又毫无道理地用老虎钳子拔掉了祖母的门牙，并且毫无道理地陪伴着祖母发出难分难舍的哭声。

莫言向我们显示的是，我们这个古老民族无意识中的丑陋的根性。人与人之间（不仅是婆婆和儿媳）的仇恨来自毫无道理的传统，你先是非接受不可，后来身不由己为之摆布，最后成为它的帮凶。读这样的作品，你不能不微笑，又不能不感到无可奈何的苦涩。

七、冷酷的笑

女作家残雪在一篇小说中写一个女孩子，在母亲的操办下和一个男人结了婚。从订婚到结婚的过程，就是很荒诞的。首先是，她觉得那男人满脸的紫疱，没有什么好感。那男人也没有对她讨好，公然说，他之所以要求婚就是因为未来的丈母娘有一套房子。她“扑哧”一下笑了起来，笑的理由却是她本来要去写信的。在结婚的大喜日子里，她的妈妈头也不梳，嘴巴里还发出大蒜的臭气。

新郎说笑话，客人们板着脸，一个也没有笑。

婚后第二天，新娘要到公园里去写信。新郎钉了一个阁楼，说是一个人单独睡惯了，跟新娘睡总是害怕。

新娘感到，新郎一离开她就变得喜气洋洋，漂亮起来。

儿子生下来以后，这个当父亲的开始了对妻子的礼节性的“拜访”，但只和丈母娘打交道，对自己孩子的拜访却是秘密的。孩子五岁，“拜访”就停止了，而孩子的外祖母就住到堆杂物的房里（这就是说，离她更远了）。孩子是外祖母带大的。在妈妈的眼里，他并不可爱，从小就染上了生吃大蒜的气味。

在她想象中，丈夫在远离她的时候，她应该是精干、漂亮、聪明的。这是一种冷酷的幽默：人与人之间，关系不管多亲密，哪怕是夫妻、母女，也是有隔膜的，倒是相互有了距离才可能是更美的。

这是多么可笑，然而又是多么可怕。当你为这样的现实感到好笑的时候，又不能不感到悲哀。

八、恐怖的笑

余华在小说《河边的错误》中，展开了这样一个故事：一个疯子在河边杀了收养他的孤独的老太太，还把人头放在坟堆上。这使所有在此前后到过河边的人，都因为害怕受到怀疑而恐怖起来。一个女人因为逃离现场时发夹丢在那里而恐惧，另一个人因为去现场散过步而恐惧，而他在现场看到的一个钓鱼的人，因为害怕受到怀疑而在恐惧中等待。公安人员找他谈话以后，他竟然自杀了。这个自杀的人，被推断为凶手。

后来证明是疯子作的案，但是法律拿疯子无可奈何。不久以后，疯子又以同样的方法杀死了另一个人，结果是疯子被送到了疯人院，但是，最终又被送回来。不久又用同样残酷的方法杀死了一个人。负责办案的刑警队长马哲，就开枪把疯子打死了，于是马哲成了法律意义上的故意杀人犯。

马哲的妻子和局长，为了给他开脱，就劝诱他在精神病医生面前语无伦次，作疯傻状。他拒绝配合，但是医生反复纠缠，他由于发火而故意胡言乱语。局长和妻子，本以为这样可以开脱他的法律责任而大喜；但是医生却宣布，把他关进疯人院。他愣了一下，随后不禁哈哈大笑起来，还边笑边说："真有意思呵。"

这非常可笑，然而又非常可怕。

九、深邃的幽默

在我自己所写的一些关于幽默的，尤其是在口语交往方面的文章中，常常不由自主地把戏谑性幽默，也就是调侃，当作了幽默的全部。其实这不全面，幽默有调侃的一面，也有非常严峻的一面。这个观念我早就有了，但是却没有找到很恰当的理论概括。

最近看到诗人韩东写的一篇短文《朋友》，觉得可以比较简明地讲清楚了。韩东在文章中说：

> 到邻居家串门，最怕邻人把孩子叫来当面背诵"锄禾日当午"，以此来证明孩子的不凡。"锄禾"之后，再弹几下电子琴，让我明白这孩子除了有文学造诣，还有音乐天才。我脸上雕刻出一种长者的笑，心里在想这孩子长大后如何经受艰难人生。也许为了涨工资同工友打小报告，也许为了跻身什么什么排行榜，就和评委上床……

这样的幽默表面上是戏谑的，但是却很深刻地揭示中国家长望子成龙的危机。这种幽默很严峻，很不轻松，对于望子成龙的倾向所隐藏的人格和道德危机，提示得很是尖锐。

但是，这还不是韩东幽默的全貌，他接下去说，他和他儿子做朋友，希望儿子当邮政局局长。因为，他的身份证上的名字是韩东，而发表作品的名字是韩冬。每逢有稿费来，收款人都是韩冬，而他以韩东为名的身份证就常常领不到。邮局工作人员好认死理，弄得一趟一趟地跑，自己麻烦，单位证明麻烦，邮局工作人员也麻烦。

盼望自己的儿子当上邮政局局长，原因是可以省掉许多个人的麻烦。严峻的幽默又转化为戏谑性。

这明显是虚拟的，不可能的，不但是对于邮政局的调侃，也是对自己的调侃，这样的幽默内涵就丰富了。

十、鲁迅与林语堂的幽默

鲁迅是幽默大师，林语堂也是幽默大师，但在幽默的问题上却发生了激烈的争执，甚至影响到他们之间的关系。其实鲁迅也并不笼统反对幽默，相反，在 20 世纪 20 年代，他还称赞过林语堂把西文的 Humour 翻译成幽默；他和林语堂一样，主张幽默应与严肃的同情心相联系，而不应一味把人生当作儿戏。

但是鲁迅警惕着幽默变成滑稽，而滑稽是不严肃的。他说，幽默一旦被滥用了，就可能“伏着危机，正如军人自称佛子，高官忽挂念珠，佛法就要涅槃一样，倘若油滑、轻薄、猥亵都蒙‘幽默’之号”，则恰如话剧变成文明戏，好端端的严肃艺术就变成了无聊的滑稽了。

鲁迅是一个社会批判者，他要用幽默来进行社会批判，所以他的幽默往往与讽刺相联系。他十分警惕幽默变成滑稽、油滑，把社会矛盾掩盖起来。所以他说过“我不爱幽默”，而且说中国人没有幽默感，幽默是西方人的事，他担心幽默“将屠户的凶残，化为大家的一笑，收场大吉”。

林语堂是一个倾向于纯艺术追求的文学家，他觉得幽默的要义是用来调和人生的紧张的对峙，故而他公然声言，幽默最好不要变成讽刺，即使是社会人生讽刺也要超越具体的社会内容，不要太激烈，不要造成紧张的对抗，让对抗缓和，让冷嘲变成幽默。

鲁迅是强调幽默的社会批判性，而林语堂却强调幽默的人生怡养性。前者是严峻的战斗，后者是温和的戏谑。其实是幽默社会和人生效应的两面，可谓遥遥相对，息息相通。

十一、十万个为什么

本来我一直为中国大陆当代散文的幽默感有些悲观，比起台湾的余光中、李敖、柏杨，可真是要差好大一截子。真正幽默得起来的，除了舒婷、王小波，没有几个像样的。老作家的幽默已经是有点饥荒了，青年作家像王朔那样的又停笔了许多年。不意女儿带回来一本书叫作《47 楼 207》，一边看一边笑。我拿过来一看，端得不凡。许多平常的凡人小事，经作者孔庆东一写就妙趣横生了。比如，他写高中时，一个女同学很爱提问，一问就是打破砂锅问到底。老师已经答了，她还是要再问一个“为什么呢？”弄得她一举手老师就打哆嗦。

他形容这样的人物是“摧残人民教师的一大公害”。但是有一次，她把善于向老师发问，说成是“不耻下问”，被语文老师抓住了。老师问她向老师发问能不能叫下问，她答曰：“不能。”老师又问：“为什么呢？”她答曰：“因为老师年龄大。”老师以其人之道还治其人之身，又问下去：“为什么老师年龄大呢？”这位女同学说：“因为老是老师，所以年龄大……”就这么一直问下去，终于弄得她这个好追问的女同学，答得落花流水，语无伦次。这位孔庆东最后的一句是，从此以后，这位女同学再也不敢“迫害”语文老师。我从孔庆东身上看到了中国当代幽默散文的希望。

十二、思路灵活

要幽默得起来，要善于“多向思维”，不能满足于现成的思路、现成的结论。比如说，每一个成功的男人背后都有一个女人。这句话，被反复引用，已经变成天经地义的真理了。如果要讲一些一本正经的话，毫无保留地引用这句话是没有问题的。

但是要幽默起来就不能这样老老实实。

要设法把这种现成的、被普遍认同的道理，弄得歪一点，甚至反过来，才可能有一点幽默感。

美国华人作家吴玲瑶的散文很幽默。她常常在这类问题上做文章。

她就把这句话改成：“每一个成功的男人背后都有另外一个女人。”字面上变化不大，可在内涵上却是反语丈夫的不忠了。

这就是思路转移的妙处。

另一个华人文学家周腓力又从另外一条思路上把这句话重新说了一下：“每一个成功的男人背后都有一个差一点让他失败的女人。”这就是对太太的批评了。吴玲瑶还举出另外一个说法：“每个成功的男人背后，总有一个女人不断地告诉他，还有比他更成功的男人。”这句话的矛头就是指向厉害的太太了。

十三、反语的分寸

反语，尤其是违背现场事实的反语，很容易产生幽默的效果，但是由于反差尖锐，分寸却是不好掌握的。无伤大雅的事，即使反差再大，也不要紧；双方都很认真的事，用反语分量就可能变得很重了。

在钱锺书先生的《围城》中，方鸿渐和他所爱的唐晓芙之间发生了误会，方鸿渐解释说他是“闹着玩的”。

唐晓芙立刻插进来一句反语：“方先生人聪明，一切都逢场作戏，可是我们这些笨蛋，把开的玩笑都看得很认真。”唐小姐把自己称作笨蛋，这是与事实相反的。这种反差，在西方的幽默学中叫作“不一致”（incongruity）。

反语的特点不是一般的不一致，而是在两个极端上的不一致，因而进攻性十分强烈。

有一种反语是用来自我调侃的，其中包含着友好的意味。

明明一个近来发胖的女士走过来，她对你这样说：“近来我越发变得苗条了。”这种反语不太尖锐，因为其中没有太强的进攻性锋芒。而唐晓芙的这句话，虽然说表面上是骂自己，在现场的语境下，是把方鸿渐的歉意顶回去。这样的自称“笨蛋”就很是尖刻了。

在朋友中间运用反语的时候，最忌锋芒毕露。

十四、反语与讽刺

鲁迅先生曾经自述，说他的杂文“好用反语”，这是千真万确的。鲁迅先生杂文的反语，往往比较尖锐。例如在《记念刘和珍君》中的“中国军人的屠戮妇婴的伟绩”，明明是罪恶，而说成“伟绩”。这样鲜明的反语不胜枚举，最精彩的是《论辩的魂灵》中这样一段话：

你说甲生疮，甲是中国人，你就是说中国人生疮了。既然中国人生疮，你是中国人，就是你也生疮了。你既然也生疮，你就和甲一样。而你只说甲生疮，则竟无自知之明，你的话还有什么价值？倘你没有生疮，是说诳也。卖国贼是说诳的，所以你是卖国贼。我骂卖国贼，所以我是爱国者。爱国者的话是最有价值的，所以我的话是不错的，我的话既然不错，你就是卖国贼无疑了！

这是一组推理，但是违反了充足理由律，绝对主观武断，给人以非常可怕的罪名。表面上的层层推断和实际上的语无伦次之间构成了鲜明的对照，其荒谬和正常的理性形成强烈的反差。

实际上，对于这种逻辑的使用，已经不是一般的幽默。一般的幽默是友好的，而这种反语中包含的对如此论者毫无原宥，这已经没有任何调侃的意味在内。因而这已经是讽刺，或者叫是进攻性很强的硬幽默。

十五、黄永玉的广告词

中国文人有重义轻利的传统观念，拿作品卖钱是不光彩的。在改革开放以前，羞于讲价。到了新时期，仍然有人不了解世情，以向画家索画为荣，而不知此乃无条件剥夺画家之劳动。许多画家不好意思讲价钱，有些勇敢的就干脆来一点文字上的幽默。黄永玉是这样写的：

一、热烈欢迎各界男女老少光临舍下订购字画。保证态度和蔼可亲，服务周到。

二、价格合理，老少、城乡、洋人、土人不欺，无论题材、尺寸，均能满足供应，务必令君开心而来，乘兴而返。

这里的幽默感主要来自戏仿，仿的是旧式商店贴在门口的广告语。以艺术家的身份写这样的广告语，便有某种反讽的意味。接下去是：

书画一律现金交易……铁价无二，一言既出，驷马难追。纠缠讲价，即时照原价加一倍。再讲价者放恶狗咬之，恶脸恶语相向，驱逐出境。

这一段更为幽默，其奥妙在于，摆出了利欲熏心、盛气凌人的姿态，好像是邪恶到了极点；但是由于高度夸张，达到了超现实境界，心照不宣地传达了开玩笑的意味。好处在于戏谑性和严肃性的交织。

在这样的幽默中，商业广告的实用性被幽默的艺术性压倒了，读起来就和读冷冰冰的广告不同了。

十六、李敖的“不亦快哉”

金圣叹在《西厢记·拷艳》的批注中曾经一口气写了三十三个“不亦快哉”，在台湾先后有林语堂、梁实秋、李敖写了以“不亦快哉”为题的散文，其中李敖还不止一次地写这个题目。李敖的特点是以玩世的姿态写他的愤世之情。试举一二为例：

得天下之蠢材而骂之，不亦快哉！

仇家不分生死，不辨大小，不论首从，从国民党的老蒋到民进党的小政客、小瘪三，都聚而歼之，不亦快哉！

在浴盆里泡热水，不用手指而用脚趾开水龙头，不亦快哉！

逗小狗玩，它咬你一口，你按住它，也咬它一口，不亦快哉！

以快速放领袖万岁歌，以慢速放蒋经国演讲电影，笑不可抑，不亦快哉！

看淫书入迷，看债主入土，看丑八怪入选，看通缉犯入境，不亦快哉！

拆穿柏杨，指其忘恩负义，且为“丑陋的中国人”，不亦快哉！

李敖的幽默和柏杨有一点相同，那就是不怕丑，不怕赖，故意把自己写得很不堪（看淫书）、很顽劣（以快速和慢速放影碟）、很无聊（和小狗咬来咬去）、很散漫（用脚趾开水龙头），然而就是在这种无聊和顽皮中，显示了他在政治上和学术上的原则性和坚定性，以自己极其藐视世俗的姿态而自豪。

他的幽默属于亦庄亦谐的风格，以极庄极谐的反衬为特点。

十七、戏仿和幽默

王蒙在《黄杨树根之死》中描写一个主人公，有一段这样的话：

幸好，谢天谢地，史无前例的无产阶级“文化大革命”治好了他从娘胎里带来的文学爱好癖病。当他把他最喜欢的《家》《骆驼祥子》连同《贵族之家》《樱桃园》……投到火焰里的时候，他觉得他确实是获得了精神的大解脱，大解放。大风起兮云飞扬，大火起兮书烧光，无牵挂兮游四方，滚你文学的蛋兮……咚咚，锵！

这里的幽默来自何方？主要来自戏仿（或者叫“戏拟”）。这里最生动的句子是游戏性模仿楚辞体，就是汉高祖做了皇帝以后归故乡时吟唱的：“大风起兮云飞扬，威加海内兮归故乡，安得猛士兮守四方。”

从句式来说，几乎是同样的；但是从内容来说，是风马牛不相及的；不但不相及，而且是反差甚为强烈的。一个是帝王对于守卫疆土、国家统一的深沉忧虑，一个是小知识分子对于自己有点卑微可怜的爱好的欲罢不能、无可奈何。一方面是庄严的诗词，一方面是游戏的语言（甚至是不登大雅的骂人话“滚蛋”，还有戏曲锣鼓声“咚咚，锵”，更加强化了话语的游戏性）。

正是这二者的反差构成了不伦不类怪异感。幽默感就是从这样的反差或者对比中产生的。

十八、幽格非一默

格非是先锋小说作家，从20世纪90年代初以来，就相当引人注目。和一般先锋小说作家不同，他比较内向，在一批张扬甚至乖张的先锋作家中，他表现出少有的诚恳和朴质，在他的情节被瓦解得支离破碎的小说中，渗透着生存哲学的沉思。要调侃这样的作家是很困难的。只有在看足球的时候，他年轻人的任性和顽皮才流露出来。

他的一个密友也是一个球迷。这个球迷在上届世界杯足球赛期间，居然从成都跑到北京去住在他家里，和他一起一面过瘾地看，一面神聊海侃。

格非的妻子是个非常爱整洁的女士。这位朋友形容她的卫生标准是：出了汗就得洗澡，一天至少得洗三次。地板要拖得比狗舔得还要干净，光脚踩上去，不能感到发黏。

每逢他太太快回来的时候，格非就和这位朋友拿着拖把加紧劳动，等到她一走，他们就如释重负地回到电视机面前为各个球队的命运担忧。

据这位朋友说，格非的足球水平非常高，他能猜中欧美的著名教练排兵布阵的招数，指出意大利和巴西互罚点球时，意大利队教练在排兵布阵上所犯的致命错误。如果不是这个错误，就是意大利队，而不是巴西队获得世界冠军了。

接下去这位朋友说：“这样看来，意大利队之所以没有获得世界冠军，就是因为没有按照格非的指示办事。”

这一笔真是太神了，轻而易举地用了一手导致荒谬的办法，就把读者的想象带到了一种任性、纵情自由的境界，把幽默的品位提高了档次。

十九、杂乱无章之乐

作文要有条理，这是小学时代老师就反复要求的，从来没有一个老师说文章可以写得杂乱无章的，但是幽默文章却能以杂乱无章取胜。

以台湾诗人管管的作品《自题小传》为例：

本名管运龙，中国人、山东人、胶州人、青岛人、台北人。写诗46年，喝酒47年零23天，戒烟10年至今。骂人60多年，唱大戏49年，看女人59年，吃大蒜56年零10天，好友一大堆，仇人三个半。出诗集二册，散文四本，电影演了十多部。也得过奖，也挨过骂，统统不管。至今牙齿少了四颗，有痔一门，香港脚两只。爱睡懒觉，爱说粗话，爱穿奇装异服，爱裸体，爱拉野屎，爱艺术，爱害羞，爱禅。传说我是云南白族人，又说是满洲人，很想当贵族，又怕不好玩。

对于自传，不言而喻的共识是尽可能把自己最堂皇的事情写进去。可是管管在这里，堂皇的事情固然有之，如出版诗集之类，但是不正经的事，不登大雅之堂的事也杂七杂八地写了一大堆，不正经的文字，构成了与预期（常规）的不和谐，显得可笑；但也显出了作者的天真、放达。这二者结合起来就成了幽默，关键在于自由中表现了真诚。

二十、艾青幽默的软和硬

在诗里，艾青是一个非常温情的人，可是在生活中却不同，他的日常谈吐中充满了机智和幽默。这一点和舒婷有一点相像。舒婷在诗中柔情似水，但是在生活中嘴巴极其尖。

不同的是，舒婷的幽默以戏谑性的调皮为主，而艾青的幽默则时时见出讽刺。

早在1978年，中国作家协会在“十年浩劫”以后第一次恢复活动，组织了代表团到鞍山和大庆去访问。他那时还是个普通团员。在一个关于诗歌的座谈会上，他也只是一个普通的与会者。请他发言，他说，我这个人，是一面鼓，只要针一刺，就会“卟”的一声出气。

他幽默的话语中有很强的进攻性，使会议的组织者颇为尴尬。随着他境遇的改善，他的幽默就不再那么尖酸了。一个年轻的诗人问到他对毛泽东的评价，他对毛主席大大地赞扬了一番。正在一旁的夫人高瑛说，艾青被打成“右派”以后，九死一生，还说毛主席的好话。

艾青说，评价一个历史伟人不应该从个人恩怨出发。高瑛啊，你这么胖，就是因为你肚子里个人的恩怨积压得太多。

他这种幽默中虽然有批评高瑛的锋芒，但是用了幽默术中的歪曲因果的办法，带着明显的虚幻性，所以并不伤人，还是以软性为主的。

二十一、莫言戏写李白

李白是个大诗人，文学史上有了李白，自然有说不清的好处。但是，不管什么好事都可能变成坏事。李白纵然可以上天揽月，也逃不了这条规律的约束。这就是，一提起李白，人们的感情和趣味就不由自主地进入了同一个模式：他是天才，遭到了当时混乱腐败官僚体制的糟蹋，只能求仙问道，潇洒一番，等等。赞美和景仰的态度几乎成了所有写李白的硕士、博士论文中的基本出发点。

但是，莫言却不这样，他用戏谑的眼光来看待李白：

> 他年轻时醉心仕途，说难听点，就是个官迷，而人一旦迷上了当官，就潇洒不起来了。想当官的人，就得摧眉折腰，就得不要脸，这个问题一点也没得商量。李白写了吹捧皇帝小老婆的诗，什么“云想衣裳花想容”这样肉麻地奉承，想捞个官当当，可惜的是皇帝不买他的账。只赐他一个翰林供奉，闲人一个。于是他沉浸到酒乡里去了，装疯卖傻，借酒消愁，弄假成真，染上了酗酒的坏毛病，成了不折不扣的酒鬼。由此也就进入了潇洒的境界。那些伟大的诗篇也就写出来了。

这样的文风有一点幽默感。原因在于他不是用华美的语言来赞美李白，而是用市井小民的感觉和口语来表现李白，把他写得不怎么的。这样的李白和通常在学术论文中的李白就显出了反差，这种反差越是大，幽默就越是强烈。

二十二、从幽默上升到诗意

里根总统的幽默在美国是非常有名的，美国又是世界级超级幽默大国。但是这不等于说，中国人就在任何场合都不可能发挥出里根那样的幽默，创造出里根式的欢乐氛围来。幽默是一种即兴创造，在实际生活中也并不神秘，有时并不需要特别的才气，只要心态自然，就可以与幽默不期而遇。

有一位诗人莫非，应邀到首都师大中文系演讲。诗人讲到自己的诗作时，准备朗诵一段，但是，正好诗稿在听众那里传阅，诗人便走下台去拿。不料从台阶回到讲台的时候，趔趄了一下，跌倒了。听众哄堂大笑。

笑声虽然是友好的，但是在大庭广众之间，如果是一般人，毕竟免不了有点尴尬。但是幽默感强的诗人，却能把尴尬变成更加高级的心领神会的交流。

诗人在台阶上稳住身子以后，转向听众说："你们看，上升一个台阶是多么不容易。生活是这样，诗歌也是这样。"台下立刻爆发出热烈的掌声。

此时诗人还在台阶上，接着又说："一次成功不了，不要紧，再努力一下。"说着诗人装作用力的样子走上了讲台。

这样的幽默之所以值得称道，就是因为他不但摆脱了尴尬，而且把尴尬上升为机智和幽默，又上升到诗意。

二十三、刘半农的戏文

刘半农是个学者，在五四时期是个勇猛的闯将。其批判传统文化的文章，均以严峻见长，间或抒情有之，而幽默感则非其所长。然而在朋友交往和日常生活中，往往也有幽默之时。有一次周作人写信向他借一本俄国小说和瑞典戏剧，他的回信竟是一篇戏文，做成奏册的样子，信封上写："昭代名伶院本"。戏文如下：

（生）方六爷（周作人）啊，方六爷啊，（唱西皮慢板）你所要，借的书，我今奉上。这其间，一本是，俄国文章。那一本，瑞典国，小摊黄（按：江南称地方戏曲为摊黄）。只恨我，有了他，一直保藏。都未曾，打开来，看个端详。（白）如今你，提到他，（唱）不由得，小半农，眼泪汪汪。（白）咳，半农呀，半农呀，你真不用功也。（唱）但愿你，将他去，莫辜负了他。拜一拜，手儿呵，你就借去了吧。

这在幽默学上属于戏仿，也就是形式上的模拟，内容上的反讽。

明明是平常讲话，偏偏要模仿京戏中那种三三四的叙述调子。这种调子一步三摇、拖泥带水的节奏、腔调和生活现实中对话的简洁形成对照。谐趣由此而生。

二十四、两种自嘲

幽默之道与抒情不同，抒情往往免不了要美化自己和环境，幽默则不一定，常常不惜作某种程度的"丑化"。

幽默有自嘲之法，自嘲就是自我"丑化"。鲁迅的诗曰：

运交华盖欲何求，未敢翻身已碰头。

破帽遮颜过闹市，漏船载酒泛中流。

甚至还有“躲进小楼成一统，管他冬夏与春秋”这样的句子，把自己说得好像在逆境中很消极的样子，似乎与鲁迅的战斗精神不相符合。这是因为，鲁迅在这里用的是反语。

周作人也有过自嘲诗，最著名的有两首：

（一）

前世出家今在家，

不将袍子换袈裟。

街头终日听谈鬼，

窗下通年学画蛇。

老去无端玩骨董，

闲来随分种胡麻。

旁人若问其中意，

请到寒斋吃苦茶。

另一首：

（二）

半是儒家半释家，

光头更不著袈裟。

终年意趣窗前草，

外道生涯洞里蛇。

徒羡低头咬大蒜，

未妨拍桌拾芝麻。

谈狐说鬼寻常事，

只欠工夫吃讲茶。

表面上看，二者似乎甚为相像，仔细玩味一番，可以看出，鲁迅主要用了反语来自嘲，实际上是一种更为彻底的对抗。所以其中才有“横眉冷对千夫指，俯首甘为孺子牛”这样冷峻中带着尖锐的格言式的警句。

周作人虽然不能说没有不满，但是消极玩世的意味压倒了一切。二者毕竟不能相提并论。但是，以口语来写古典诗歌，而且是格律很严谨的律诗，一点没有扭曲口语的语义和语法，达到如此自然的程度，则是中国律诗史上很罕见的经典之作。

二十五、大言不惭

幽默不但有自嘲，而且有自夸。自夸的表现形式与自嘲相反，自嘲是自我贬低，自夸是自我颂扬。其实，二者在根本精神上是相同的，都是为了构成显而易见的荒谬，都是心照不宣的虚拟。差不多所有的幽默作家都善于作自我贬低来构成幽默感，而作自我颂扬者稀。也许是孔夫子的传统太强大，中国的幽默家很少以自夸见长的。

在自夸方面，台湾作家李敖可算是一个例外。此人是一个怪杰。他不但在思想上有特点，特立独行，敢于反潮流，真正是一个硬汉，而且在文字上也敢作惊人之语。例如，他说过五百年来，中国的文章，第一是李敖，第二是李敖，第三还是李敖。这是不是幽默的自夸呢？是不是故作大言呢？似乎是，又似乎不是。

他说得有点过分认真了，以致许多人以为他是自吹。但是，我却以为他是二者皆有之。李敖之所以弄得读者摸不着头脑，弄不清他究竟是自嘲还是自夸，这是因为他向来说话都有些夸张，有时是很认真的夸张，有时是故作玄虚的夸张。在别人看来是显而易见的荒谬，而他却是一本正经，这样就造成了读者的狐疑。这样朦胧的“幽默”也能达到沟通心灵的效果。不过，这是李敖，读者对他已经有了了解，换了别人，就不大一样了。

二十六、林语堂上课

林语堂到东吴大学法学院兼课的时候，已经是名教授了。头一天，学生们免不了诚惶诚恐地等着。好容易把他给等来了，只见他皮包鼓鼓的，学生们以为是讲义和资料，不料他不慌不忙地打开皮包，却满满都是带壳的花生。他把花生当堂分送给学生。毕竟课堂有课堂庄严的氛围，又加上名教授的威望，学生自然不敢轻易地享用，只是呆呆地望着他，不知他葫芦里卖的什么药。

林先生终于开始了。他用简洁而流畅的英语，并不讲课文，却讲起了吃花生的妙诀：

> 吃花生必须带壳，乐趣并不仅在吃花生米而且在剥壳。剥壳是一种期待，有了期待，趣味才会更浓。正等于诸位刚才期待我的到来一样。

学生们笑了。林语堂话锋一转说：

> 花生又名长生果，诸位吃了长生果，定然更有长性，一来更有长性等我，二来学习更有长性，不会逃课，则我亦三生有幸。

这时，课堂里笑得更为开怀了。

从表面上看，林语堂不过是开玩笑，实质上，林语堂的目的就是要以幽默感来打破学生在名教授面前的拘谨，缓解他们的情绪，缩短与他们之间的心理距离。

二十七、老舍的课堂幽默

老舍的作品以幽默著称，但是，并不是所有的作品都是如此。在他最著名的作品《骆驼祥子》《茶馆》中，就看不到有多少幽默。在生活中也是一样，他有非常认真的一面。1949 年以前，他曾在一些大学课堂里讲授过文学理论。他在课堂上的时候，有时是很幽默的。他幽默起来绝不嬉皮笑脸，而是相反，总是冷着面孔。

他讲到写人物要有模特儿才有性格时，说："要让读者一看就觉得像谁，至少也得让人一看就像他二哥。"

同学们笑了，他还是冷着脸，继续说："要写出典型来，就要多多加料。假若你要这个人穿马褂，写他穿一件马褂是不够的，无妨写他穿了两件马褂；不够，就写他穿三件；如果有必要，就写他穿了四件马褂也不嫌多。"

同学又笑了，他还是冷着个脸平静地往下讲。他不喜欢说笑话的人自己也笑。

这和当下一些相声演员的做法恰恰相反。其实，我国古典笑话书《半庵笑政》中早就说过：切忌"先笑不已"。我们不少有志于幽默的先生们往往把这一条忘得干干净净。

二十八、钱玄同的幽默

钱玄同在北京师大中文系讲传统的汉语音韵学，讲到开口音和闭口音的区别时，同学不甚明白，请他举一个例子，他说了一个故事：

> 北京有个唱京韵大鼓的女艺人，相貌很俊美，特别是一口洁白的牙齿，是她炫耀的资本。有一次，她因车子事故，掉了两颗门牙，又未能推脱赴宴作陪应酬，就坐在席上尽量避免开口。万不得已，答话也一概使用闭口音（也就是韵母发音嘴唇不张开的）。
>
> 有人问她："贵姓？"
>
> 她就答："姓伍。"
>
> 再问："家住哪里？"

答："保安府。"

又问："干什么工作？"

答："唱大鼓。"（以上韵母均为 u ，发音时是双唇合闭的）后来，她的牙齿修好了，再与人谈话的时候，唯恐人家看不见她漂亮的牙齿，发音就全用开口音。

人问："贵姓？"

答曰："姓李。"

又问："多大年纪？"

答曰："十七。"

再问："家在哪里？"

答曰："城西。"

最后问："干什么工作？"

答曰："唱戏。"（以上韵母均为 i ，发音时双唇是张开的）

学生大笑。

这给我一个启示，幽默感不但可以用来开心，还可以用来帮助记忆。

第四辑

笑谈人间

一、缩短心理距离

许多人被安排在会上讲话，往往幽默不起来。原因很多，其中之一是他和听众的心理距离不能缩短。

一个人被安排讲话，多多少少都有一点不一般的原因。比如说，年龄比较大，或者资历比较高，或者地位比较高，有的是客人要先讲。所有这一切，主持会议的人在开场白中，都要慎重加以强调。把讲话者的身份、地位、成就、头衔一一加以罗列。

这种客套，从主人来说，完全是出于好心；但是对于演讲者来说，却是加重压力。越是提高演讲者的地位，观众的期望值越高，对于演讲者的要求越苛刻。同样的演讲水平，期望值高的比之期望值低的，可能“得分”更低。

我看到一个来自中国台湾的老军人在演讲之前，被主持人猛猛地吹捧了一番。

他一上台的第一件事，就是把对于他的吹捧加以解构。他说：“我并没有什么，用你们的话来说，也就是曾经的残兵败将。”他这一说大家就笑了，双方的心理距离缩短了，把会场的沉闷空气打破了，空气活跃、融洽了起来，整个演讲过程中掌声不断。

二、没烧圆明园的孩子

比较一下中国和俄国讽刺暴发户的笑话故事是很有趣的。

在俄罗斯的当代民间笑话里，那些暴发户穿着时髦，连同他们的保镖都西装革履，高视阔步，不可一世，在世俗眼光中是很神气的，但是在笑话故事中却恰恰相反：

一个俄罗斯的暴发户，出了车祸，私家车被撞坏了，自己也掉了一只胳膊。他痛心疾首地嚷嚷：“我的奔驰，我的奔驰！”路人提醒他看看自己的手臂。他又大叫起来：“我的劳力士，我的劳力士！”这是说，这个“新俄罗斯人”把财产看得比自己的躯体和生命更为重要。

我们中国人也有讽刺“大款”的段子：

在一所小学的家长会上，老师对大款说：“我问你的孩子，圆明园是谁烧的，他居然答说，不知道。”孩子的父亲说：“我的孩子向来不说谎，他不承认是他烧的，就肯定不是他烧的。”孩子的母亲则说：“烧了就烧了，老师，没关系，我们包赔。”

故事讽刺大款没有文化，但是对花钱则相当阔气，与俄罗斯大款的吝啬相比，恰恰形成对照。

三、关于饥饿的幽默

中华民族，包括各少数民族，大概是都有生活得比较艰难的时期，所以在民间故事里，常常有许多关于劳苦而饥饿的故事。一般说，满足口腹之欲属于实用价值，直接表现饥饿很难有情感的超越性，达到审美境界的很少，但新疆阿凡提的故事却往往有出奇制胜的构思。

有一个故事说，阿凡提在巴依家里当长工，吃不饱，菜里连油腥都没有。阿凡提就抗议，巴依回答说：“对不起，阿凡提，给你做菜的时候总是弄错，把水当作油了。”

不久，巴依家失火了。阿凡提就提着木桶，从油缸里舀出一桶油来往火上浇去。

巴依吼叫起来，问他为什么把油往火上浇。

阿凡提说：“哎呀，老爷，我错把油当作水了。”

这个故事本来有很强的进攻性，而且是带着惩罚性的，与幽默化解矛盾的功能相悖，但是阿凡提智慧的报复在愚蠢的外部动作掩盖下，就超越了现实的进攻性。

相比起来，我们汉族类似的民间故事，在情趣的超越上要略逊一筹。有一则故事说，财主给长工开饭，为了耽误他吃饭，不让他吃得太多，总是有一搭没一搭地跟他聊天。

这一天财主跟他讲起了光绪和道光的故事，长工连忙说：“依我看，光绪（光叙）不行，还是道光（倒光）好。”说着就把菜通通倒到自己的碗里去了。

两者都是非常机智地对付财主，汉族的故事太现实了，充其量不过是多吃了一点东西而已，不及维吾尔族的超越，在情感世界里更有想象的空间。

四、骂财主的幽默

在汉族和维吾尔族的民间故事里，都有骂财主的，但是，由于民族性格、文化背景和传统不同，在趣味上就有很大的区别。相比起来，汉族的故事总是比较现实，而维吾尔族的则相对比较富于自由的情趣。

有一个长工，一天劳动下来，财主只给他吃两个剩窝窝头、一根蔫大葱和一点剩汤。他还没有来得及计较，财主倒心疼了，问他是哪里的人，小伙子回答了。财主又说，他家乡有一个人，不知他是否认识。小伙子问："是什么人？"财主说："叫饿死鬼。"长工装作没有感觉的样子，就马马虎虎地承认，自己认识这个人。财主顺口就问："这个人现在怎么啦？"长工答曰："两眼一闭死啦。"财主问："为什么好端端的就死了？"长工答曰："他劳苦一辈子，生了个忤逆儿子，成天骂他'饿死鬼'，他气得就归天了。"

在汉族文化中，说自己是对方的父亲，对方是自己的儿子，是占便宜的机智。可是在西方，就莫名其妙。在维吾尔族的故事中，人的机智就并不在这一点上。

阿凡提骑着驴，来找本城的法官，法官就大声招呼他说："欢迎你们'两位'一起光临。"

这是把阿凡提和驴说成同类了，阿凡提并不直接反驳他，只是说："我的毛驴和我纠缠个没完，要我带它出来找它的朋友，我就只好决定带它出来找您了。"这个故事不同于汉族故事之处在于：对方都是含蓄地用"两位"这个词语骂人，但阿凡提是套用对方的逻辑，暗示法官是毛驴的"朋友"，完全没有在辈分上做占便宜的文章。

五、曲里拐弯地骂人

比较骂人的幽默，可能汉族的民间故事中聪明的长工比不过维吾尔族的阿凡提。阿凡提骂财主，骂城里有钱人的故事，确实非常机智。它不像汉族的故事那样现实，它的想象相当曲折，逻辑空白留得很大。其中比较隽永的是，用骂人的语言抵抗人家的刁难。

一财主对阿凡提说："人家都说你见多识广，你说说魔鬼的脸是什么样子的？"

阿凡提回答道："你就照照镜子吧。"

这个故事的好处是骂人而没有用任何脏字眼。

阿凡提这样凶狠的机智常常不用在平常人身上，而是用来针对国王、财主和城市里的富人。

阿凡提从城市里出来，一个人问："那个城市的富人怎么样？"阿凡提说："又贪财又残暴。"

这个人就说："请注意，我就是这个城市里的有钱人。"

阿凡提笑道："大人，我是这个城市里的疯子。有些时候，我的疯病不发作，就给有钱老爷祈祷。疯病发作了，就胡说八道起来。今天是我发疯的日子，不知道为什么对您却说了实话，真是对不起。"

这样骂人的话，本来可能因为进攻性过强而失去幽默感，但由于它有着二重的逻辑曲折：第一重是疯子的话，荒谬而不能当真；第二重是疯子却讲了真话，荒谬而又意外真实。这样的曲折错位造成了多重荒谬，淡化了进攻的直接性。

六、语义保持不变

有一则故事这样说：一个士兵在阅兵典礼中正步走过检阅台。这时他的妈妈正好在观礼，她大叫起来："所有的士兵脚步都错了，只有我的儿子没有错。"显而易见，阅兵典礼要求步伐一致，而这位妈妈觉得所有的士兵都错了，恰恰暗示了，其他士兵的步伐完全一致，只有她儿子的步伐与众不同——也就是只有他一个人错了。这个故事的幽默感，产生于真正的内涵与表层字面的矛盾。

这种语义结构上的强烈转化方式是常见的，但是也有一种转化方式与此恰恰相反。表层语义看来是倒转了，但是深层的内涵恰恰是一成不变。有一个故事这样说：一天，一个县长到养猪场视察工作，县宣传站的记者拍了一张他和猪站在一起的照片，标题叫作"县长和猪"，准备发表在县里的报纸上。但是宣传站的站长觉得这样对县长似乎不太尊重，就把题目改了一下："猪和县长。"报社的编辑们觉得还是不太妥当，把题目又改了一下。第二天，照片在报纸上登了出来，题目变成了："左起第三位是县长。"

这个故事的荒谬感本来产生于把人与猪不伦不类地并列。修改的目的是要避免这种不伦不类，但是改来改去，不但其内在含义没有什么倒转，而且更加强调了一种不伦不类的并列。

七、概念的转移

有时幽默感的产生，并不一定是由于概念内涵的强烈倒转，从一个极端转向另一个极端，而是概念的内涵发生了转移。这种转移，有时是交叉，有时则是扩大，有时则是缩小。例如，有一个这样的故事：某人去某女校访友，按要求填写访客登记表。填完工作单位、地址以后，还有一栏是“与被访者的关系”，他想了一下，认真地写了“尚未发生”。

本来“发生关系”是一个很宽泛的概念，适用于商务、外交、军事、公关、人际等方面，只有在男女方面是发生性关系的含蓄雅语。这个故事中的“关系”，就通常情况来说，是指与被访问者关系的性质，而填表者加上了“发生”二字，就被确定在男女性关系上了。就字典意义来说，这样的结果是宽泛概念被缩小；就词语互相搭配来说，这样的变化是内涵从一个方面转移到另一个不宜公开的隐私的方面。这里的幽默感是双重的，一方面是词义的突然转移，一方面是不宜公开的，却主动公开地填写在访客单上了。

八、多重荒谬感

幽默的本性是含蓄的，它的深层意味是隐性的，是藏在整个故事和画面的全局的逻辑空白之中的。但是，幽默又不能太含蓄，最好的幽默不但是含蓄的，而且其荒谬感是显而易见、一目了然的。为了要使内在的荒谬感达到一目了然的程度，一般采用强化其不和谐感，使之达到荒谬程度的办法。有了一定的荒谬感还不够，一般用强化的办法增强其喜剧性。但是，强化并不是唯一的办法，还有一种可以叫作叠加的办法。例如有这样一个故事：

办公室里，老张素以机智著称，好像什么难题都难不倒他。一天，小王特别找了一个题目，来刁难他。小王说：“老张啊，你可知道世界上最惨的事是什么？”老张不知道小王什么路数。小王很得意地说：“在我看来，就是人死了，钱还没有花光。”大家都看着老张，以为老张这下子只能甘拜下风了。谁知老张愣了一会儿，随即就问：“小张啊，你知道世界上最惨的事情是什么？”小王对此没有准备，只好说不知道。老张说：“就是一个人钱花光了，还没有死。”

这个故事的幽默感之所以不同凡响，是因为这里有三重不和谐的交织：第一重交织在死和没死的对比上，人死了钱没花光，钱花光了人没死；第二重交织在人生价值的对比上，一个是极端自私，一个是世态炎凉；第三重交织在词语的对比上，人死与没死，钱花光与没花光，但是结局都一样被认为是悲惨的。多重的同而不同，不同而同，构成了丰富的幽默感。

九、切忌坐实

在一本杂志上看到一个《家庭幽默拼盘》专栏，其中有一篇文章，叫作《婚前婚后》，其中包括二十条婚前与婚后的对比，其中的差别甚为惊人。有的确有幽默感，比如这样的："结婚前男人眼中只装得下未婚妻；结婚后，男人视野开阔，能装得下所有的漂亮女人。"又如："结婚前男人领着女人上饭馆，逛风景区；结婚后，男人领着女人在家里吃饭，在沙发上看电视，在床上打呼噜。"这些句子有某种格言的内容，但又不是格言，因为它不那么现实。正是因为不太现实，所以它才幽默。幽默是一种假定的精神自由，没有了这种假定性，幽默就缺乏生命的源泉了。例如有这样的句子："结婚前，男人有时间就想找没有人的地方陪女人；结婚后，男人有时间就想找人多的地方陪任何人。"这就显得很不精彩。因为它虽然有一点夸张，但还是太现实了。虽然有明显的对比，但是没有达到产生荒谬感的程度，因而也就没有幽默所特有的精神从现实生活中解放出来的自由。这样的例子很多，例如："结婚前，女人不说话，男人就低三下四地哄她开口；结婚后，女人一开口，男人就横眉立目地叫她'闭嘴！'"这样的对比太实在，好像揭示了一种矛盾的现象，而不是在想象的精神境界做自由的遨游，因而就幽默不起来。

十、循环论证

小时候，在自然课上，学到向日葵朝着太阳转是因为它有"向日性"。

许多同学都以在填充题上填上这三个字为满足，可是对于我这样一个好钻牛角尖的学生来说，这三个字反而让我满心狐疑。

我问老师，向日葵为什么有"向日性"?

老师说，你不是经常看到向日葵总是向着太阳转吗?

我还是莫名其妙，求知欲得不到满足，又弄不清是什么道理。

直到大学一年级，学了逻辑学，才知道这种论证在方法上犯了循环论证的错误。在科学论证中，循环论证是不允许的。人家问你什么是东方时说是西方的反面，而当人家问你什么是西方的时候，你又说就是东方的反面。这是不合逻辑的。

但是在社交谈吐中，循环论证却是构成幽默的一个重要法门。有一则日本酸奶的广告说：甜而酸的酸奶有如初恋的味道。

这个广告词写得极富创造性。

有一个新闻记者问道：如果有一个小孩子再问什么是酸奶的味道，该怎么回答呢？

公司的经理说：初恋的味道就像酸奶的味道。

在理性思维中，在科学上，这是典型的循环论证。循环论证之所以要不得，就是因为论证要求作出解释，而循环论证却是什么也没有说。在幽默中，虽然什么也没有说，但是却使本来相峙的情感，在会心的微笑中沟通了。

十一、装聋作哑

并不是所有的人都能幽默得起来，也并不是所有具有幽默感的人在任何时候，都能幽默得起来。原因很多，但是最重要的原因就是：实用理性思维强大优势的压抑。我们已经习惯于不容忍不符合现成规矩的行为和观念了。

如果你是一个女性，住在旅馆中，当你正在穿内衣、内裤的时候，突然一个男性的服务员进来了，你当然可以大发雷霆，但是事情已经发生了，大发雷霆又于事何补呢？

如果你想在这种尴尬的情况下表现出自己的幽默感，就要超脱到把日常规矩忘掉。你可以从从容容把衣服穿好，然后平静地装聋作哑，作恍然大悟的样子说：“我的视力真是越来越差了，原来以为你是一位美丽的女郎。”

当人们的尊严受到侵犯的时候，最容易为失去尊严而激怒，而激怒的结果并不一定能使自己的尊严恢复，很可能是在自己的情绪爆发中失去人的修养和尊严。

幽默之难，难在日常习惯了的反应是自动化的，而幽默却要把心理学称为“定势”的惯性轻松愉快地丢在一边。

十二、翻译和喷嚏

朋友问我，如果在商务谈判中，外国商人打了一个喷嚏，翻译小姐跟着也打了一个喷嚏，这时作为参与谈判的中国经理应该如何对待。

我说：“中方经理应该这样说，这位外国朋友所发出的声音我已经听懂了，翻译小姐似乎不用翻译了。”

一本正经是幽默不起来的，关键是要有勇气和机智把事实加以适当的歪曲。在这里主要的技巧就是把不是语言的喷嚏歪曲成语言，把谈不上是翻译的，歪曲成似乎是翻译。

这个故事引起了朋友的另一个故事：

一帮农民在看法国电影，片中一只牛在叫。一个农民大为感慨："原来法国牛和中国牛叫起来是一样的。"在他一边的一个聪明人纠正他说："你胡说什么？这是译制片，每一句话都是经过翻译的。"

这也是一种歪曲，但是和上面那个故事的歪曲不同。

上面那种歪曲是有意的，有意的歪曲是调侃他人的；而下面这种歪曲，故事中说话的人是无意的，但是说故事的人却知道读者对于这个人的荒谬是心照不宣的，因而是用来调侃故事中的人物的。

这就是阿 Q 之所以毫无幽默感，而鲁迅却是幽默大师的原因。

十三、姓名幽默法

和陌生人相见，除非是很有交际能力的人，否则总免不了有一点拘束。这时地位比较高的一方，就有责任来缓和紧张情绪。毛泽东在这方面留下了许多事例，很能引人深思。

他兴致比较好的时候，逢到接见一些神经紧张的下级官员，为了免除他们的紧张，就拿他们的姓名来开个玩笑。比如，来者是个姓吴的，他就说："你们那个国家早已灭亡了。"他说的是春秋战国时代的吴国早已不存在了。这不但表现了他的随和，而且表现了他的博学。

这样的幽默同样可以适用于姓陈的、姓郑的、姓赵的、姓殷的，凡是与中国古代灭亡国家有关系的姓氏一概都可以灵活地运用。

当然也不一定完全用在姓氏上，也可以用在单位名称上。如果身边有晋江人，可以学着晋江人的口音说："我们是福建师范（稀饭）大学，是吃稀饭的。"这是自我贬低的办法，同时又有讽喻晋江人普通话讲得不好的意味。还可以用故作大言的办法说："别小看我们福建师大这个名字，师大，师大，倒过来就是大师，我们那里是出大师的。"

十四、夸张和幽默

如果不嫌简单化的话，可以这样说，要幽默其实也不太难，只要把话说得夸张一些就是了。

但是一般的抒情也是夸张的。比如，形容美人是沉鱼落雁、羞花闭月，白居易写唐明皇第一眼看到杨贵妃："回眸一笑百媚生，六宫粉黛无颜色。"这都是很夸张的，可是这绝对不能算是幽默，因为这样夸张的效果是美化，没有任何怪异的色彩。如果夸张达到了怪诞的程度，就有某种幽默，至少是滑稽的意味了。

比如，一个女人笑了，如果你要给读者一种抒情的感觉，就来一点美化，如，这个人笑得像苹果，不过比苹果多了两个酒窝。如果要给人一点滑稽的感觉，你就不能给他任何美化的、诗意的联想，而是要创造一种荒谬的感觉。比如：她一笑就露出三十二颗金牙。如果是一个男人，就可以这样说，他一看见比较水灵的女孩子，五官就七上八下地乱动。这就有一点滑稽了。

福建省三明市的原所在地三元县是很小的，小到什么程度呢？有一首民歌是这样夸张地形容的："城里磨豆腐，城外听得见。"这是夸张其小，并没有荒谬感，因而其中并没有幽默感。

同样是形容地方小，如果夸张得怪诞一些，就有了不同的效果。舒婷的散文写到她们当年下放到农村男女知青住的地方："当中只隔一层板壁，这边放个屁，那边能熏死一大片蚊子。"

二者效果不同，是磨豆腐和放屁所引起的联想分属不同的性质。

放屁的荒谬感很强，而磨豆腐却是寻常的感觉。

十五、关于"香炉"的荤比喻

最近台湾的报刊上出现了著名女作家李昂的小说《北港香炉人人插》，颇为轰动。不久就听说引来了反嘲："鹿岛香炉没人插"。

这之间的恩怨，我并不关心，只是从幽默学的角度来看，第一个"香炉"的比喻，似乎粗俗了一些，可能上不了幽默的档次。其原因倒也不在于它太荤。关键在于它的进攻性太强。幽默的要义是缓解矛盾，就是在互相对峙的心理状态中，最上乘的幽默能把进攻转化为对方的微笑，让对方的思绪进入自己所预设的逻辑空白中，享受到顿悟之乐。

凶狠的辱骂是不能列入幽默之列的。

第二个香炉的暗喻，比之第一个，缺点仍然是太露骨的进攻，而且是直线式的反击，但是多多少少有一点歪理歪推的机智，在形式上就与幽默擦了一点边。

虽然从内容上看，这样的牙眼相还与幽默在一般情况下是无缘的。

但是在这里，似乎有一点例外。这在幽默学上，很令人深思。

十六、在天堂门口

幽默地骂人，可以是轻描淡写的，也可以是比较狠的，但越是狠毒，越要含蓄，也就是要有比较曲折的逻辑，留下的逻辑空白还要比较大。

下面这个故事，可以成为一个公式——用来骂你讨厌的人。一位律师和一位妓女来到了天堂门口。如果你要骂律师，就说，这时，天堂门口人潮汹涌，排起了长龙。人人唯恐进不了天堂，就要下地狱，在油锅里受煎熬。把守天堂的门卫，让律师先进去了，却让妓女在门口等待。

妓女未免大动肝火，说为什么在阳世就是这些律师欺压我们，到了天堂门口还不讲平等。这时，你就可以要怎样骂就怎样骂了。比如，让把守天堂的这样说："正因为妓女在人间受压迫，所以天堂里面妓女多的是；而律师，在人间，吃了原告吃被告，只要有钱，连屠夫都可以变成圣徒。按道理，连一个都不让他们进，这次进一个，是为了生态平衡，否则他们就要种族绝灭了。"

十七、把自己也摆进去

一位领导来到他的办公室，如果看到自己的办公桌上乱七八糟，一定很恼火。这时，他若是一本正经地把秘书小姐训斥一通，按常理说，也不是不可以；命令秘书把办公桌弄得井井有条，是立竿见影的，但是也可能造成某种过分的神经紧张，对于领导和下属之间的关系是不利的。这时，幽默就有用武之地了。

领导最重要的是首先把心情放松一下，才有可能幽默起来。

这时他有两种选择。

一种是分量比较重的，比如这样说："我希望你们的思想不要也像这张办公桌这样杂乱无章。"这样空气就可能变得紧张起来。

换一个办法，可以把空气弄得缓和一些，就是把自己也摆进去："但愿'我们'的思想不要也像这张办公桌一样杂乱无章就好了。"

这样，他下属精神上减少许多压力。即使这样，在他的这种幽默中多多少少还是有不大不小的进攻性，他的下属难免变得小心谨慎，办公桌从此永远一尘不染。

为了缓和一下气氛，他可以再来幽默一下：

希望我们的头脑不要像这张办公桌一样老是空荡荡的。

十八、让它被风噎死

对于足球，中国人差不多都有某种糟心的感觉，这种感觉在看完世界杯足球赛之后就更加厉害了，但是它多少被日本和韩国队的全军覆没冲淡了。

最近一家报纸上有一篇文章，谈到欧美队的时候还比较超脱、轻松，嬉笑怒骂，妙趣横生。这种趣味中多多少少带着某种甜味。他说意大利队老是装出一副窝囊废的样子，打不还手，骂不还口。就是赢球，你也得憋气。这无异于自虐。他说英格兰队是个长不大的孩子，老是被人算计，但也因此招人喜欢。阿根廷队，在他看来，则是一群混混和一群天才组合成的大杂烩，他们不仅带来美妙的足球艺术，而且带来各种下三烂的伎俩。

文章在谈到亚洲队的时候，就带着酸味了。说到日本队，他认为几乎所有的中国人都在诅咒它，希望它被树叶砸死，被风噎死，它的任何挫折都会引起一阵喝彩。

应该说，这说得最精彩。树叶是砸不死人的，风也噎不死人。这不但调侃了运气很坏的日本队，也调侃了两国既有的民族积怨。

十九、傻儿子

中国没资格参加世界杯足球赛，感觉够惨的了；幸而日本队、韩国队都失败了，中国人多少有一点幸灾乐祸的自慰。

虽然事情是不能“如果”的，但我还是要如果两下：

“如果”进行民意测验，恐怕绝大多数的中国人都是倾向于：与其让日本、韩国出风头，不如让伊朗、沙特队去出风头。

“如果”这回世界冠军不是让法国得手，而是被日本弄到，中国的大众传媒，“如果”出于礼貌，向日本发出祝贺，都可能引发众怒。

至于自己家里那个不争气的孩子——国家足球队，真是一块豆腐掉在了灰堆里，吹也吹不得，打也打不得。能把这种窝心的感觉表达出来，也许并不需要天才，而是要有一点幽默。

有一个真正的球迷这样形容：

> 足球是中国人的一块心病。就像一户穷人家，近年来家境渐渐富裕了，但是养了一个傻儿子，真不让人省心。吃好喝好，没委屈过他，但他从来没有干人事儿。哄他吧，他冲你傻笑；说他吧，他智商低；骂他吧，他流鼻涕；打他吧，他还真敢跟你犯浑。唉，前世作的孽啊。

这种幽默自然属于自我调侃之列，没有常见的自我安慰，也没有常见的自我贬低，而是一味地自怨自艾，把自己说得十分可怜，而且无可奈何。

败兴的事就变得有一点趣味了。

二十、超越现实

如果你和一个世界冠军一起去参加世界射击锦标赛，如果她是一个很受国人爱戴的女选手，全国的观众都希望她能发挥出水平，争得许多金牌。如果（又是如果）她在开始发挥得很好，已经为国家队争得了一枚金牌；如果在后来和另一个国家的选手打成平局以后，进入加赛，本来该打两枪；如果她在做准备动作的时候，手枪走火，而失去了最后竞赛的资格。如果这时你向她走去，你应该如何向她说话呢？

这不是纯粹的虚构，这是 1998 年世界射击锦标赛上发生的真人真事。女运动员张山还没有从手枪走火的失落中解脱出来，领队刘伟立刻把自己的精神解放了出来，他对张山说："首先，恭喜你为国家争得一项冠军；其次，感谢你为国家节省了一粒子弹。"本来一粒子弹微不足道，和一个世界冠军的民族荣誉在分量上是不可比拟的，但以这种逻辑，说："说真的，要是今天再拿一个冠军，那明年比赛，要超越自己都没有信心了。"

在遭受挫折的时候，要幽默得起来，借助超越现实的无类比附把自己和对方从挫折中解脱出来是常用的方法。

二十一、内心美容

不管多么昂贵的时装，也只能美化外表，而难以美化其内在的心灵。幽默感自然也能美化人，如果和化妆相比，最大的好处是廉价，不花一分钱，却可以使人显出内在的高雅气质。在当今化妆品和时装日见高档的潮流下，出现了许多服装设计大师，却忽略了幽默感是内在心灵的美容大师。

在一个朋友的聚会上，东道主在招呼客人时，不小心碰翻了一个脸盆，一盆水通通都洒到了女宾穿着新鞋的脚上。东道主自然非常尴尬，不知如何是好。整个聚会的欢乐气氛都因这样失礼的举动而被破坏。

这时，主人手忙脚乱地寻求补救，气氛仍然有点僵。好在这位女客很有幽默感。她轻轻一笑说：

一般的程序是先脱鞋，后洗脚，而今天倒是先洗脚，后脱鞋了。

她这么一说，大家立刻哄堂大笑，整个聚会的欢乐气氛又恢复了。

这是因为她用虚拟的洗脚代替了现实的冒犯。进入了这个虚幻的境界，人的情感就超越了现实的利害和礼仪了。

弄脏的鞋子当然有损美观，但幽默却使得她的胸襟宽广和善解人意充分表现在大庭广众之下。这比之高档的皮鞋来说，显得更为美丽。

二十二、说错话以后

在正式的、庄重的场合说错话，是一件很糟糕的事，尤其是一些影星、歌星和电视节目主持人之类的人物。这时，就需要一点急智来加以弥补。

中央电视台的一个颇有名气的女主持人袁鸣，在海口主持一个京剧团建团庆典。她介绍光临庆典的来宾说："海南师范学院的南新燕小姐。"

不料座中慢吞吞地站起来一位头发早已花白的老人。全场哗然。

袁鸣立刻施展出自己的机智，接着说：

你的名字太有诗意了，它使我想起了"旧时王谢堂前燕，飞入寻常百姓家"的美妙画图。今天这里出现了类似的情境。作为清末宫廷艺术，京剧一度流行于北方，而今它飞越琼州海峡，在这里安家落户。所以它和你一样是名副其实的飞向南方的新燕。

全场报之以热烈的掌声。

在陷于被动时，要化被动为主动，一本正经地道歉不如讲一些牵强附会的歪理。这时敢不敢讲歪理，对于主持人就成了考验。

二十三、倒霉糖葫芦串

一家幽默刊物上，出现了一个征稿栏目，叫作"倒霉糖葫芦串"。这个题目出得很有才气。征文的题旨是：倒霉的事不能是单个的，而是一连串的。

一位西安的应征者，为此作了一则幽默故事：

吃饭吃出了一只苍蝇，够倒霉的吧？更倒霉的是，这只苍蝇只有肚子而没有脑袋。更倒霉的是，这事发生在丈母娘家饭桌上。

这个故事的思路符合幽默强化荒谬的逻辑。够倒霉的，从另一思路来说，还是不够倒霉。这则故事有一个地方比较含蓄，这只苍蝇只有肚子，而没有脑袋。可见这只苍蝇的脑袋已经被他老兄吃下去了。

郑州的一位读者的故事是：

当月工资被扣了120元，够倒霉的了，更倒霉的是，回家的路上又被贼哥偷走了400元。

此则故事，甚为俗气，不过就是说，自己经济上有一连串的损失罢了。

一位济南的读者说的故事是：

骑自行车撞了人，够倒霉了吧？更倒霉的是，被撞的那位是一个老太太。更更倒霉的是，那位老太太是前任女朋友的妈妈。

这一则显然比之前一则稍佳，因为实用价值的损失转化成为精神上的尴尬。

最后一则来自昆明：

上班迟到，开会发现材料忘记带来。回家后发现，已经被母亲当垃圾处理了。

这一则最为不济。严格说来，这几则都缺乏真正的幽默感。原因是，虽然倒霉的事层层加码，但思路是一贯的。

如果能像契诃夫那样，你以为自己口袋里的钱被偷了是倒霉吗？

你应该为自己家里没有失火而高兴。把倒霉转化为庆幸，这才在逻辑上怪异起来，才能与隽永的幽默有缘。

二十四、偷换小偷的概念

幽默是一种奇异的逻辑思维，按正常逻辑是不可能产生幽默的。这种逻辑之异，就异在它不是正面、通常的角度，而往往是从反面去展开逻辑的推演的。比如这样描写小偷：

小偷是一类靠自己的手艺混饭吃的人。小偷没有一个是近视眼，否则他们可能偷回来几张废报纸和手纸。小偷是世界上最不敢炫耀自己职业的人，只敢对着偷来的货币自我欣赏。警察是小偷的救命恩人，小偷一旦成为过街老鼠，遭到毒打，这时他们就可能不顾一切地扑向警察，并且连呼救命。

所有这一切都有点幽默，这是因为在逻辑上都超越了通常的思路。

这种逻辑的特点之一就是偷换概念。说小偷是“靠自己的手艺”混饭吃的人，这里“手艺”的概念不是通常的手工技艺，而是用手来窃取的熟练性。至于把小偷说成一种“职业”，则更是偷换了职业的原本概念，因为小偷从根本上来说与职业这样光明正大的意义恰恰相悖。这种在同一概念中错位的内涵，构成了不和谐，就是幽默的笑的心理基础。

最为幽默的是把警察说成是小偷的“救命恩人”，与通常的警察的职能更是反差强烈。反差越是大，幽默感就越是强烈。

不够幽默的是，说小偷都不是近视眼，否则偷来的都是废报纸和手纸，其实光说偷来的是手纸就够了。

二十五、讽刺和自嘲

某当红主持人以主持春节晚会和正大综艺而出名，后来有点不满足于当一个报幕员式的泡沫明星，以自己的名字弄了一档访谈节目，结果引来各方面的激烈批评，原因就在于她往往在自己没有研究的领域随便发议论。比如，她把中国当代最著名的漫画家都请到了演播厅，和他们谈漫画的特点，结果漏洞一大堆。

本来，她很恰当地介绍了华君武的漫画《决心》。

这是一组四幅连环漫画：第一幅、第二幅是表现主人公决心戒烟，把烟斗从楼上扔了下去；第三幅是后悔了，立刻往楼下跑；第四幅是到了楼下，正好把烟斗接个正着。

她问了华君武，得到了肯定的回答，说是有自嘲的性质。

可是接下来她作总结的时候又说漫画是“匕首和投‘刀’（应该是投枪）”。这涉及幽默根本的理论问题：它是不能有太强的伤害性的。有了某种伤害性，后果严重了，幽默可能变成了讽刺。倪萍没有很好地把握这幅漫画的精髓——这个主人公虽然意志不坚决，很可笑，但是又很可爱。他一时的决心是真实的，意志不坚定是天真的。画家在调侃他的同时，对他抱着同情的态度。这是幽默，它与讽刺（匕首和投枪）属于不同的范畴。

二十六、灰色幽默

幽默实在是多种多样，用一种或者几种定义去规范它，无疑是作茧自缚。我看到一个中学生的日记。他的成绩不是太好，受到的压力非常大。他活泼的天性和所受到的压力之间，时常发生冲突。他的日记中就时常流露出来这种无可奈何的矛盾，在不得解脱的痛苦中自得其乐。

其中有这样一段：

我真的快乐吗？好像是的。怎么个快乐法呢？ 我不知道。脸上有笑容吗？可是我在伤心的时候，也会笑。一个人快乐吗？有时是一个人自得其乐，有时一个人反而更苦。我疯狂不疯狂？偶尔，偶尔。快乐的时候的表现是什么呢？摇摇摆摆。有没有吃错药？应该没有。伤害别人时快乐吗？绝对没有。替别人快乐吗？常常，也许……

我很惊叹这位中学生的才气，他把在考试的沉重压力下多少有点变态的心灵表现得如此的淋漓："我在伤心的时候，也会笑。"为了竞争，为了父母的期望，为了进入大学，他读书读到有一种"疯狂""吃错药"的感觉。他已经弄不清自己有没有快乐了。即使快乐了，他也说不出快乐的滋味，只是觉得可以摇摇摆摆一番。

他本无心幽默，但是他却轻而易举地有了一种灰色的幽默感。

二十七、幽默和格言

接到一份图书广告，其中有对于一本叫作《化装舞会》的幽默格言集的宣传："我社副编审 ××× 先生，致力于幽默哲理文学的创作。1992 年出版了《幽默精华》等，均在短期内销售一空。目前这本《化装舞会》，收录了作者近 10 年创作的幽默哲理诗及幽默格言。需要的读者可汇款。"

对于广告宣传的图书，而且是幽默的，我几乎每见必掏腰包。不过，该书附有样例数则，看来准是作者的得意之作。例如《化装舞会》一则曰：

化妆，快一点化妆

化妆得怪模怪样

奇怪，有什么奇怪

牛头马面舞起来

凭良心说，看到这里，还没有感到一点幽默的影子；但是，闽南人俗话说好料沉底，也许，这些都是铺垫，真正的幽默在后面。果然，下面有一点沾边的样子了：

善良，让我们善良

你装兔子我装羊

疯狂，让我们疯狂

又有狮子又有狼

很可惜，沾边的幽默擦边如流星而去。幽默要求不和谐，甚至是荒谬。而这里本来不是没有荒谬，可是被作者轻轻放过了。如果把兔子和羊的那句改成这样：

善良，让我们善良

你是兔子我是狼

疯狂，让我们疯狂

你是小鸡我是黄鼠狼

这样不论是善良还是疯狂的概念就很荒谬了，也就幽默了。由此我断定这位自称修炼了 10 年幽默之道的人，连幽默的门都没有摸着。书是绝对不买了，时间和钞票都暂时省着。

二十八、真实的谎言

在一本杂志上看到一个颇有意思的栏目，叫作《真实的谎言》，其中有一则是这样的：

大嫂半老徐娘，近来热衷于美容，颇有成效。以至于他长久不见她，突然见到，竟然把她的女儿和她给搞混了。一打听，原来是大嫂用了一种美容皂。广告上说：其功效是："今年 20 岁，明年 18 岁。"

还有一则幽默专栏上的文章是这样的：

小妹长得不算美，可和嫦娥、西施一块参加选美，却得了个第一。她春天去花园，鲜花见她一来就打蔫；秋天去海滨，美人鱼气得都翻了白肚皮。若问小妹为什么。答曰："用了 ×× 美容霜。"

这一切显然是对一些虚假、夸张不实的化妆品广告的讽喻，本意是要给人幽默之感的。但是，对文章前部悬念的回答，不能构成预期的失落。这是因为，前面作酝酿的悬念不太真实，缺乏可信度，引不起读者强烈的关切；后面的答案，又无法把前面明显虚拟的悬念化为超现实的调侃，不论是悬念还是解答都太坐实了。

相比起来下面这一则比较好一点：

鄙人现任陪酒公司总经理。此职的优越性有诗为证："天生是个饮酒肚，一年喝干西子湖。"

还有一则说：

大哥被评为超级作家，起因是他喝多走转了向，酒醒了之后就写了一部《醉游记》。

这个故事把好好的题材糟蹋了。应该这样写：

大哥最近被命名为“中国西游记以后第一伟大作家”。起因是他喝醉了以后，闯了车祸，被公安局叫去，作了长达数万的笔录。此笔录经他反复修改，命名为“醉游记”，竟成了畅销书。

第五辑

政治家的急智

一、德国将军和毛泽东（存目）

二、歪拆姓名（存目）

三、歪解姓名和哲理（存目）

四、俚俗和深刻（存目）

五、风趣与率真（存目）

六、朱镕基的幽默（存目）

七、自嘲和抒情（存目）

八、幽默和雄辩

政治家在受到反对派攻击的时候，有两种回应选择：一种是幽默，一种是雄辩。

20 世纪 60 年代美国总统肯尼迪在提名的时候，他年纪比较轻，那孩子般的外貌（他当年 43 岁），成了反对派攻击的口实。有一个 78 岁的众议员头面人物说他“乳臭未干”。肯尼迪回答说：“在一个 78 岁的老人看来，全美国大部分的人都太年轻。”这种回答，虽然有某种攻击性，但是不太强烈，所以还没有达到明显讽刺的程度。其妙处是，他没有正面牙眼相还，而是把对方提出的问题换了一个视角，从反面说对方已经老朽。

这转换思路之妙，就包含着从一方面回避，另一方面进攻的顿悟。

这是幽默的特点。

后来又有人在国会的演说中针对他说：“我们需要一个极其成熟的总统。”肯尼迪回答说：

> 如果年龄被认为是成熟的标准的话，那么美国将放弃对 44 岁以下的所有的人的信任。这种排斥可能阻止杰弗逊起草《独立宣言》、华盛顿指挥作战、哥伦布发现新大陆。

这种回答是针锋相对的，一点不幽默，但是很有说服力。所举的名人，都在 44 岁以下，但都毫无疑义地对美国历史和世界历史作出了伟大的贡献。这种论辩方法属于雄辩。

九、从未用过的心脏

在一般情况下，说说俏皮话，在语言上幽默一番，是比较容易的；但是要把所要讽喻的对象，用编故事的形式来调侃一下，就不那么容易了。这种幽默法门千变万化，最根本的是一个：故事要有戏剧性的对转。在对转的关头，要做到三点：一是把本来好像毫无关系的事一下拉到了一起；二是为本来荒谬的结果找到一个非常巧合的原因；三是这个原因有双重的含义，表面上的含义与实质上的含义恰恰相反。

美国民主党总统约翰逊嘲笑他的共和党政敌没有心肝，从来不动脑筋，就编了一个故事说：

> 一个老头子需要做心脏移植手术，有三个心脏可以选择。一个是 18 岁的运动员的；一个是 19 岁的舞蹈家的；一个是 75 岁的银行家的。这个病人就问这个银行家是

属于哪一个政党的，答曰：共和党的。这位病人说，我要选择这位共和党银行家的。人们问他为什么不选年轻人的，而要选一个 75 岁老头子的。他说："我要选择一个从来没有使用过的心脏。"

留在逻辑空白中的意思是不言而喻的：共和党人的心脏是从来没有用过的。这个故事的艺术性就在作了许多铺垫之后，终于在一个表面上看来是顺理成章的逻辑过程中，把自己的情绪性的判断强加到了共和党人头上。

十、化敌为友

幽默与仇恨不相容，仇恨是一种非常激烈的对抗情绪，其极端是致对方于狼狈的地步而后快；而幽默则是一种友好的情感，即使是对立、愤怒，都要化解的。

中国民间传统观念中复仇的观念是很强烈的，所谓"君子报仇，十年不晚"。这在严酷的压迫中，自然有它的合理性；但是在外交、商务活动中，乃至在一些特殊的人际交往中，这种武侠小说式的情绪积怨，不利于在复杂的社会生活中调节人际关系。在僵持的形势下不留有余地，是不利的。

一般说，政治家在这方面特别需要放得开。美国第七任总统安德鲁·杰克逊曾经同本顿决斗过，本顿一枪击中了他，子弹留在他手臂里二十年。等到医生为他把子弹取出来的时候，他已经是美国总统，而本顿也成了他热烈的支持者。

杰克逊很幽默地提议：把子弹还给本顿。

这样的幽默对于本顿，是一个严峻的考验。如果他接受了，这颗子弹上所携带着的信息，不论是对于旁人，还是对于他自己，都是有些尴尬的。

他以幽默对幽默，说："我的财产被你保管了二十年，产权已经发生了转移，所有权应该是你的了。"

而杰克逊却说："只有十九年，产权还来不及变化。"

本顿说："鉴于你如此长期、有效地保护，我放弃这一年。"

本顿的幽默奥秘在于：把仇恨的子弹从概念上偷换成"财产"，并且还衍生出"保管""转移"这样的法律话语来。

十一、无类比附

美国国务卿奥尔布莱特，在出任联合国大使期间，被外交界戏称为“铁娘子”“最难纠缠的角色”，但是她在许多正式场合，都忘不了表现一下她那种让对方放松的幽默。

她上任的第一天，发表就职演说的时候，一改词锋犀利的风格，以幽默的语气说：

大家一看我，就知道我跟克里斯多弗（按：前任国务卿）不一样，因为他是男人而我是女人。

这句话说了等于没有说，因为大家对于她所说的“不一样”的期待，是在政策上的区别，而她却扯到了不言而喻的性别上去。这在幽默学可以归入故作蠢言之列。

接下来，她又说：“我做女人已经六十年，而做国务卿还是人生第一遭。”这还是属于故作蠢言的废话。之所以幽默，是由于用了一个违反逻辑的无类比附的手法，把做无法自由选择的女性和被总统委以重任混为一谈。

幽默感就是在这种不伦不类的比附中强化了。

十二、当众跌跤之后

当众跌跤是煞风景的；如果伤得太惨，是很难引起笑声的。如果拿这个做题目开玩笑，就有伤大雅了。但是，不等于说不可以被作为幽默的材料。如果当事人作自我调侃，能表现出特别高雅的风度。里根甚至在自己遭到暗杀，受了伤以后，仍然能够拿自己开玩笑说“我本来以为是来得及躲过子弹的”，表明了他的心态特别宽松。在危险严重的情况下，还能够拿自己开玩笑，会把整个严重、紧张的气氛改变。如果受到伤害的不是自己，而是自己的亲人或者关系特别密切的人，所受的伤又不太严重，也可以拿来开开玩笑。就是在公开场合下，也不例外。关系越是亲密，自由度越是高。

有一次，里根在白宫的钢琴演奏会上演讲时，夫人南希一不小心，连人带椅子跌落在台下地毯上。观众发出惊叫，但是南希却灵活地爬起来，在两百多名来宾的热烈掌声中回到自己的座位上。正在讲话的里根看到夫人并没有受伤，便插进了一句俏皮话：“亲爱的，我告诉过你，唯有我没有获得掌声的时候，你才应该这样表演。”这一幽默的好处在于，他既调侃了自己的夫人，又表现了他们之间的亲密无间。其功能主要在于：能创造一种和谐融洽的公众氛围。

十三、总统被认错以后

在英国女王的宴会上，一位英国女士吉丽安把他当成了过去的一位朋友，和他文不对题地大聊特聊起来。

里根自我介绍说："对不起，我是罗纳德·里根，美国现任总统里根。"

这位女士很是窘迫了一番，后来给里根写了一封致歉的信。里根在回信中表现出他一贯的幽默：

女士，你是一个大大的好人。我的母亲多次告诫我，长大以后不要当名人。如今经你帮忙，终于做到了这一点。为了纪念这个难得的会面，我附寄一份小礼物给你。

这个"小礼物"是里根和他的一条狗在一起的合影。照片上写道：

我很高兴认识你。我是右边那一位，注意别搞错了。

里根的言外之意：左边是狗，不要把我当成了狗。这样的幽默属于自我调侃之列。以美国总统之尊，对于一度不认识他的人，居然感谢对方让自己变为不是名人，而且提醒她不要把自己和狗混淆了。

可见幽默感如何使人胸襟开阔。

十四、怎样劝孩子用功

如果给一个总统出一道题目：如何有效地让孩子用功？恐怕十之八九是要交白卷的。美国总统吉米·卡特却在一个场合，以他的幽默表现了循循善诱的出色才能。

有一个美国小学生写了如下一封信给卡特：

亲爱的总统吉米·卡特：

你是喜欢现在这个差事，还是喜欢经营花生呢？我想知道你的真心话。

您的公民路易斯·M

小孩子的信写得很认真，完全不是开玩笑。他很天真地提出了问题，可是，总统却不能天真地回答，也不能完全以开玩笑的语言作答。但是，真要一本正经地回答，就非大煞风景不可。美国人是不喜欢这样一本正经的总统的。

卡特的答复正好在正经与诙谐之间：

亲爱的路易斯：

我既不喜欢现在这个差事——太忙，又不喜欢经营花生——太累。

我只想和你一样，打雪仗，拾贝壳，然后在妈妈的关怀下复习功课。

爱你的吉米·卡特

应该说卡特这封信写得很得体，既不失幽默，又规劝了孩子。可以说是达到了中国人所说的“亦庄亦谐”的境界。

十五、夸张自己的失败

人有一种天然的倾向：在说话时，总是千方百计掩饰自己的弱点；在为文时，有意回避自己的短处，有一个好听的说法，叫作“藏拙”。在社交场合中，事前化妆，也离不开藏拙：秃顶的，千方百计地把两边头发往当中汇拢，实行“地方支持中央”；个子矮的男士，鞋跟力争和女士的高跟鞋比美。总的精神无非是把难看的部位挡住，突出鲜丽的地方。

在人际交往中道理也一样，力求给人以良好的印象，很少有人公然把自己的弱点袒露在大庭广众之间，但是在特殊的情况下，也有例外。

史蒂文森两次参加总统竞选，都败给了对手艾森豪威尔。第一次竞选失败以后，面对蜂拥而至的采访记者，他并没有掩饰他的失败，干脆坦然地说：“请吧，请来见见烤焦的面包吧！”这反而引来记者们的笑声，赢得了人们的好感。

这种方法属于幽默中的自嘲格，但是与一般的自嘲不同。一般的自嘲，所嘲的并不一定是自己真正的弱点，或者是疮疤，常常是没有什么尴尬的事，故意说得很狼狈，那很容易。

在面临真正尴尬的时候，坦然地表述自己的狼狈，就得有一种胸怀。这里有一点要特别注意：得有一点夸张，把事情说得严重一点，严重得有点玄虚，更得益于把对方带到一种超越现实的境界中去。

十六、动作幽默

幽默不一定要用语言，动作、表情都可以构成幽默。最常见的是心照不宣地做个鬼脸之类。这种身体语言如果谈不上幽默，至少有点滑稽，因为其中包含着某种不合适、不和谐、不一致。

西方人对于某些事情，不说话，只是耸耸肩膀，也可能是一种幽默的身体语言。这里包含的意味可能很丰富，既有不太赞成，又有无可奈何，还有只和看到他动作的人交流共识，对其他人保密的意思，等等。

幽默的意味本来就不单纯，而且又很含蓄，以不可言传，只能意会，心照不宣为上。有了这种特点，不管是用语言传达出来的，还是用无声的身体表现出来的，都同样是幽默的，至少是滑稽的。

美国总统罗斯福第四次竞选总统连任成功。一个记者问他有何感想。他没有说任何话，只是让记者先吃一片三明治，接着又给他吃一片三明治，记者已经饱了，罗斯福接着又给了他一片三明治。

记者硬着头皮吃了下去以后，罗斯福才说："现在已经不用回答了，因为你已经有了亲身的感受。"

这很幽默，原因在于：不但很含蓄，而且有自我调侃和调侃记者的意思。

第六辑

童言无忌

一、狼来了，不幽默

小时候就听过狼来了的故事，大人讲的目的是教导小孩子不要说谎。本来这个故事，还有幽默的一面，但是因为它的后果太严重了，不管是什么听者，都幽默不起来了。

谎言受到惩罚，如果像《木偶奇遇记》里的匹诺曹那样，只是引起了一个令人尴尬的——鼻子拉得很长的后果，以后还有机会，一旦说谎的毛病得到改正，鼻子还会缩短，这就有点幽默。但是弄到孩子被狼吃了，这就可怕了，与幽默无缘了。

如果狼来了的故事，不是这样结束，而是让这个说谎的孩子受到惊吓以后，被别人救了，即使他的毛病并没有改掉，也还可能有某种幽默感。像猪八戒那样，毛病老是没有改，但是后果也老是不严重，因而他还是可爱的。如果在三打白骨精的过程中，他的调唆造成唐僧被白骨精吃掉了，西天取经的事业就此完蛋，这就不是幽默了。

在一本苏联的儿童小说《学校》中，小说的主人公，由于孩子的顽皮，使得他很敬爱的一个革命家遭到杀害。这个革命家在临刑之时，看见了这个小孩子，从容地往地上吐了一口唾沫。这就变成了悲剧，不属于幽默范畴了。

二、孙猴子的小便

《西游记》的作者是很有幽默感的，有许多幽默的大场面很是精彩。比如，大闹天宫中对于玉皇大帝、太上老君的嘲弄，把本来很庄严的神仙都写得很可笑而且无能，但是，这只是作者宏观的幽默，他的微观幽默感表现在他能够在细节上嘲弄孙悟空。

孙悟空一个筋斗十万八千里，可是，却翻不出如来佛的手掌心。他自己以为翻出去了，在一座山下拉了一泡尿。结果这座山却是如来佛的一个手指。

这个细节很幽默，因为拉尿的行为和孙悟空的神通、藐视一切权威的气概之间产生了反差。一方面是大无畏的英雄，一方面又是猴性不改，露出了动物的本性。

如果光是低级动物的本性，也不见得有这么生动，重要的是这种本性还令人联想起孩子气的调皮，这就加深了显而易见的不和谐，形成了可爱的幽默感。

这就是《西游记》比之神怪小说《封神演义》高明的地方。

《封神演义》中的人物，在法力上、神通上并不亚于孙悟空的不在少数，但是在动物性与儿童性、在超人的与凡人的错位和统一上，则不能与《西游记》相比了。

三、天真与幽默

孩子讲出话来，往往会引人发笑。引起人发笑的原因很多，但是笑不一定是幽默，有时只要有一点意外就会叫人发笑。这就是康德所说的“期待的失落”。

小孩子讲话之所以令人发笑，原因往往是他们的天真，因为成年人早已失去了天真，人们以成年人的常规期待他们，但他们一说话就出乎意外，这就引起笑了。

一个孩子来到我家，我给他一个糖果，他说，不能吃。

我问他为什么？他说，妈妈说他生病了。

后来我又拿一个荔枝给他。问他这个吃不吃。

他说，吃。

我问不是病了吗？

他说病已经好了。

这是出乎意外的。在成年人的经验中，生了病是不可能在瞬间好转的，但是对孩子来说，由于他对荔枝有了强烈的食欲，就顾不上这些了。

还有一次，在一艘海轮上，一个孩子指着一只比较小的轮船说：爸爸，这只船是不是刚刚生下来的？他爸爸问是怎么知道的？他说，因为它比别的船小。

这也是小孩子的天真，表现了他的经验有限。

幽默和天真都是可贵的，但是幽默可以有意为之，而天真却是一去不返的。

四、幽默的孩子

小孩子很少有幽默感，因为幽默有一个起码的要求，那就是心照不宣的假定；而小孩子说话却是天然的、真实的，就是要说谎，也是很真诚地说谎。如果大人也认真地说谎，就要用很多心机掩盖，目的在于引人上当。

凡是谎言，在现场都是很难拆穿的，这就构成了欺骗，所以是很令人讨厌的。

但是小孩子说谎，却因为经验有限，他们真诚的谎言和拙劣的技巧之间的裂痕很明显地暴露出来，加之一般也没有什么危害性，所以是很好笑的，但却不属于幽默范畴。

最近一个朋友和她的女儿出去旅游了一番，归来以后，孩子突然当着她妈妈的面，问父亲道："爸爸，你和一个人照的照片哪里去了？怎么不拿出来给妈妈看看呢？"

她父亲说："没有和什么人照过照片啊。"

她说："当然有啊，还是和一个女孩子照的呢！"

其父大窘，说："没有啊。"

女儿走进房间，说："我拿出来给妈妈看看。"

照片拿出来了，原来是她和爸爸一起照的。

这就是有意的幽默，而不是说谎了，因为这里没有任何欺骗的成分，只是为了心照不宣的沟通。

这样有幽默天性的孩子是不多的。

五、幽默的撤退

有一首儿歌：

反唱歌，
倒起头：
爷十五，
娘十六，
哥哥十八，
我十九，
记得外公娶外婆，

我在村前打大锣。

这自然是一种自由想象，颇为幽默，是需要一点想象力的。这种想象，当然是超越现实的。儿女不可能比妈妈大，这是常识；但是，科学家的想象力，有时落在文艺家的后面，有时也超越了艺术，使得艺术家相形见绌。

按照爱因斯坦的相对论，母亲在特殊高速运动中完全有可能比女儿小，女儿的年龄也可能比母亲大。

如果人的运动速度达到光的速度，时间就会延长，人的寿命也就延长。比如一个女宇航员，25 岁时生下一个孩子，在她孩子一周岁时，她乘上光速宇宙飞船，到达距离地球 16 万光年的星体。在地球上，时间过了 16 年，在宇宙飞船上只过了 1 年。她来回各一次，在地球上是 32 年，她在宇宙飞船上只增加了两岁，也就是 27 岁，而她留在地球上的孩子已经增加了 32 岁，加上原来的 1 岁，也就是 33 岁了。

33 岁女儿和 27 岁的母亲，这就是科学家的预言。这不完全是幻想，因为在微观粒子实验中，有一种微粒在电子回旋加速器中，速度增加到一定程度的时候，其本来只有大约 1/40 秒的寿命就增加到将近 3 倍，也就是 1/16 秒左右。这是科学，不是幽默。在科学前进的时候，幽默只好撤退。

六、可爱的虚字眼

女儿在编一本她们年级出版的打印刊物，一篇稿件放在桌子上，顺手拿起来一看，是：

“子曰，学而时习之，不亦说乎！”老师的解释是：“子，是孔夫子；曰，是说；学，是学习；而，是虚字眼；习是温习；之，是虚字眼；不，是虚字眼；亦，也是虚字眼；说，就是悦，快乐的意思；乎，是虚字眼。”老师让学生解释一下全句的意思，学生站起来，很流畅地回答说：“这句话的意思是：孔夫子说：‘学习虚字眼，温习虚字眼，虚字眼，虚字眼，快乐的虚字眼！’”

老师听了大笑，学生也大笑。

为什么会笑呢？解释起来却不那么简单。

首先，这是由于众所周知的经典被歪曲了。在幽默理论中属于“歪曲经典”的范畴，经典中人所共知的神圣意义和这临时附会出来的意思，形成了不伦不类的反差。

其次，这个学生如果是故意的，则双方早有心照不宣的前提，当属于故作蠢言之列，但是女儿告诉我，这是从英文翻译过来的。那么这个外国学生就不是故作蠢言，而是犯了一个错误。错误本来不属于幽默范畴，但读者是中国人，是非常熟悉《论语》开头这一段名言的意义的。

这里就又有了两个民族的文化心理准备状态的反差，那就不是说话者互相心照不宣的调侃，而是故事的作者和阅读者之间心照不宣的交流。

七、生活和猪

如果你对自己很不满意，把自己比作猪，是一点幽默感也没有的。但是，一个学生拿给我一篇作文，事实上把自己的生活比作了猪，只是用了许多反讽。

起初他充分显示自己的百无聊赖：他洗完了脸，又撒了泡尿，说这是他每逢洗脸后都要“搭配的动作”；他理发时，看到前面一个女孩子，“竟然长得蛮科学的，从头到脚，平平仄仄、平平仄仄的，只是两只眼睛直直地盯在大镜子上，间或一轮，似乎进入了祥林嫂的境界。”他欣赏着她，“就像欣赏朦胧诗一样”。

后来他发觉自己生活得懒懒散散，每天穿衣、刷牙、撒尿、吃饭都比人家慢几拍，生活得太没有意义了，就立志模仿起班上循规蹈矩的同学来，每一小时甚至每一刻钟都有计划。一切都照时刻表搞定：

> 6点30到7点：
> 蚊帐呈45度夹好，
> 背英语单词30个，
> 背邓小平理论10条，
> 复习校园二十条守则。
> 还注明要求：认真、严肃。

一个星期过去了，他感到自己抓住了生活的主动脉。他准确地按时睡着，忽然有蚊子多情来吻，他打破时刻表规定，醒来了，但是不知道是几点。打开手电，却拿到本英文字典，他看到这样的字：

> 生活：哺乳类，头大，鼻子和口吻都长，眼睛小，耳朵大如蒲扇，肉供食用，皮可制革，鬃可制刷子，粪尿可作肥料。

这明明是猪，但却是属于“生活”（人的）词条。如果光有关于女孩子的描述，就还只是戏谑性的幽默；而后面这个关于“生活”的定义，就比较严峻了，有一点黑色幽默的味道了。

八、好消息和坏消息

舒婷很欣赏她的儿子，有关孩子的一切，她总是不由自主地反复诉说，以致我虽然好久没有见过她儿子，可是她儿子的成绩、爱好，以及在班上女孩子心目中的地位，我一清二楚。但是，所有这一切都很快被淡忘了，只有一个幽默故事例外。

这一天，她儿子考完试，从学校里回来，像球迷等待着比赛结果那样，她盼望着好消息。

看到她紧张的神色，儿子说："今天有两条消息，一条是好的，一条是坏的。先讲好的还是先讲坏的？"

做妈妈的，自然愿意先听到好消息。

儿子清理了一下喉咙说："好消息是，英语考卷发了下来，我考了个全班第一。"

舒婷大喜。接着问到那条坏消息呢？

儿子说："非常遗憾，那条好消息是假的。"

舒婷从心里笑出来。她的笑不仅是为了这个故事，而且还为自己儿子的幽默感而感到真正的欣慰。

舒婷自己的散文就是以幽默见长的。这个故事的幽默感来自两个方面：第一，儿子先是创造了一种不言而喻的期待：一个好消息和与这个好消息无关的坏消息。第二，可是坏消息的出现，不是孤立的，不但是和好消息联系在一起的，而且把好消息取消了。

九、为什么光膀子

舒婷和朋友闲谈，总是很幽默的。一个朋友向她诉说，自己得不到妻子的体谅，常常在工作到进入佳境的时候，妻子叫："吃饭了！"那"鬼哭狼嚎"的叫喊，把隐约浮现的灵感惊跑了。舒婷不太同意用"鬼哭狼嚎"来描述妻子的叫声，她说，你们男人不可能体会到妻子把饭端到桌子上而丈夫无动于衷的悲哀。她的抒情语调很动人。

后来，读到她的散文，恰巧有个地方是写到这种情况：

> 饭端到桌子上都快凉了，丈夫还是无动于衷，背还躬得像一座山似的，除非在他椅子下面放上一个大炸弹，否则他不会离开那个座位。

无可奈何的焦急和怜惜都在其中了。我想舒婷在日常生活中，一定比在散文中更加幽默。不过她的丈夫却是一个严肃的而且有点呆气的学者，绝对不是幽默的对象。她在家中，怎么幽默得起来？这可是个谜。后来接触多了，才发现她的孩子比她可能更幽默。

她儿子老是把衣服脱得光光的回来，都说是上体育课。这一天又脱了个光光，问是不是又上体育课了？不是，上的是地理课。

为什么脱得光光？

答曰：今天上到了赤道。

也许正是这种氛围使得舒婷的幽默感得到更加充分的发展。

十、怪不得这么傻

孩子追星，追的都是一些在我们看来是非常浅薄的歌星。这也不仅是我国两代之间的代沟，在西方也是一样。

在美国的时候，参加一个复活节的早餐会，餐厅里放送着流行的惊天动地的摇滚乐。 坐在我对过的一个退休警察的夫人主动对我说：“这简直不是音乐，而是音乐的贬值(depreciation)。”我们相视而笑。

我就把这个故事讲给孩子听，她就问我，那你们认为什么样的音乐才是好东西？

我就把自己所喜欢的一些古典音乐，包括中国民歌、西洋民歌，放给她听，还特别解释了我最喜欢的一首民歌，其中有“樱桃好吃树难栽，心里有话口难开”，还有歌剧《小二黑结婚》中小芹的唱词“有心对你说呀，说上几句话，人多，眼杂，我没敢靠前……”我还没有介绍完，她就笑了。

我问她笑什么？她说：“你要我说真的，还是说假的？”

我说：“当然是说真的。”

她说：“说了真的，你不生气？”

我说：“保证不生气。”

她慢吞吞地说：“怨不得你这么傻，老是被妈妈骂。今天才知道，原来你竟喜欢这样的歌。”

十一、孩子的减法

做父亲的，经常夸耀自己年轻时数学成绩是如何拔尖。时间长了，孩子反抗了，说不妨来一道最简单的算术比试比试："如果我口袋里有四块钱，后来我丢了两块钱，结果怎样？"

做父亲的脱口而出："当然是还有两块了。"

孩子哈哈大笑，说："一分钱都没有了，因为口袋里还有一个洞。接下来的一道题是：口袋里已经有了一百块钱，又去问妈妈要一百块钱，结果怎样？"

做父亲的自然知道，自己的妻子不会在孩子已经有了一百块钱以后，再给一百块钱，就说："我看，你的口袋里结果是在一百和二百之间。"

孩子又哈哈大笑，说结果是，口袋里一分钱也没有了，"我破产了"。

做父亲的说："怎么会这样？你太不懂数学了。"

而做儿子的说："你太不懂我妈妈了，我原有的一百块钱也给她没收了。"

十二、幽默感和伤害性

科学的思维要求概念不得转移，转移了就无法思考，不能对话了。在任何交流和谈判中，这是个前提，也是双方无声的预期。一旦概念被转移了，被偷换了，对方的预期就失落了。如果是有意的，就可能产生笑。这就是康德所说的："笑产生于预期的失落。"不过这种失落，不仅限于语言，也产生于动作。比如，本以为一个人安全地走路的，忽然他跌倒了，如果伤得不太厉害的话，人们就会笑起来。动作是单纯的，而语言要复杂而且含蓄得多。

例如，两个儿童的对话：

问："你的弟弟呢？"

答："他受伤了。"

问："发生了什么事？"

答："我们玩了一个游戏，看谁把身子露出窗外更远，结果他赢了。"

这里这段对话之所以幽默，最关键的就在一个字上，这就是："他赢了"的"赢"字上。

"赢"字，包含着互相矛盾的双重含义：第一是表层的，在身体动作上他伸得最远，这条符合原来输赢的准则。第二是深层的：他赢的结果是掉下去受了伤。这样严重的伤害已经大大超过了游戏上赢得的一切。这样的伤害性是太大了，但是，这种伤害性是虚拟的，并不是现场鲜血淋漓的。在超越现场的想象中，还是可以幽默起来的。

十三、消解前提

哥哥要到郊外去旅行，晚上临睡前叫弟弟明天清早五点钟唤醒他。弟弟爽爽快快地说：“好的，只要你到了五点钟告诉我一下，我马上把你唤醒。”这种幽默的好处在于一种特殊的偷换概念。

弟弟表面上爽爽快快地同意了哥哥的要求，实质上，却也爽爽快快地取消了对方的要求。哥哥本是怕自己在五点钟以前醒不过来，才要求弟弟帮忙；如果哥哥能够清醒地告诉弟弟五点钟已经到了的话，也就不用要求他把自己唤醒了。弟弟答应哥哥和他对于哥哥的要求是互相矛盾的，“答应”作为前提被消解了，变成了不答应。概念中包含的自相矛盾被揭示出来，导致了预期失落，产生了幽默的笑。

还有一种消解前提的方法，在逻辑上叫作“同语反复”。

有一则故事：哥哥说，有两只猪跑到我家菜园子里来了，是谁家的。弟弟说，大猪属于谁家我说不清楚，可是小猪我知道。

哥哥让他把小猪的主人说出来，弟弟说小猪是大猪家的。

弟弟的回答实际上等于是没有回答。“知道”的预期，落空为不知道。所有这一切都是出乎意料的，也就是康德所说的“导致预期的失落”，所以才能产生幽默的笑。

十四、刺激，刺激

一到高中三年级，孩子们就都进入了但丁的炼狱：不到十二点不能睡觉；电视不许看；小说不能看。一打开游戏机的开关，背后就有妈妈绝望地喊叫：“还有几天就高考了，爸爸妈妈心都给你操碎了，考不上大学喝西北风去呀！”就是自制力最强的孩子，也不能从早到晚眼睛一眨也不眨地读书。哪怕是钢铁也是要疲劳的啊！但是，父母脸上的肌肉却像特种钢一样永远冰冷。

孩子总有孩子的办法。把金庸的小说放在数学课本下面，这种方法已经是太古典了。最为先进的法门是把英语录音机的音量开得大大的，人呢，干脆伏在桌子上睡大觉。父母亲发现，大不了就是“今夜有暴风雪”（电影名）。

至于软硬兼施的追问：你长大了，究竟想干什么？究竟有没有人生理想？答案很简单：要说理想，就是每天吃饱了，睡觉，像猪一样睡觉。话说到这个份上，老爹老娘也就没有你的办法，好汉怕赖汉，赖汉怕歪死缠。

大学录取通知来了，老爹老娘才注意到孩子的脸瘦了一圈，顿生怜惜之意。

“要吃什么吗？”

“不想。”

“要玩什么吗？”

“不想。”

老爹老娘的心碎了。

“不想吃那就睡吧，你的理想不是吃饱就睡吗？”

不，高考前，偷鸡摸狗地小睡片刻，体验做猪的幸福，很有刺激性；录取了，一点刺激性都没有了。就是当上世界第一流的睡猪，也不能让老爹老娘的心恢复完整。当猪没有刺激性了，还是做人吧。

十五、孔融不吃梨

不知道从什么时候起，产生了一种感觉，自己的孩子、学生，不论从哪一方面来看，都不如自己当年的时候。最严重的是在道德操守上，兄弟之间连个谦让的精神都谈不上。老朋友们聚在一起，往往为此唏嘘叹息不已。

有一个朋友说，现在的孩子连个孔融让梨的故事都不知道，一个个摇头叹息。

另一个说，不久前，正好碰上吃水果，就对他的孩子说，在家里不要把自己当作中心，有什么好东西，不能自己独占，要把好的留给哥哥，留给爸爸、妈妈。谁知孩子不屑一顾地说：

> 别来那老一套！谁抢大梨吃来着？我根本就不想吃梨，不想吃苹果，每一天都是妈妈逼着我吃，每一顿饭以后都得吃，吃苹果、吃鸡蛋、喝牛奶，吃维生素，也不管你吃得腻不腻，不吃还要挨骂。按我现在的表现，早就超过了孔融。我不是专拣小梨吃，而是把所有的梨啊什么的，不管是大是小，通通都让给你们吃。我看，早就该有一个新一代的故事：抢大梨的故事。谁抢大梨吃，谁就是新时代的孔融。

十六、做猪的“理想”

老是觉得，现在的孩子，别看他那么用功，他心里哪有什么国家、人民！这一代是绝对自私的一代。你跟他讲什么理想、人类、进步，等于耳边风。唯一值得同情的地方，就是课程负担太重了。小学生书包重得好像放着好几块石头，功课做到十点、十一点是家常便饭。高中毕业班，更是不到十二点就不可能把练习做完。有时候真弄不懂，这么多的作业，少说每天也有半公斤，这些个娇生惯养的孩子是凭着什么样的力量去完成的？没有理想的力量，怎么可能产生这样超人般的毅力？

有一位朋友的儿子，正在就读高中毕业班，每天都要到十二点钟以后才睡。

这一天，他就有意等着到十二点以后，问儿子究竟是什么样的理想，使得他这么顽强地年年月月地埋头苦干。

孩子倒也坦率，他学着西洋人的样子耸耸肩膀说：

> 要说我没有理想也不是事实，因为明明有一个目标在鼓舞着我去战胜任何疲倦之感，那就是休息，具体来说就是睡觉。对了，我的理想就是每个星期有一天，二十四小时什么也不干，像猪一样地睡觉。对了，我的理想就是每个星期当一回幸福的猪。

十七、妈妈和妻子

一个农民从洪水中救出了他的妻子，但是他的孩子却被淹死了。有人说他做得对，只要有妻子，孩子还可以再生；有人说他不对，孩子死而不可复生，而妻子是可以再娶的。

这些议论都很正经，但都是不幽默的。一个近似的故事是这样的：

> 有一个男人和妻子、母亲一起去游泳。大水来了，妻子和母亲都被大水冲击着。
>
> 人问：此时他应该先去救谁呢？
>
> 答：“救妻子。”
>
> 问：“为什么？”
>
> 答：“因为母亲是会游泳的。”

这个故事很有一点幽默的情趣。两个故事不一样，因为思路不一样。前一个故事，虽然有它一本正经的价值，但是幽默不起来，原因是它拘泥于一条思路。后一个故事，问的人出于一条思路的惯性，想把这个人逼到两难处境中去。但是这个人的回答，却是两全其美的，因为这时另外一条思路冒了出来：母亲会游泳，可以不救。由于这条思路意外地出现了，人们获得了顿悟之乐，自然会发出会心的微笑。

但是，从幽默的口味来说，这还是不够幽默，因为，情绪的调侃不足。

> 舒婷和儿子曾经在家里开玩笑，舒婷问儿子，如果游泳时，我和你爸爸都溺水了，

你救谁？

儿子说："当然救老妈。"

爸爸问："为什么？"

儿子说："像你这样的年纪和长相，再找对象可能性等于零，我不救老妈，你下半辈子就可能要永远单身了。"

从情感超越于实用来说，这才是真正的幽默。

十八、典故和语义错位

朋友的孩子非常用功，家庭作业做得好，考试成绩也很棒。我不免称赞几句："你孩子好争气，很聪明，有才华，将来准有出息"。没有想到这个孩子却说："什么才华？不过是笨蛋的才华、傻瓜的才华而已，没出息的种子。"话还没有说完，孩子的妈妈就笑了，而我却没有笑。

原来他所说的什么"笨蛋""傻瓜""没出息"，都是他妈妈平时骂他的话。我才笑了起来。

这里就有两层幽默的道理。

第一层：他妈妈说他"傻瓜""笨蛋""没出息"和他重复出来的意思（因为有了我的称赞）是不一样的，反差，或者语义的错位是很强烈的。正是因为这样，他一说，他妈妈就笑了起来。

第二层：同样的话却不能使我笑起来，因为我不知道孩子的话原来有典故。原来的意思和现场的意思的反差只有他们两个人知道，而我是不知道的，因而就不处在同一个语境里。这种事情在同事、朋友、夫妻之间是经常发生的。

一句话孤立起来很平常，知道这句话的典故的人，语义就发生了错位，所以笑得肚子痛；不知道其中典故的人，没有语义错位的心照不宣，当然莫名其妙。

从应用方面来考虑，要幽默得起来，办法之一就是尽可能把朋友说过的话在另一种场合中，在相反的、错位的意思上去运用。

第七辑

洋人洋相

一、不是东西

一个学外语的同学告诉我一个故事：有一个美国大学生到我们国家的一所重点小学去教英语。这个老美懂得一点汉语，有时仗着他那一点粗浅的汉语来帮助他的教学，这自然给教学带来了很大的好处，但是也免不了闹一些笑话。

有一次，他给小学生讲英语里很普通的词“thing”（东西、事物）和“man”（男人）的时候，他就自作聪明地作了一些发挥。他说，这个“thing”就是各种各样的事物，而不是人。比如说，这支粉笔，就不是一个人，而是一个东西；而我，就是一个人，而不是一个东西。

他还没有说完，底下就哈哈大笑起来。

他非常奇怪，待大家笑停了，他问：“大家笑什么？小学生哪里能够把这个道理讲清楚？”他就不断地问：“我的意思是，我不是个东西，而你们笑的意思是不是说，我是个东西？可是我明明不是个东西。”

底下笑得更厉害了。来了一个教师费了好多口舌，问题还是没有解释清楚。

二、类似幽默的诡辩

两个中学生问希腊文老师什么叫作诡辩？

老师反问，如果有两个人到我这里做客，一个很干净，一个很脏，我请这两个人去洗澡，你们看他们之中谁会去洗呢？

学生说，当然是那个脏人。

老师说，不对，是干净人，因为他养成了洗澡的习惯。

等到两个学生说是干净人时，老师又改口说应该是脏人，因为他更需要洗澡。

学生马上同意之后，老师又说：错了，当然应该两个人都洗才对。学生觉得有理，老师又说两个人都没有洗。因为脏的不想洗，而干净的则没有必要洗。

这位老师每回都说得有理，但是却互相矛盾。

这似乎是有点可笑，但是却与幽默无缘。因为幽默的要义是缓解冲突，取得互相的谅解，即使是对于对方的进攻，也要让对方有一种会心的微笑，把进攻变成对方的享受，这是幽默的基本功能。这里的希腊诡辩家却不是让对方和自己一起来享受诡辩之乐，而是在解释的过程中，反复把谁去洗澡的标准不断地变化：说脏的先洗，是生理的要求；说脏的不洗，是心理倾向。表面上是雄辩的，实际上是自相矛盾，因而是诡辩。

三、离婚对世界和平的贡献

不管怎么现代化，也不管是西方还是东方，居高不下的离婚率总不算是一件好事情。要把不好的事情说得难听是容易的，要把不好的事情说得好听、好玩却是不太容易的。这也正是幽默家之可贵。一位侨居美国的作家说到这一点时，就用了开心话来说这种不开心的事。

他说，有的婚姻，从一开始就不被看好，从第一天起就吵，没有意见相合的时候；只有在离婚这一点上，彼此相同。这就有点俏皮了。

这里有一个原则，在西方的幽默理论中，叫作“Incongruity”（不相称、不一致）。不相称的幅度越大，幽默感就越有强度。一般的不相称只能引起滑稽之感，比如一个人正在演讲突然蹲下身子说，自己鞋子里有一个沙子之类。

这位作家充分利用了这种不一致的原理，说：“离婚对这个世界和平的贡献，仅次于联合国。”这样的不一致不但幅度大，而且含义隽永，幽默感的强度就不同凡响了。

要把坏事说得幽默一些，心态就要自由一些。通常我们讲话都是要前后一致的，要各个部分相称的；但是在幽默谈吐所要求的恰恰是相反的东西，这就是敢于说出一些不讲理的话、不通的话，要不然就可能与幽默无缘。

四、思路错位

在正式场合人们比在平常时候更难幽默起来，因为在这种场合，人们更习惯于严肃，一本正经，拘守着一条思路。

幽默要求人们有自由转移的思路，达到错位效果。

一个女郎买了一顶漂亮的红色帽子，去看足球赛。她的帽子妨碍着背后一位小伙子的视线，他请她把帽子除下，理由是他花了一大笔钱是来看足球的，而不是看人家的帽子的。

这位女郎却回答说："本来我就是为了让别人来看我的新帽子的。"这就是思路的自由转移而导致的错位。本来不言而喻的是看足球，但是女郎却把它转移到自己漂亮的帽子上去了。二者在逻辑上有错位：一方面是球迷，为了看球不惜付出金钱的代价；另一方面，女郎妨碍人家看球，目的是让人家看自己漂亮的帽子。

同样是"看"，竟包含着如此相悖的内容，这就好笑了。

有一个故事说，一位总统很重视自己的演说，要求把它安排在最精彩的节目之间。演说结束以后，他询问部下，大家反应如何？

部下说："很好，大家很满意。"

总统很高兴。

这位部下后来被同事谴责，说他说了假话。这位先生说："我的意思是，如果没有总统的演说，人们就没有时间去上厕所了。"

他的意思恰恰说是节目太精彩了，人们连上厕所都舍不得，只有在总统演说的时候，才舍得去厕所解决一下生理问题。

同样一个现象，包含着相反、相悖的内涵，就构成怪异，这就是幽默最根本的原因。

五、万卡——含泪的幽默

幽默并不一定纯粹是逗笑，纯粹的逗笑，就不免流于滑稽、油滑。滑稽的形式中有了比较深刻的感情，则可能上升为幽默。这种感情不像抒情诗中那样强烈，它是很含蓄的、很深沉的，常常表现为感情不是单色的，而是复合的，不单纯是笑，而是在笑中有泪，在笑中包含着深沉的悲哀。

契诃夫早年以契洪特为笔名发表的作品，常常限于滑稽，也就是单纯的逗笑；到了 19

世纪 80 年代，走向成熟的阶段，他的笑就比较复杂了。

他的经典性作品《万卡》，写一个在城市里当童工的孩子万卡，受不了老板的打骂，偷偷地写信给他的祖父，向他诉苦，希望他能到城里来，解救他，把他带回乡下。

他用孩子气的语言，把信写完了。可是他不懂得，如何写地址。只是在信封上写了："乡下　祖父　收。"

这样的地址，祖父肯定是收不到的，但他却在把信投入邮箱以后，心安理得地睡着了，而且在梦里还看到了自己的祖父收到了信、在读信的情景。

一方面这是可笑的、可爱的：明明是收不到，却沉醉在甜蜜的梦想之中。另一方面又是可悲的、可怜的，读者在想象中预见到了他的甜蜜的梦想以后的悲凉。

六、"新俄罗斯人"和"大款"

俄罗斯人是很幽默的，他们的政治笑话在西方和中国都很流行。目前他们的政治笑话有点转化为经济笑话的倾向，所讽刺的对象大抵是一些新的暴发户。

在中国，这些人叫作"大款"，在俄国，这些人叫作"新俄罗斯人"。光从命名的方式来看，新俄罗斯人的"新"字，就有一点调侃的意思。俄罗斯自认为是个古老的民族，新俄罗斯人"新"在哪里呢？就是与一般的俄罗斯人不同。究竟不同在哪里，你就自己去体会吧。但是，不管什么样的不同，是和普通俄罗斯人不一样的人。

不同的民族语言在表述同样的对象的时候，是并不完全对等的。由于使用了不同的词语，就有了不同的民族文化色彩的反差。我们中国人，把暴发户叫作"大款"。和俄国人不同的是，直接把人的身份和巨量的金钱联系起来。这其中的含意有褒扬，也有贬抑，有艳羡，也有保留，甚至还有保持距离的味道。

如果把中国这个说法，直译成俄语，就是"大笔的钱"，如果有一个俄国调皮鬼这样做，也是很幽默的。

七、俄罗斯人的幽默感

凭良心说，我不太愿意承认我们中国人缺乏幽默感，我只是感到中国人在正式场合幽默不起来而已。在非正式场合，在家庭与哥们中间，还是不乏妙语惊人的人物的，但是，无可讳言，在公众场合缺乏幽默也确实叫人气短。最近著名作家邓刚先生在一篇文章中举了一个例子，说是一家公园门前写着："一公尺以上儿童买票进园。"邓刚觉得，这样太生硬，建议改为一公尺以下儿童免费入园。但是得到的回答是："不用那样客气！"对儿童尚且如此，对成人就可以想象了，而邓刚在俄罗斯就不同了。有一次他在市场上找不到酸奶，其实这种酸奶在当时的俄罗斯是稀有商品。此时，俄罗斯的售货员并没有就事论事地发牢骚，而是对他挤了挤眼："酸奶嘛，那是很久以前的事了。"这当然挺不错，可是，在他看来，还不算太有幽默感。如果按他的超越现实的荒谬理论来说，还可以放开一些。例如可以这样说："酸奶嘛，那是上个世纪的事了。"当时，在俄罗斯酒也是很稀罕的。有一个俄罗斯人对他说："我多么希望在俄罗斯到处都摆满了酒啊。"邓刚以为他是个酒鬼，可是他接下去又说道："那样，我们国家的酒鬼用不了多久就醉死了。"一个俄罗斯工人看到商店里摆满了价值数万美元的进口皮大衣。他没有停留在如何表达他绝对买不起这一点上，而是进入了幽默的假定境界，对售货员问道："我可以只买一只袖子吗？"

八、当场不捉奸

我曾经讲过一个发现自己太太和神父发生苟且之事的故事，那人并不上前去捉奸，而是跪在窗前祷告。神父问他何故。答曰："既然你代替了我的位置，我就只能代替你的位置了。"这是幽默超越常规思路的一种方法，但这并不是唯一的方法。

有一个故事提供了另一种方法。

一个波兰人、一个意大利人、一个犹太人同在一家工厂工作。每天他们都注意到老板都要提前一点离开。他们就商量好，老板一走他们也开溜。

犹太人、意大利人都回去平平安安地休息了。

波兰人回家以后却发现他的妻子和老板在床上做爱，这个波兰人和上面所说的那个故事中的人物一样超越了常规思路，没有发作。他怎么个超越法呢？

第二天老板又提前走了，犹太人和意大利人问他是不是还要早点开溜，他说，不了。

为什么？

答曰："我昨天差一点被老板逮着了。"

常规思路应该是丈夫现场捉奸，但是在这里，思路错位的关键在于：同一个人有丈夫和雇员的双重身份。故事把丈夫身份完全抹杀，把雇员当作唯一的身份，这就不存在捉奸的问题，而是提前下班被老板发现了的问题。

从一个复杂现象中孤立地抽出一点来进行推理，就有了荒谬性和幽默感了。

九、骂人和编故事

社交谈吐中，最强的进攻性莫过于骂人。如果直接骂出来，不但降低了自己，而且会刺激对方的情绪。骂人要骂得艺术一些，就不得不学一点幽默之道。

编故事的方法是常用的。关键在于，要把骂对方的话放在一个距离相当遥远的空间，让对方完全丧失现实的警惕性。比如你要骂一种人是白痴，你不能直接骂出来，就要把这句话放在一个极其荒谬的、假定的推理中，似乎顺理成章地推演出来。

有一则故事是骂美国的国会议员是白痴的，但是故事却把空间拉开到离国会议员非常遥远的空间中去：

三个外科医生争着吹自己的医术高明。

第一个人说："我给一个男子接上了胳膊，现在他是全国著名的棒球运动员。"第二人说："我给一个女子接上了腿，现在她是世界著名的长跑运动员。"

这一切都是陪衬，都还没有接触到要害。关键在于第三个人所说的，必须既是荒谬的，又是合乎这样的上下文的逻辑的，同时还要把结论定在所要骂的对象身上。

第三个说了："我为一个白痴接上了笑容，他现在已经是国会议员了。"第三个人所说的，在听众的期待中是医术更高明的。结果表面上更高明了，但是其实更荒谬了。然而就是在这更荒谬的陈述中，出其不意地把国会议员和白痴联系在一起了。

十、浣熊招供

如果你对什么事情或者什么人或者什么单位很是痛恨，直接去骂它是不愚蠢的，但一点也不幽默。要幽默起来有许多办法，其中比较巧妙的办法就是编一个故事，把最可笑的、最荒谬的结局和你所厌恶的对象结合在一起。

一些美国人觉得洛杉矶警察局很是恶心（这自然是由于洛杉矶警察的暴行引起了 1992 年的暴动），于是就有了以下的故事：

洛杉矶警察局、中央情报局、联邦调查局都向总统夸耀他们是追捕逃犯的能手，总统决定放一只兔子到森林中去，让他们去抓回来。

中央情报局经过三个月的严密调查说：森林里根本就没有兔子。

联邦调查局也查不到任何蛛丝马迹，放了一把火烧死了所有的动物，也包括那只兔子，他们说这是兔子自作自受。

而洛杉矶警察局则在两小时后提着一只惨遭毒打的浣熊从林木里出来了。只听这只浣熊撕心裂肺地惨叫道：“别打了，别打了，我就是兔子！我就是兔子！”

这则幽默故事的窍门是：

第一，与现实拉开距离，把人变成动物。

第二，使动物的荒谬招供和你所要讽喻的对象之间构成某种对称的联系。

十一、幽默和反驳

中国人无疑是有幽默感的，不过在正式的场合，中国人往往幽默不起来。外国人和中国人的不同就是在正式场合，甚至外交场合，都能幽默得起来，以便随机应变，化尴尬为微笑。这就产生了不少美谈。

在一次国宴上，美国驻法国大使的夫人坐在戴高乐旁边，她深深为戴高乐的谈吐而着迷。这种观感在中国外交使节的夫人中是不可能幽默得起来的；可是，这在美国人，幽默一下是家常便饭。

这位大使夫人就说了：

> 总统先生，我唯一的遗憾是，你不能年轻 20 岁，而我也不能年轻 20 岁。

戴高乐非常得体地微笑了一下。这位美国大使夫人得体地奉承了一下戴高乐很年轻，含蓄地暗示自己被他迷住了，甚至有恨不相逢未嫁时的感觉。她的话，内涵是如此非正式化，而外表却一点也没有丧失分寸，因而，她感到了鼓舞，未免有几分得意。

后来她又碰到了戴高乐夫人，又重复了这句笑话。

戴高乐夫人一方面为自己丈夫的魅力而开心，但是又不愿意让对方的幽默占有上风，她就非常轻松地说：

> 是的，夫人。不过你应该记住，如果你那样的假设能够成立的话，我也同样年轻 20 岁了。

这句话事实上是一句反驳，但是没有以反驳的形式出现。反驳的内涵（我也同样年轻，而且有吸引力）隐藏在逻辑的空白之中。

戴高乐夫人更精通幽默的三昧。

十二、肯定和否定

说谎是不好的，但是外交官例外。丘吉尔说：“外交官是受雇于国家，为了国家的利益而说谎的人。”对于他们在外交场合面临某种显而易见的谎言，或者冒犯，能不能用幽默感泰然处之，抑或含沙射影，温柔地反唇相讥是水平的考验。

有一个外交官在舞会上赞美他的舞伴，说她妩媚动人，令人神魂颠倒。那位小姐表示，不能相信他的奉承，那是外交官惯用的辞令。

当一位外交官说“是”的时候，他的真正意思是“可能”；当他说“可能”的时候，他的真正意思是“不行”；外交官从来不说“不好”“不动人”“不美 ”之类的词语，当他说“不好”“不美妙”“不动人”的时候，他已经不是外交官了。

这位女士所说的是大实话，但进攻性太强了。

难得的是，外交官在这样强的进攻面前，居然能恰如其分地调侃。

他说：

> 我们的语言和你们小姐的恰恰相反：当小姐说“不”的时候，意思是“可能”；当她说“可能”的时候，意思是“行”。小姐们从来不说“行”，当她说“行”的时候，她已经不是小姐了。

外交官的进攻性（指的是女性对男性的要求的含蓄或者口是心非）由于非常隐蔽，而且套用了女士的逻辑，所以只有幽默，而没有煞风景的伤害性。

十三、性急吃亏

从日本留学归来的学生告诉我，日本人在社交生活中，不管什么时候，不管心里有什么感觉，总是鞠躬如也，脸上表情永远正规化。

这话好像也对，但是仔细一想，也并不尽然。大学时代，听一个专门研究日本古典文学的学者讲日本古典文学，一个故事至今印象鲜明：一个乞丐在街上捡到二两银子，就拿去嫖妓了。这其中的幽默、调侃意味是很显然的。

最近看到这么一个日本民间故事：

一个农民来到江户，看到一家商店门前挂着一个招牌：一语百两。

他出了一百两银子，学到一句话：大树之下不如小树之下。

再出一百两银子，又学到一句话：堂上不如堂下。

他用最后一百两银子买到的话是：性急吃亏。

回家的时候，遇到雷雨，他想起：大树之下不如小树之下，就躲到小树下面去了，结果是大树下面的人被雷打死了。后来到了一个庙堂里，想到堂上不如堂下，就到堂下去。后来发现堂上有一伙强盗在分赃，他学了一声鸡叫，强盗逃走了，他就白得了许多金银。回到家里，看见老婆正在和一个男人坐在火炉边。他正想发作，想起“性急吃亏”，就停住了。仔细观察了一番，原来那个男人是个稻草人。

这种幽默故事是非常蹩脚的，因为毫不相关的三句话，全靠巧合串联起来，既缺乏机智也没有多少情感的默契，比之我国的傻女婿、老实长工之越本分就越有巧合而越走运的以痴为美，真是相差太远。

十四、傻女婿和福将

日本的民间故事，自然不能说是完全缺乏幽默感的。就我的记忆而言，比较幽默的有寅次郎的故事，有一点类似我国的傻女婿的类型。这种人总是很痴，但是痴得很执着、很投入，一点虚伪之心都没有。

在现实生活中，心地一片透明的人，总是倒霉；但是在民间故事中，他们的痴，他们的不通人情世故，往往给他们带来了好运。

在阿拉伯故事中，这种人颇得宠爱。《天方夜谭》中的《阿里巴巴和四十大盗》，心地单纯的好人念“芝麻开门”就得到幸福，心术不良的人就得到惩罚。

北欧的《大克劳斯和小克劳斯》也有同样的逻辑。

好像全世界各族人民都把同情和美好的愿望无条件地给予了善良而缺乏心计的人。

正因为这样，我国古典小说才有了一种类型化的人物，叫作“福将”。这种人没有什么大本事，但是心地很单纯，他们在战场上往往逢凶化吉，遇难成祥。

《说岳全传》上的牛皋，打了败仗，落荒而逃，但是岳家八百儿郎军却不退，用箭射住了阵脚。后来，他就有了经验，一打败仗，一面落荒而逃，一面大叫：“儿郎们，照——旧。”

类似的情况在《说唐全传》中也有。程咬金在瓦岗寨做了皇帝，正得意，官军派了裴元庆来了，几个大将都打败了，程咬金就害怕了，他非常坦率地宣布：孤王要驾崩了。

十五、三只猴子

看日本人的一些本来应该是很幽默的民间故事，往往莫名其妙。

昨天看的一则日本民间故事，疑团到现在还没有解开。

三只猴子到山上好容易才捡到一个栗子。商议了半天，决定给年纪最大的吃。

第一只猴子说，它是在附近的江湖水还只有碗底那么一点的时候出生的。第二只猴子说，它是在富士山还只有馒头那么大的时候出生的。

最后一只猴子半晌说不出话来，突然“哇”一声哭了出来说：“我当时生了个孩子，一下地就死了。你们的话引起了我的回忆，我感到无限的伤心。”说着，就把那个栗子捡了起来，说：“归我了，怎么样？”

那两只猴子拍手叫好。

这是收集在幽默故事书中的，但我一直弄不清它幽默在哪里，总觉得它讲得很笨。翻来覆去地想到现在，才有了一点眉目。也许关键在于：表现第三只猴子的机智，“你们出生的时候，我已经在生孩子了。”可能是这个故事的翻译者没有注意到这个关键，只含混地翻成“我当时”，如果意译的话，应该翻成“就在你们出生的时候”，意思才显豁。其次，故事过分强调了第三只猴子的大哭，强烈的情感分散了读者对时间的注意力。

十六、大使打赌

世界杯足球赛到了最后关头，法国和巴西进入决赛。全世界的心都悬了起来，连法国和巴西的大使都顾不上外交礼仪参与了进来。

法国大使德雅梅将军坚信法国一定获胜，巴西大使阿莫林则针锋相对，认为巴西无疑会第五次赢得世界冠军。巴西大使甚至说：巴西正在争取当联合国安全理事会常任理事国，最好来打个赌。如果巴西获得冠军，法国把常任理事国的位置让给巴西。

法国人向来以幽默见长，然而在此种情况下，法国大使居然一下子幽默不起来。

在我看来，要回答巴西大使是很容易的：

> 如果巴西获胜，法国就该放弃争取联合国常任理事席位。

但是这样说风险太大，锋芒太露，进攻性太强，就与幽默无缘了。

其实，这时法国大使既不要太认真，也不要太保守，只要把话说得玄乎一点，就可以从困境中走向柳暗花明。比如他可以这样说：

如果法国赢了呢？巴西要进行一下民意测验：是不是应该把罗纳尔多、桑帕约、邓加这样的球星无条件送给法国。

这从根本上是不可能的。正因为不可能，这个钉子才是软的，才可能构成对巴西大使的不失幽默的反击。

十七、两个古董题材

我曾说过契诃夫的小说《艺术品》，写的是一件裸女花瓶在几个人之间兜圈子的故事，这样的结构方式，可以说是封闭的链环式的。类似的结构在中国小说中也有，李伯元的《官场现形记》中有这样一段故事：军机大臣华中堂最恨人家送给他钱，向他行贿最好是送古董。他就拿这些古董开了一家古董店。某少爷花了一千银子买了一对鼻烟壶送给他。他很高兴，表示最好再来一对。少爷来到（他开的）古董店，发现一对鼻烟壶和他原来买的一模一样，价钱却是先前的四倍。

两个故事的道具和连环封闭的结构不谋而合，但是李伯元的这个故事比之契诃夫的显然要略逊一筹。原因是他过分着重于官吏的贪婪，属于实用价值；而契诃夫的着眼点却是在于，有良好愿望的人，在精神上不但不能沟通，而且愈来愈远。

十八、凶杀情节和洗盘子

著名英国女侦探小说家克里斯蒂，日常生活中颇具幽默感。有人问她为什么最近她出版的两本书页码相同，售价却相差两三倍？问话的人本来是期待作商业性回答的，如果克里斯蒂按这样的期待去回答，就煞风景了。她的回答是这样的：

难道你没有发现，比较贵的那本书中的凶杀事件，比另外一本多出了好几倍吗？

这样的回答之所以幽默，不仅是由于问话者期待的落空，而且是由于克里斯蒂提供了一个侦探小说的价格不是和页码成正比，而是和凶杀成正比的标准。这对读侦探小说的读者是入木三分的调侃：他们读侦探小说，最感兴趣的是凶杀，凶杀越多越好。

有人对克里斯蒂表示赞赏，说：真不知道她那曲折迷离的凶杀情节是怎么构思出来的。她很平静地说：

这完全得归功于洗盘子。我很讨厌洗盘子，一洗就是没个完。每逢这样的时候，就有了要杀人的念头。

这样的幽默感来自逻辑上的无理。把不成理由的理由拿出来，不是为了敷衍别人，而是为了调侃自己（任意杀人的情绪）。

虽然没有正面回答人家的问题，但是至少也能让人在情感上沟通。

十九、歪曲概念

当代侦探小说大师、英国女作家克里斯蒂，第一次婚姻失败了。后来她和一个考古专家结了婚，两个人琴瑟友之，情感水乳交融。

有人问她，为什么能和一个只对于死亡多年的人和物感兴趣的人相处得十分和谐？

她的回答是："其实考古学也是侦探学。唯一的不同就是，我是在寻找罪犯，而他在寻找古代文明罢了。"

这个回答之所以幽默，道理比较复杂。

首先，她说考古学也是侦探学，这是偷换概念。因为考古学不是侦探学，这是常识。她的话与常识反差很大，所以显得怪异；但光是怪异，并不幽默，还因为考古和侦探在形式上还有一点相近，二者都是从已经成为过去的无声的现场，用推理来寻求原状的。

本来，从严格的理性分析来说，这两门科学的差别应该是：第一，在时间上，一个是千百年以前的事，一个是发生不久的事。第二，在内容上，一个是仅仅限于与犯罪有关的事和人，另一个则可以是犯罪行为，也可以是其他行为。

如果这样理性地说，就一点幽默感都没有了，而克里斯蒂片面地强调了相同的一点（都需要探查），又片面地只取其相反的一点（犯罪和文明），其他的各点一概抹杀。这就有了一种幽默感所常见的似是而非的复合趣味了。

二十、在墓碑上开玩笑

死亡对于自己，可能是最大的痛苦。开一般的玩笑容易，和自己的死亡开玩笑，则要有很强的超越这人生最大痛苦的精神力量；而要在死亡之前，从容地用文字把自己对于死亡的调侃写下来，刻在墓碑上，这样的人就更加难得了。据说萧伯纳生前为自己准备的墓志铭只有一句话："我早就知道：无论活多久，这种事情是会发生的。"因为不堪忍受病痛的折磨而自杀身亡的海明威，他的自题墓志铭则有他电报文体的特点："恕我不能站起来了。”

这样的墓志铭之所以幽默，就是因为和通常墓志铭总结人的一生的庄重存在着不言而喻的反差：好像不是一件什么大事，而是稀松平常，没有什么了不起的日常小事似的。

比这更加轻松的墓志铭，是一个蔬菜水果店老板为自己写的：

> 这里长眠的是麦克，其悲痛的妻子正在继承他兴旺的事业——蔬菜水果商店。商店在第十一号高速公路，每日营业到晚上八点。

这样的墓志铭更为幽默的原因是，广告文体的实利性和墓志铭的肃穆性的错位，形成了不伦不类的怪异效果。如果它真是水果商人自己写的，那就是自嘲；如果这是别人杜撰的，那就是对于商人的唯利是图的讽刺。

二十一、汽车上的贴纸

美国人好幽默。不但在日常生活中，而且在正式场合，都力求表现其幽默感，甚至在厕所里也不放过幽默的机会。不过，厕所里的幽默往往是黄色幽默，不便引用。倒是在美国人的汽车上，常常可以看到一些贴纸，有一些语言相当逗人。

如果车子是比较老旧的，车子的主人常常就针对车子，发表一些故作大言的议论。

比如，在一辆老爷车的背后贴着：“我虽然有点旧，但是从不给主人找麻烦。”还有一辆破车背后贴着：“别看我老，可是我的分期付款，已经付完了。”这在幽默方法中，属于自我安慰一类。

至于那些比较神气的豪华车，则有另一类的调侃用语，大体上是和超车之类的事联系在一起的。例如：“如果你能看清楚我这行字，就说明你的车子离我太近了。”还有：“如果你再靠拢我一点，我就少不得来个自我介绍了。”这本是警告别人不要过分靠近他的意思，但是这样一来就改变了警告的性质，而变成调笑了。

还有更为幽默的：“别让我们因为相撞而相识。”本来相撞的后果意味着冲突，但是光用相识来概括，就把冲突的意味隐藏在字面以外。从这些小事上也可以看出美国人乐观、好逗趣的天性。

二十二、汽车上的俏皮话

美国人好开玩笑，甚至把调皮话、胡话（nonsence）普及到自己的 T 恤衫上。这种开玩笑的方式很快被亚洲人学会了，前些年内地大城市的一些女孩子的衬衫上，把美国 T 恤衫上“吻我吧”（kiss me）搬过来，还有“别理我，烦死了”之类。但是，这几年却越来越少了。虽然中国私人汽车越来越多，但是在中国大陆，乃至在香港、台湾地区，还是很少有人在自己的汽车上用贴纸开自己的玩笑；但是美国人在汽车上贴纸，总是别出心裁，有一种语不惊人死不休的倾向。

有张贴纸上的字是这样的：“我很可爱（I am cute）。”这和 T 恤衫上的“吻我”是一个路子。不过如果在 T 恤衫上写得太露骨，可能引来别人不客气的目光；但是在汽车上，不管你写上什么，人家拿你无可奈何。所以比较起来，汽车贴纸上的幽默，更加敢于向耸人听闻并进一步向思想与学术结合的路子上走。

一张贴纸上的字是这样的：“救命啊，谁来帮我把这张贴纸拿掉。”

另一辆汽车上的贴纸是这样的：“女人是天生的领导者，你现在就跟着一个。”一看就知道，这是一个女权主义者用贴纸来过一过她领导男人的瘾，你即使反对她，也拿她无可奈何。

二十三、加大荒谬的强度

一般说，幽默，尤其是戏谑性的幽默，就是用在亲人和朋友之间，也要慎重。要用，也得有个条件，就是语言上的荒谬，让人不觉得是真的，而是确定无疑的假定。有一次，有几个学生，当着一个教授的面说他不如我。这本来是戏谑性的，但是对于一些在场的外人来说，就有点发愣，不知是真话，还是戏谑。这时只要加大荒谬的强度，就可以突出其戏谑性，避免可能产生的误会。我就接过来说：“是的，我同意这样的说法。这位教授至少在四个方面不如我：第一就是骂人，第二就是放炮，第三就是吹牛，第四就是造谣。”

这四项都是荒谬的，表面上在贬低别人，实际上是在调侃自己，和在场的人的预期相反，所以就引发了笑声。但是光有这样的效果，荒谬感可能还不够，我又加了一句：“只有一点，我不如他。”大家很感兴趣地问：“那是什么？”我说：“那就是艳遇。”

这从根本上来说，就更加不可信了，假定性更强，戏谑性也就更强了。

第八辑

古代幽默

一、八股文的同语反复

八股文中的一股是对论题下定义的。由于思想限制很严，就产生了大量一本正经的废话。据说有一个题目叫作《二郎论》，有一个考生就这样下了一个定义：

二郎者，大郎之弟，三郎之兄，老郎之子也。

这种废话之所以好笑，就是因为定义要为命题的内涵作出规定，但是这里，对于论题没有作出什么起码的揭示，完全是在做着概念游戏。

有一次八股考试的题目是《事父母》，一个考生以设问作起：

夫父母者，何物也？

然后下定义。这个考生倒不是没有一点见解，而是发挥出了一个颇为有意思的界定：

父，阳物也，母，阴物也。阴阳配合，乃生此怪物也。

他没有意识到这是在骂自己是怪物吗？

还有一次八股的试题中有一个“鸡”字，一个考生就对此玩起了概念游戏：

其为黑鸡耶？其为白鸡耶？其为不黑不白之鸡耶？

主考官一看，很生气，就在上面批了一句：“芦花鸡！”再往下看，这个考生又写道：

其为公鸡耶？其为母鸡耶？其为不公不母之鸡耶？

主考官又批了：“阉鸡。”

这当然是民间故事，但也反映了当时的教条主义、无病呻吟的僵化的文风严重到何种程度。

二、女婿救丈人

中国古代幽默故事，常用同音异义的办法造成词义错位，趣味当然有不俗的，但是，往往并不是最有趣的。出格之作，常常是一些把圣贤当作角色拿来编排故事的。比如，要讽刺一个人被捧得太厉害了，直接说出来是很少讨好的；把孔夫子、孟夫子拿出来充当角色，由于角色反差比较大，故事就比较精彩了。

北宋徽宗时，皇帝下诏追封王安石为舒王，在孔庙里塑他的坐像。后来王安石的女婿蔡卞声威显赫，掌了朝政，奏请将王安石的座次上升到孟子之上。传说当时宫中的艺术家就编了一个戏：

剧中孔子坐在当中，颜渊、孟子、王安石站在两侧。孔子叫他们坐下，王安石拱手请孟子坐在上手，孟子推辞说自己仅仅封了一个公爵，而相公你贵为王，不能这样客气。

王安石又请颜渊上座，颜渊也推辞说是身居穷巷的平民，不敢上坐。

王安石不得已就坐在上手。

接着孔子坐不住了，请王安石上座，王安石反复谦让。

这时，子路愤愤不平，一把把孔子的女婿公冶长抓了进来。公冶长十分尴尬，问子路何故，子路说：

> 你身为孔夫子女婿，还不赶快救救你丈人！你看人家的女婿是怎么干的？

这则故事的幽默全在最后的一句话：圣贤地位的神圣性突然变成了市井小民的世俗性，在荒诞情境中渗透着讽喻性。

三、远志和小草

谢安最初只当了一个著作郎的小官，因病辞去了官职，隐居在浙江绍兴会稽东山，成为知识分子清高品格的旗帜。朝廷多次诏他出山，他都不肯。当时流传一句话：安石（谢安的字）不出，其奈苍生何！

直到四十岁，他才应聘当了当时权贵桓温的司马，以淝水一战而青史留名。

他功成名就之后，有些知识分子就对他有些不满。

有一次，有人送给桓温一种草药，学名“远志”，又名“小草”。

桓温就拿来问谢安，为什么同一种草药却有两种名称。谢安还没有来得及回答，旁边却有一个叫郝隆的，抢着回答说：

> 这个很好解释：在山野中（暗指隐居），就是远志；出得山来（暗指做官），就是小草。

谢安听了，面有羞惭之色。

对于这则故事，李贽评道：

> 郝隆的话说错了，应该是：隐居时为小草，出了山才是远志。

李贽这句话的妙处在于：表面上是反了过来，实质上是对谢安的讽刺——他本来就不想在山中做小草，他的远大志向就是出山做官。

李贽和郝隆意义相反的话都符合逻辑，二者形成了反差，意味就深长了。

四、愚蠢和幽默

中国古代史书上有不少大臣教条刻板的故事，按照柏格森“机械刻板”的理论，是应该产生幽默效果的，但实际上却与幽默相去甚远。

有时这种故事被冯梦龙一点拨，幽默之趣就油然而生。

冯梦龙在《古今谭概》辑录了不少这类的故事。有一则是这样的：

西汉的甘延寿、陈汤斩杀了匈奴的首领郅支单于，请求皇帝准许将其头颅悬挂于都城长安蛮夷外交代表们聚居的藁街，而丞相匡衡认为不妥，理由是，当时是春天，据《礼记·月令》，春天是掩埋尸体的时节，所以不应该悬挂。

在这则故事后面，冯梦龙批道：

> 请问匡衡，两位大将斩杀匈奴的时候，是不是在中央政府规定执行死刑的秋天？（意译）

这一批语，不但把匡衡的教条主义导致了荒谬，而且创造了一种游戏的语境，本来很愚蠢的故事变得幽默起来。

还有一则：北宋时期的理学家程颐给皇帝讲解经典，皇帝倚着栏杆顺手折了一枝杨柳。程颐就规劝说：“春天正是万物生长之时，不该无故加以摧残。”

皇帝很不高兴地把杨柳枝丢在地上，弄了个不欢而散。

冯梦龙在这则故事后面给了一句评语：

> 遇到孟夫子，好色、好钱都没有什么了不得；遇上程夫子，连一根杨柳都动不得。苦哉，苦哉！（意译）

五、放火和点灯

有些史书上的或者流传的故事，是很可笑的，但并不一定是幽默的。

唐朝有一位宗室叫李载仁，很不喜欢吃猪肉。有一次，他的部下有人打架，这位李载仁先生大怒，马上叫厨子拿来饼和猪肉，让打架的人面对面地吃，还对他们说，如果再犯这样的错误，给他们吃的猪肉里面还要加上酥油。

这个故事是有一点好笑的，但只是表现了李载仁的迂阔而已。如果李载仁这样说只是开开玩笑，就可能产生幽默感了。很可惜事实并非如此。

在冯梦龙所辑的《古今谭概》上，还有这样一个故事：有一个名叫田登的人，作了州官，规定不许犯他的名讳。犯了他的名讳的小官小吏，大都被他打了板子。正月十五过元宵，照例让民众进城观看花灯。由于“灯”字与他的名字“登”同音，掌管这项事务的小官在出布告的时候，就把“本州依例，放灯三日”，改成“本州依例，放火三日”。

冯梦龙在后面加了批语：

> 俗语云，只许州官放火，不许百姓点灯，本此。

这则批语在后代很有影响，但是这只是一本正经地提供了知识，并没有增加多少幽默感。

六、忌讳的尴尬

中国古代的笑话书，常常是满足合乎道理的智趣，情趣却往往受到损失。这个原理虽然简单，但即使像冯梦龙那样的大家，有时也未能彻底把握。

宋朝宗室有一个名字叫宗汉的，他非常讨厌人家犯他的名讳，规定所有涉及“汉”字的，都要改作“兵士”。他的老婆供奉十八罗汉，叫作“供十八兵士”，他的儿子读《汉书》叫作读“兵士书”。

这个故事，没有什么幽默感。

冯梦龙在后面加了一段注解：

> 十六国时赵国君石虎规定，每逢提到虎字，只许叫“王猛”；五代梁国君主朱全忠规定凡是与“忠”同音的钟，都只能叫“大圣铜”；有一个叫作李甘的，家人讲到柑子只能叫“金轮藏”；杨虞卿的家人，每逢说到鱼，就改称“水花羊”；更有一个叫陆

先的，因为牛字的上半段与他的先字相同，便规定把牛叫作“钝公子”。至于和尚把酒叫作“般若汤”，把鱼叫作“水穿龙”，鸡叫作“钻篱菜”，是为了用语言来掩饰自己不守戒律，尤其可恶。

冯梦龙讲出了这么多名讳而造成的尴尬事，很有智慧，许多古怪的事例加在一起，增加了趣味。但是，这只是一种智趣，而不是幽默所要求的情趣。

冯梦龙在幽默、滑稽、情趣和智趣上，常常暴露出他眉毛胡子一把抓的弱点。

七、“最不足取”的批语

五代时，有一个叫刘词的人，常常穿着盔甲、枕着兵器睡觉，对人说：“我是靠这些东西取得富贵的，哪能一刻忘怀它！”

冯梦龙批曰：

这么说来，中了进士的，就应该睡在书籍砚台上；做了财主的，就要睡在污土草灰上了。（意译）

这个批语写得极其简洁，又十分警策。妙在将谬就谬，把此人本来并不功利世俗之心导致极端荒谬，荒谬到超越现实的与污土草灰同寝的程度。

相比起来，后来的一些人在评点同类的故事时就缺乏冯梦龙的灵气。

有一个故事：清朝有一个姓丘的，自命清高，一个巡抚送了他“五金”，他就把他揭发出来，弄得那人丢了官。他在称病回到故乡之后，谢绝一切官员的馈赠，却欠了国家许多赋税。有一个县令对他十分反感，就把他拒绝收受的数百十金集中起来，向上级地方官员请示，用来顶替他所拖欠的国家税款。这使得他十分尴尬。

有一个叫朱国祯的编书人在这则故事后面写道：“此种人最不足取。”

从幽默的要求来说，这样的批语也可以批作“最不足取”——也就是最不幽默。

八、刻薄的道学先生

导致荒谬是一种间接的反驳，由于荒谬，往往能构成幽默的趣味，但是对象不同，也就要有不同的分寸。对平辈或者关系不甚密切的人，可以尖刻一些；如果是对自己的长辈，分寸感就特别重要了。

冯梦龙在他的笑话书中，引用过这样一则故事。有一个道学先生总是说：“老天如果不生个孔夫子下来，从古到今都是漫漫长夜。”有一位叫刘谐的翰林就说：“怪不得伏羲以前的圣人们整天点着火把走路呢！”

在伏羲以前，白天也不需点火把照明，所以也就不可能有这样的事情。这样的反驳有一点尖锐，但是也有一点调皮，所以算不上刻薄。

但导致荒谬若是用到了自己的长辈身上就刻薄了。这位刘谐先生在分家的时候，向自己的父亲要一个干练的仆人，父亲却给了他的哥哥。他抗议，父亲说：“同胞兄弟如同一个人的左手和右手，有什么分别呢？”

等到他父亲病了，要他搔搔右手，他却故意去搔左手。父亲说：“错了。”刘谐说：“左手和右手有什么区别呢？”

对这样的导致荒谬，冯梦龙的评语是：“其虽亲必报如此！”其实问题不在于亲不亲，关键在于针锋相对，而且出于报复，这就显得无情而刻薄了。

九、笑话之忌

中国古代没有幽默理论，笑话书也很少有理论，唯有清代陈皋谟《半庵笑政》有一点理论，共分笑品（品位）、笑候（机遇）、笑资（材料）、笑友（搭档）、笑忌（忌讳）。其中最有意思，也是最为深刻的是“笑忌”：“刺人隐事，笑中刀，不理会，涉阃政，侮圣贤，分左右袒，令人难堪，牵强，先笑不已，寓炎凉。”这里有不少精彩见解，可惜由于不讲究分类，所以显得混乱。

以上这一切，大抵可以归为三类：

第一类是带有强烈封建意识形态忌讳的。例如：涉阃政、侮圣贤。

第二类是与幽默的缓解冲突沟通心灵的功能不相容的。例如：令人难堪、寓炎凉、刺人隐事、分左右袒。在这些忌讳里面最为重要的是“令人难堪”。“寓炎凉”“刺人隐事”之所以要不得就是因为它“令人难堪”。

第三类是妨碍心灵默默沟通的。例如：不理会、牵强、先笑不已。“先笑不已”之所以成为大忌，就在于自己先笑，只能显示自己的智慧优于对方，这就有碍于他人在顿悟中体会自己智慧的乐趣，只能引起别人的烦厌。

十、默会——顿悟

《半庵笑政》可能是中国古代唯一的笑话理论，其中有许多有意思的提法，不过很可惜，良莠不齐，重要的和次要的交叉纠缠，头绪比较杂乱，但是，这并不妨碍其中包含着相当智慧的见解，如其中《笑品》提出的“默会”，就很有见地。

笑话上升为幽默，要求一种默默的沟通，无声的意会，而不是有声的、直接的灌输，最忌是强加。幽默感的形成，关键在于讲述者把自己想说的结论预先留在逻辑空白中，让对方在接受了上下文以后，默默地进入你逻辑狭窄的通道中，获得领悟。用“默会”这样的语言，和禅宗所谓“顿悟”，有异曲同工之妙。

任何一种幽默的逻辑结构中所包含的信息，一旦公开地讲述出来，顿时就失去了趣味。说幽默感起码的条件就是含蓄，是不太完全的，它还要求不太晦涩。太晦涩不利于对方默会。好的幽默必然把听者硬是逼到“默会”的焦点上去。

近日见报端载金庸善诙谐故事。金大侠见一小女子曰：

此女子之美丽增长率，为吾所见之最者。

一听到“美丽”，那女子甚为开怀，但是不久，有人告此小女子曰：“金大侠此言，其实是说你小时候，很丑陋也。”小女子立即怅然若失。

从开怀到怅然，条件是“默会”，或者顿悟。从无声的默会中，突然意识到金大侠事先预留的结论。如果此结论不是与表面上的感觉恰恰相反，则还不能达到幽默的层次。

十一、笑话的素材

古代著名笑话理论《半庵笑政》，可谓不乏见地，但其中有《笑资》一节，则不能不说是糟粕了。

所谓“笑资”，就是嘲笑的对象。在本书的作者看来，“笑资”不外是：“口吃人相骂，乡下人着新衣进城拜年，听醉语（醉汉胡说），哑子比势（哑巴用手势来代替有声语言的窘相），痴人听因果垂泪，对客泄气，长人着短衣，村夫掉书袋，学官话，和尚发怒，帮闲客作足恭状，胡子饮食不利便。”

这里自然有一些真正的幽默趣味，比如“村夫掉书袋”，好好的人话不讲，倒要拿出古人书本上的话吓唬别人，要提高自己的身份，不想却为难了自己。

除此以外就是低级趣味：口吃是人的生理缺陷；胡子长吃饭不便，嘲笑人家是缺乏同情心；乡下人穿新衣进城拜年，对之肆意贬低，恰恰暴露了作者的浅薄的优越感。至于痴人听古人因果而垂泪，正是他的可爱处；和尚本该六根清净，偶尔不能克制，发起火来，也正是其人性不能泯灭的表现。正是其可爱之处，当作可笑之谈资正证明作者的俗气。

《半庵笑政》难能可贵地把不登大雅之堂的笑话作为研究的对象，本是很有勇气的，但可惜的是，作者缺乏悲天悯人的情怀，对弱者缺乏同情，加之文化素养又比较低，连分类也不合乎规则，令人遗憾之处不少。

十二、死到临头

死到临头一般是幽默不起来的，只有特别具有幽默气质的人才能轻松得起来。在西方有绞刑架下的幽默。

有一个美国人甚至收集了一本关于死刑犯在临死以前的幽默故事。其中有一条是这样的：

一个人走上绞刑架，神父来给他祈祷，他说："不用了，关于那边的事情，我将比你更为清楚。"

在中国，一般说这样的幽默是很少的，因为中国人传统中的实用价值理性比之西方要强得多，但是除了金圣叹那样的"落地的人头，好快刀"以外，在一些笑话书上也往往有个别超越实用理性的幽默。

有一个姓邢的进士，身材矮小。鄱阳劫贼抢了他的钱财还要杀他，正当劫贼举刀的时候，他说："人家称我为邢矮子，如果你再把我的头砍掉，我不是更矮了吗？"劫贼听了他的话，不觉大笑，放下了刀子。

这个故事的幽默感在于：一般人死到临头的时候，对于死亡的恐惧会压倒一切自由的思绪，而这位进士居然能超越死到临头的痛苦，幽默起来，这不是一般人能做到的。正因为这样，这个故事在中国许多古代的笑话中显得特别精彩。

十三、怕老婆甚于怕贼

中国古代笑话中有不少比较庸俗的：有讽刺残疾的、口吃的、贪吃的……这类故事很少经得起时间考验，因为都是针对人的生理性毛病的，而不是属于情感状态的，故显得浅薄而无聊。

真正精彩的往往是超越了生理而深入心理的，其中关于怕老婆的常常比较深刻。尤其是把矛头指向地位比较高的人，如知识分子，达官贵人等就特别隽永，虽历千年而不减其生命。有一则是这样的：

唐代中令王铎，平日很怕老婆。黄巢造反时，他带兵镇守渚宫。身边只带姬妾，而不带夫人。一日有人来报，夫人就要来了，王铎闻言大惊："黄巢从南面逼近，夫人又从北方悻悻而来，情况紧急，如何是好？"手下人说："还不如投降黄巢呢！"众人哄堂大笑。

这个笑话的好处在于三个方面：

第一，把怕老婆的程度大大夸张了。在听到老婆要来时，居然把怕老婆和怕造反的大军相提并论。

第二，把怕老婆的程度夸张到比怕造反的武装军队更为严重。

第三，所有这一切都不是直接说出来的，而是通过投降黄巢的结果让读者去想象其原因的。

十四、不和谐的诗

现代汉语中有"打油诗"的说法，说的是滑稽调笑的诗体。打油诗这个体裁是由一个真实的人名来的。明朝四川诗人杨慎的《升庵外集》中记载，唐朝南阳有一个姓张名打油的读书人，喜欢作滑稽、调笑的诗。最著名的是一首形容下雪的：

江上一笼统，

井上黑窟窿。

黄狗身上白，

白狗身上肿。

这首诗因为把下雪这样充满诗意的景象和狗联系在一起，因而显得滑稽。其实，他的打油诗并不止这么一种风格，还有两首也是很有味道的。其中之一同样是咏雪的，题在官衙的墙壁上：

六出飘飘降九霄，

街前街后尽琼瑶。

有朝一日天晴了——

使扫帚的使扫帚，使锹的使锹。

另外一首是写南阳被叛军包围，官方正向各处求救兵的：

天兵百万下南阳，

也无救兵也无粮。

有朝一日城破了——

哭爹的哭爹，哭娘的哭娘。

张打油的这两首诗之所以成为打油的一体，就是因为它显而易见的不和谐。首先，在第三句以后，突然改变了节奏和风格，一下子从五七言的歌咏调子变成了说白的调子，形成了一种顿挫之感；其次，最后两句的通俗，甚至粗俗，与前三句文雅的风格完全相反，形成了文雅和粗俗的错位。

十五、囿于实用

中国古代的笑话书当然有不少好东西，但是总的说来，往往是机智多于幽默。机智能逗人笑，但很难令人莞尔而良久沉吟。有这样一则故事：

某甲向某乙借贷若干，言明二分利息。到期不还，某乙乃致函索取。甲乃先还少许，过数月续还若干。积一年余，还清本金，致书曰："本金分文不欠，所叨光者利息而已。"

某乙很是恼火，但未发作，不久就向这位某甲借了一件绸缎袍子，长久避而不见。过数月，以一尺绸缎还之。致书曰："所借尊衣先还一袖。"数月后又送上三尺绸缎，致书曰："再还一襟。"积二年余，悉数将袍子之表里衣料还清，告之曰："所借尊衣，不少分寸，所叨光者，成衣匠之价耳。"

这样的故事虽然不得不说有趣，但是离幽默的情趣还差得很远。幽默的价值是超越实用价值的，超越了物欲，情趣才能交流和共享；但在这则故事中，是对于对方物质上的损害，毫无情趣的共享。幽默的情趣是宽容的；而在这里是针锋相对的。幽默是无声交流，将自己的进攻变成对方的顿悟；而这里，恰恰是变本加厉的报复。正是由于这三点，这样的故事局限于维护自身物质利益的机智，而与情趣的无声的共享和顿悟不可同日而语。

十六、八文钱的酒宴

一则古代笑话说：一个秀才想留自己的朋友吃饭，搜尽衣囊，只找到八文钱，颇有一点窨。家里的老仆人说，八文钱挺够的了。秀才乐得让他去操办。老仆人拿六文钱买了两个鸡蛋，剩下的两文钱，一文买了韭菜，一文买了豆渣。

第一道菜上来，是碧绿的韭菜上铺着两个蛋黄。老家人说，此菜虽然不名贵，但有个雅名，叫作“两个黄鹂鸣翠柳”。客人一笑。

第二道菜上来，是韭菜上面铺着蛋白。老家人又说了，这一道菜虽然也不算名贵，但也有个雅名，叫作“一行白鹭上青天”。客人又报以微笑。

第三道菜上来，是一盘炒豆渣。老家人说，这也有雅名，叫作“窗含西岭千秋雪”。客人又笑了。

最后一道菜上来，是一碗清水上面浮着两个蛋壳。老家人说，这还是杜甫的诗意，叫作“门泊东吴万里船”。客人大笑。

这样的故事比之一般的中国古代笑话，其趣味要高雅一些。原因就在于：第一，它把读者的精神提高到了一个超越世俗实用价值的境界；第二，超越了现实利害，把物质的贫困和诗的典雅作了不伦不类的对比，形成一种语义错位的效果。

十七、禁不住抬杠

兄弟三个人，喜欢抬杠，弄得不耐烦了，就互相约定：我们应该和睦相处才是，老是这样抬杠，实在不像样子。从今后谁再抬杠，罚三千文请和睦宴。三人都同意了。

不久大哥说，昨天街头一口井被街尾人家偷走了。

二哥说，怪不得半夜里街上湿漉漉的，人也乱哄哄的。

老三性子比较直，顺口就说：“你们真是胡说八道，井埋在地下，怎么个偷法？”

大哥、二哥就说了：“你抬杠了，罚款请客。”

老三只好回家去取钱。其妻问明了情由，就说，去睡觉吧，她来对付他们。

老三老婆把钱拿给大哥时说：“老三不能来了，只好由我来代劳。”老大顺口问为什么？

老三老婆说：“你弟弟昨天夜里肚子疼，五更生下一个小子，正在坐月子，不敢来。”

大哥顺口就说了：“胡说，哪有男人生孩子的道理。”

老三老婆说：“大哥你顶牛了，请客的钱，由你出了。”

这个故事的好处在于，它在很强的虚幻性的逻辑中将错就错，人们不会认真地计较它的大前提是否可靠，完全在超现实的逻辑中交锋，没有一般古代民间故事那种沾了一点小小的物质上的便宜就沾沾自喜的俗气。

十八、从滑稽到幽默

有一则古代笑话：一位书生应试，试题是《尚书》中的一句——“昧昧我思之。”这位书生把它写成了：“妹妹我思之。”考官见了这份卷子，哑然失笑。他没有去责备这位粗枝大叶而又想入非非的秀才，而是在卷子上批了一句话：“哥哥你错了。”两句恰成一副对联。

这显然是一则民间故事，而不是一个文人轶事，在中国古代的笑话故事中属于上乘。它好就好在故事中人物的心态，不是执着于考生的荒谬，而是从考生的荒谬中引出更大的荒谬。第一次荒谬是考生的荒谬，他所犯的错误是把庄严的经典变成了轻浮的挑逗。光有这一层荒谬已经有点可笑了，但还不是太好笑，充其量不过是到了滑稽的水平，因为这不过是念了白字而已，满足于嘲弄他人的知识水准低是俗气的。

第二重荒谬才进入了幽默的境界。

之所以幽默，就在于他超脱了知识，达到了情趣的境界：他从考生的荒谬中引申出第二重荒谬，主要不是为了帮助他提高知识水平，而是和他调笑，调笑的内容却用了庄重的律诗的对仗句法。这样不但他的荒谬效果乘了方，而且他的幽默感也乘了方。

十九、乱点鸳鸯谱

冯梦龙的《乔太守乱点鸳鸯谱》，不知为什么在我看来，一点也不乱。

宋朝一刘姓医生，子刘璞、女慧娘均已订婚。不料刘璞病重，其母欲以新妇过门“冲喜”，女方家长怕刘璞一病不起，就让儿子玉郎男扮女装代姐出嫁，混过三日，就可回门。刘璞家也怕自己的儿子病体沉重，就让女儿慧娘陪伴新娘。结果是一男一女同房，生米煮成熟饭。

等到刘璞病愈，小姑与“嫂子”之间的私情已经暴露。慧娘的婆家告到公堂，太守乔老爷作出判决：既然慧娘已经与玉郎两情相悦，应成其好事。作为补偿，让玉郎的未婚妻与慧娘的未婚夫成亲。刘璞则仍与未婚妻珠姨婚配。

这样的结局很符合中国人大团圆的欣赏习惯，但是其中阴差阳错的过程没有充分展开，就显得单薄乃至单调了一些。如果让乔太守把鸳鸯谱点得再乱一点，幽默感就可能更强烈一些。

本来，婚配上的阴差阳错是构成喜剧的好母题，世界各国比比皆是。莎士比亚就有

《第十二夜》，同样以女扮男装构成喜剧性的幽默效果。莎翁除了婚姻上的错位以外，还有伪造情书等等的恶作剧，错位和巧合的趣味就比较丰富了。

二十、孔子和陶潜

幽默这东西，真是有点玄，虽然有了车载斗量的专著和论文，但真正能把它说清楚的人还真不多。就连读林语堂的文章，都时常有这种感觉。例如，他说孔子幽默，为人温而厉，恭而安，无可而无不可，近于真正的幽默。

这在林语堂看来是幽默，而在我看来，不过是机智，甚至只是狡猾而已。

因为孔子显然不是在开玩笑。

至于说到肉不正不食，又是另外一个极端，拘泥得有点傻气了，事实上播下了日后道学先生僵化的种子，哪里来的幽默呢?

这里有个语境问题，换了一个时代和场合，在我们今天看来这是太傻气了，觉得好笑，但这不是他的幽默。正等于我们看到小孩子不高明的撒谎觉得好笑，不能说明孩子有幽默感一样。

不过他说到屈原、贾谊由于太认真而幽默不起来，倒是很恰当的。至于说到孟子的《齐人有一妻一妾章》也是幽默，那就去幽默太远了。这个齐国男子，天天到人家祭坟的地方去乞讨，回来吹牛，这明明是讽刺人死要面子活受罪嘛。

他把庄子、陶潜的文章和诗歌都以幽默概括之，实在是幽默的扩大化了。这种扩大化虽然不比肃反扩大化可怕，可是以一个狭隘的观念去硬套丰富多彩的文学世界，实在是作茧自缚，在我看来是可怕的。

林语堂先生大概不会说作茧自缚正是幽默的表演吧。

二十一、默契和反馈

幽默的笑是会心而笑，不是强加于人，而是把对方引诱到自己的逻辑圈套中去，让对方领悟自己埋伏在那里的机锋，这叫作默契。默契包括两个方面，一是默默地发出信息，二是默默地接受信息。即使在受到伤害的时候，双方都不能说穿不言而喻的事实，否则就破坏了默契。

鲁迅在《朝花夕拾》中讽刺过一个中医，此人本事不大，架子却大，出诊要大洋一块四角，深夜还要加倍，出城又要加倍。有一夜，一家人家女儿生病，他非一百大洋不去。依了他，他只是草草看了一下，开了一张方子，就走了。第二天，人家又来请他了，说是服了昨日他开的药方好多了。

他把小姐的手拉过来一搭，脉息全无了。（默默发出和接受后果严重的信息）便从容取了药方纸，提笔写道："凭票即付大洋一百元整。"（默默反馈信息）

主人说："这病看来不轻，用药还怕要重一点。"（默默拒绝信息，反馈）他说："可以，可以。"于是又开了一张药方："凭票即付英洋二百元整。"（对默契信息再反馈）还在下面署名，画押。（认真地反馈）人命关天的大事，双方讨价还价，反馈几个回合，能这样平静，这就是默契的功能。默契反馈的回合越多，幽默感就越强。

二十二、反话正说

幽默本性就是软的，因而它的锋芒是要钝化的；但是幽默又不是没有任何进攻性，只是不能直接进攻，要绵里藏针，把进攻性的话用赞扬性的语言包装起来。明明是要说他不好，可是字面上却都是好话，坏话被藏在好话的字里行间，这正是幽默的功夫。

明代一个医生死了。他的儿子找到当时的大文学家王世贞，请他写墓志铭。王世贞说：墓志不真则不能传诸后世，吾为尊公铭之。他写的墓志是这样的：

> 某公某，少学岐黄之术，壮而欲行之，偶感微疾，姑息试之，暴卒。

墓志都是庄重的赞扬的，只能讲好话，不能讲坏话。这里表面上没有正面去说坏话，但是却有春秋笔法：学了那么久，自己得了一点小病，试了一下，就完蛋了。其医术之差，不言而喻。

还有一个民间流传的庸医墓志铭，用的是陶渊明《五柳先生传》和八股文的句式。这在幽默术中叫作"戏仿"，追求的是反讽的效果。

其中有这样的话：

> 偶病，自医，一药而卒。呜呼！先生不卒，天下之卒者多矣，先生卒，天下不卒者多矣。

这一则还用了绕圈子的办法，用他的死与不死作为条件，和天下人的生死进行对比，妙在把这个人如果活下去，不知要医死多少人的结论，隐藏在绕口令似的八股文的句式中。

二十三、关于毛笔的幽默

中国正统文人一般是循规蹈矩的，但是这并不妨碍他们之中的一些人，花很大的工夫去搞一些游戏文字。游戏文字竟成了一种传统，从陶潜到唐伯虎，从宋濂到晚清的樊增祥，绵绵不绝。就连韩愈那样的大儒，也写过一篇开玩笑的《毛颖传》。

文章表面上写的是一个叫毛颖的人的世家传记，远及禹时，后来扯到秦始皇派蒙恬南伐楚，捉得了这个“毛颖”，把他的祖先的姓氏和兔子联系在一起。从他的性状到书同文的功绩，令人想到不仅是人的传记，而且是一种物的性质和功能。等到言及他对天人之书、诸子之说皆所详悉，正直邪曲巧拙，一随其意，便更可确定其为毛笔了。文章落实在皇帝在作秘密决策时，宫人均不得近左右，唯它例外地参与，皇帝戏称其为“中书君”（影射掌握行政最高机构）。最后，写到皇帝召见，毛“免冠（影射除去笔套）谢，上见其发秃（影射笔毛稀少），又所摹画不能称上意”，皇帝开玩笑说：“吾尝谓中书君，君今不中书邪？”这里用了一个同语双关：一个是作为官职的“中书”，一个是作为动宾结构的“中书”，其中的“中”，读去声，是中用不中用的意思。这就明显流露出来自己年事日高的悲哀，不仅是对于毛笔的调侃，而是韩愈的自我调侃了。

二十四、韩愈送穷

韩愈虽然鼎鼎大名，但也经历过相当穷困的煎熬。他在《送穷文》中就自述“愈以屡穷不遭时”，大概穷的滋味弄得他实在无可奈何了，他竟写出一篇把穷鬼送走的文章。

他说，早在高阳氏之时，穷鬼就死了，世俗也有送穷之俗，但是穷鬼竟赖着不走。

他在《送穷文》中想象：用柳车载了干粮，对它作三个揖，请他上路。但是穷鬼竟不肯去，说：“我跟你从小相伴四十多年，一直忠心于你，除了你以外绝不三心二意，就是人家嫌弃你，我也没有变心。你一定是信了什么坏人的谗言。既然我是鬼，又何必用车子和干粮？”

韩愈说：“你和你的朋友弄得我穷得语言无味，面目可憎。想规规矩矩又做不到，想为非作歹又不忍，其结果是一穷到底：一曰智穷，二曰学穷，三曰文穷，四曰命穷，五曰交穷。五个穷鬼，变成了五种祸患，弄得我饥寒交迫，备受攻讦。”话还没有说完，这五鬼就跳了出来，大叫大喊地说：“虽然你遭到排斥，但是我们不忍背离。逼得韩愈垂头丧气，只好把原来准备好了的车子和干粮烧掉。”

这样的自嘲，其幽默感在于：作者极其讨厌穷鬼，不仅是经济上的穷困，而且是智慧、学问、文章、命运、朋友，各方面都穷途末路。他以全部力量改变这种窘境，唯恐五大穷鬼不滚蛋，而穷鬼却是因为十分忠心于他，不忍背离。穷鬼出于好心的动机却给作者带来极大的痛苦，二者错位的幅度越大，越有喜剧性，也就越有幽默感。

二十五、恋穷不舍

韩愈写了《送穷文》，本来已经是牢骚文章、游戏文字了，这在中国正统文人当中是很少见的。韩愈自然也知道他的这篇文章和屈原那充满了忠君爱国之情的诗篇《离骚》不可同日而语，是速朽文章。可是，居然在韩愈死了多年以后，出了一个名叫桑悦的人，又写了一篇叫作《留穷文》来和他唱对台戏。

文章说，他问穷鬼是什么来头，穷鬼按照老套把自己和屈原联系起来，自称是高阳之苗裔，生为穷人，死为穷鬼；曾经陪伴孔子受困于陈，追随过原宪和子贡；孟子幸而未曾遇上，一遇到他，家底再大，也得变成穷鬼。穷鬼说他和韩愈也打得火热，韩愈本想驱逐，最后就改悔了。现在我和你亲密相随，你不曾责骂过我，我十分惭愧。你官职不显，工薪又在升斗之间。今天我决心永远辞别，有利于先生飞黄腾达。

对于穷鬼主动辞职，如果是韩愈肯定求之不得，然而这位桑先生却认为不妥，理由是相依为命四十年来，难道你真有本事决定我的命运？就是尧舜时你也在他们的土台阶和小房子里藏着。穷鬼也有穷鬼的用处，和那些事业上有成就的人也有可比之处。何况，歪打正着的事情很多，你又何必到什么虚无缥缈的地方去安身立命呢？于是，这位穷鬼大为欢欣鼓舞，且歌且舞地留了下来。

这种歪理歪推的逻辑，虽然不甚精妙，但多少有点幽默感。

二十六、官衙调笑

中国古代笑话中，说到官员的大都以反面的性质为多，不是贪渎，就是愚昧；不是怕老婆，就是文盲；而其身边人物，如衙役、皂隶、老婆、小妾之类，往往却十分聪明，不但能将官员的糊涂权威化解，而且还能游刃有余地将他嘲笑一番。

有一官员坐堂，闻役吏有撒一响屁者，官乃命：“拿来。”隶曰：“屁乃一阵风，吹散没影踪。叫小的何处拿得？”官员大怒，严令捉拿到案。小隶无奈，只得取一坨屎回来报命，曰：“回老爷，正犯是走了，拿得‘家属’在此。”这个“家属”二字的妙用，属于将谬就谬而获得胜算的模式。

在民间文学中，常有无地位的，以将计就计之术胜过有地位的。有一个《详梦》的故事这样说：有秀才，三考已毕，亟待揭选。夜得一梦，其妻善详梦，呼来详之，告妻曰：“见许多典册放在锅内熬煮。”妻曰：“初选当是主（煮）簿（主簿是官职名）。”数日后，又得一梦，告其妻曰：“梦见你我二人，皆裸体而立，身子却相背，何也？”妻曰：“恭喜，你一转身，就是县丞（现成）。”一方面是官职的名称，一方面又是夫妻做爱。故事的趣味本来有一点黄了，好在有恰到好处的含蓄。

二十七、机械刻板

柏格森关于笑的理论，集中到一点上就是活的心灵为机械、僵化的习惯和教条所束缚，于是就产生了不和谐，引人发笑。这种理论虽然并不完善，但是却能说明许多现象。不像有些抽象的理论，玄而又玄，令人摸不着头脑。清代《笑林广记》中有故事《及第》曰：

一举子往京赶考，仆人挑行李随行。行到旷野，忽狂风大作，将担子上头巾吹下。仆人大叫：“落地（落第）了。”

主人心里不悦，嘱曰：“今后莫说‘落地’，要说‘及第’，也就是到地上了的意思。”

仆人把行李拴紧，感慨良多地说：“如今任你飞上天去，也不会‘及第’了。”

这个仆人所说的话之所以好笑，就是因为他机械刻板地运用了主人的教导。本来是顺着主人的意思说，结果却恰恰违反了主人的意图，动机与效果的错位导致了荒谬。

故事的作者是清朝人，不可能读过柏格森的理论，但是在精神上和柏格森的理论不但是一致的，而且还超越了：机械刻板的结果，还有一个适得其反的反衬。这在新疆阿凡提的故事中比比皆是，柏格森的理论显然是有漏洞的。

二十八、财主自骂

在古代的民间笑话里，有钱人的形象不是吝啬的，就是愚蠢的，往往都是挨骂的家伙。有些直接用打油诗骂，很难有动人的地方，原因在于太直接，缺乏错位的机智和情绪的沟通。

有一则故事却别出心裁，让孔夫子骂他们，骂得牵强附会又歪打正着：

孔夫子见麒麟死了，哭个不休。弟子们为了安慰他，就弄来一条牛，身上用钱串挂着，说是麒麟复活了。孔夫子见了，说："这明明是一头蠢牛，不过多了几个钱罢了。"

这里骂人的艺术，完全靠了所指的错位，从牛转移到财主身上。古代笑话里，财主不但挨骂，而且还被嘲笑，题目很多，其中之一就是明明没有文化，可又很自信地装作很有文化的样子，弄出很多尴尬来：

一个财主和朋友在河岸上散步，看见山崖上有"江心赋"三字，错认"赋"字作"贼"字，读作"江心贼"，遂大惊失色，走避不及。友问其故，财主以手指崖曰：此处有贼。友告之，曰非"贼"，乃"赋"也。财主曰："赋（富）便 赋（富）了，可总是有些贼形。"这是用谐音字把骂贼的话变成了骂富人的话，把胆怯的抒情变成了骂自己的幽默。

二十九、骂人和狡辩

在笑话里，财主常有挨骂的时候，不过，和民间故事里的骂大有不同。在民间故事里，有时是骂得很刻毒的，而在笑话里却常常以俏皮取胜，有时俏皮到不惜使用文字游戏的程度。

有一则故事说，有一个姓李的土财主，颇有点骄横，有人就编了一个故事骂他——

有一个小孩子读《百家姓》的第一句"赵钱孙李"，要塾师作解。师解曰："赵是锋赵的赵，钱是铜钱的钱，孙是小猢狲的孙，李是姓张姓李的李。"

小孩子问："这样的排列，是不是天注定的。"

答曰："不是。"

小孩子问："能不能倒过来说？"

塾师说："倒过来说也通，只不过是：姓李的小猢狲，有了几个臭铜钱，一时就锋赵起来。"这里的"锋赵"殊不可解，可能是当时的口语，大概与疯和躁有些关系，总之，不是什么好意思。

在笑话里，被揶揄的财主，往往并不十分可恶、可恨。即使贪财，也有可爱、机智之处。一个故事这样说：

某财主有田数亩，租与张三种，每亩索鸡一只。张三把鸡藏在背后，财主就作吟哦状，曰："此田不给张三种。"

张三把鸡奉献给他，财主就说："不给张三种给谁种？"

张三就问："为什么一会儿不给我种，一会儿又给？"

财主说："起初是无稽（鸡）之谈，后来是见机（鸡）而作也。"这里的财主，虽然自私，但是其狡辩还算机智，并不完全是可恶、可恨的。

三十、秀才的尴尬

古代笑话，大抵出于一般中下级知识分子，包括一些穷秀才之手。然而，穷秀才的形象却很少有光彩的，大都不是穷酸潦倒，就是尴尬无奈。有时连他们的祖师爷孔夫子也跟着他们一起倒霉，一样处于困窘的地位，一会儿呆气得要命，一会儿世故得惊人。最动人的并不是那些直接表现秀才穷酸的，而是用寓言的笔法，侧面透露他们的尴尬处境。有一则故事是这样的：

老鼠与黄蜂结拜兄弟，请秀才做盟弟，秀才不得已，位列第三。一友人问曰："兄如何居于鼠辈之下？"秀才答曰："他们两个一个会钻，一个会刺，我只得让让他们了。"

在笑话中，秀才总是弱者，不管做什么都是吃亏，就连和妓女斗嘴都占不了便宜。

三个秀才到一个妓女家设东叙饮，问及一秀才所治何学，答曰："通《诗经》。"问及另一秀才所治何学，答曰："通《书经》。"秀才接着戏问妓女所通何经。妓女答曰："通月经。"众秀才大笑。妓女说道："列位相公休笑我，你们做秀才的，都是从这红（黉）门中出来的。"

这里用了一个谐音"黉门"，是古代正规学校的意思。把这样一本正经的话语和妓女的月经联系在一起，就构成了不伦不类的幽默。

三十一、呆气得可爱

秀才在笑话中，虽然没有什么光彩，属于倒霉蛋的角色；但是，比起某些学官、财主，甚至僧道，还要好玩一些，至少没有什么可恶之处。有时，特别是在他们倒霉得要命的时候，在呆气中带着些可爱。

一年乡试，有一个县的秀才全部落第。秀才们请来风水先生，说是孔夫子泥塑的像的"卵子"不合比例，略小了一点。请了塑佛的匠人来改造，没想到，圣人感到疼痛，大喝一声："你们这班文理不通的畜生，自己不好好读书，干我什么卵事！"

故事很精彩。想来，当年秀才们能不能得中，难免迷信得有些呆气。这种呆气的可笑，是不言而喻的；但是在这个故事中，把它与孔夫子的生殖器联系起来，这已经是有了一个层次的幽默；又让他这位大成至圣先师，老人家讲出这样村野之语来，幽默又增加了一个层次。

幽默的矛头并不落在孔夫子身上，而是落在了秀才们落第的呆气和无奈上。

这是荒谬的，但又是可同情的；这是超越现实的，但又是入木三分的。

在古代笑话中，这无疑是上乘之作。

三十二、文章的屁气

秀才的全部本事是做文章，但是在笑话中，偏偏是秀才的文章成为调侃、揶揄、讽刺的对象。讽刺秀才的文章做得不好，有八股气，如果从正面去说，是吃力不讨好的。比较杰出的笑话常常出奇制胜，从侧面出击。有一则故事说：一个瞎子双目失明，但善于闻香识气。有秀才拿一本《西厢》，问他是什么书？答曰《西厢》。问他为什么？答曰其中有脂粉气。又拿一本《三国》给他闻。答曰《三国》。问他为什么？答曰其中有刀兵气。

秀才觉得此人甚为神奇，就把自己的文章拿给他闻。瞎子说："这是阁下的文章。"问他为什么知道？答曰："有些屁气。"有一个值得研究的现象：民间笑话的作者应该是在仕途上不得意的秀才，但是他们对于自己或者同道的文章，却调侃得最为无情。此外还有类似的故事说，秀才害怕考试，怕做文章，比老婆生孩子还要怕。因为老婆是肚子里有，所以不怕；而秀才却是肚子里没有，所以怕得要命。

三十三、不亦快哉和金圣叹

金圣叹评点《西厢》，于《拷艳》一场前书数十则"不亦快哉"，本题外话，后为梁实秋、林语堂模仿，分别作幽默散文《不亦快哉》，风行海内，继起者不绝。台湾李敖作《不交女朋友不亦快哉》《不讨老婆不亦快哉》，极尽嬉笑怒骂之能事。

近日有出版社发起《不亦快哉》征文活动，海内名家多有以幽默散文响应者。

今阅金评《西厢》，读《拷艳》前文，方知圣叹先生原文，并非全系幽默。其中以真性情之自然流露，以坦率见长者，很值得一提：文曰：

身非圣人，安能无过？夜来不觉私作一事，早起怦怦，实不自安。忽然想得佛家有布萨之法，不自覆藏，便成忏悔。因明对生熟众客，快然自陈其失，不亦快哉！

这里所说的“私作一事”，我不得不做注解，显然是指手淫。身为封建士大夫，官至县太爷，居然坦率到这种程度，把自己的私事，主动、公开地披露，这是要有一点勇气的。他的人生观，似乎与李贽的任性率情有点相像。从这里也可以看出，中国的传统文人也不全是道学先生式的循规蹈矩，其中也有一点个性解放的成分，这种先锋人物在自我暴露的勇气上，可与卢梭的《忏悔录》比美。显然，这并不能算是幽默，但是没有这种精神是幽默不起来的。

三十四、直率与幽默

直率并不一定是幽默，小孩子口无禁忌所表现的是纯洁、天真，虽然也可能引起笑声，但是从根本上来说，并不是幽默。金圣叹在批点《西厢·拷艳》的前言中，其真性情的流露者比比皆是：闷热天气，前后庭赫然如洪炉，汗出如注，苍蝇纷飞。饭不能食，忽而大雨倾盆，身汗尽收，苍蝇尽去，饭便得吃。金圣叹不禁高呼起来：“不亦快哉！”看来他很喜欢率性欢呼，猫抓了老鼠去，他欢呼：“不亦快哉。”

私处有癞疮，以热汤澡之，他也欢呼：“不亦快哉。”

这些真性情的自然流露，似乎与幽默还搭不上界，但是真性情流露到不怕丑的程度，就有点儿幽默感了。

他说自己想当和尚，又怕吃不成肉。如果允许当和尚的吃肉，他就马上用快刀把头发剃个干净。

这就是幽默中的自我调侃了。其特点是把自己说得有点不堪，和常人自我美化的倾向形成反差。

自我调侃的关键是分寸感，不能太温，又不能太火，不管多煞风景的事，不能有伤大雅，不能给人品质恶劣的感觉。

他又说早上起来，听城中一个人死了，大家都不免叹息。问明了此人乃“一城中第一绝有心计人”，他就不但不感到悲哀，而是感到“不亦快哉”。

幸灾乐祸，如果是针对心地善良的人，就太恶毒了；但是针对“一城中第一绝有心计人”，就多多少少有点善良、有点可爱了。

三十五、情人和赶驴的

读一首民歌，大概是明清时代的，名曰《打枣杆歌》，其词曰：

送情人直送到丹阳路，

你也哭，我也哭，

赶脚的也来哭。

“赶脚的，你哭的是何故？”

“去的不肯去，

哭的只管哭，

你两下里调情也，

我的驴儿受了苦。”

幽默民歌在中国古代是很少有的。这里幽默的情趣来自：

同样是哭，却有不同的缘由。情人哭，是由于别离；赶驴的哭，不是为了同情别离之苦，而是怕自己的驴受累。把人和驴子并列，本来已经不伦不类了，再加上送情人的抒情是很庄重的，而对于驴子的怜惜是滑稽的，二者混在一起，形成了错位，构成了不和谐，幽默感就产生了。这也就是西方幽默理论中所说的“不一致”（Incongruity）。

这种不一致的水平非常之高，关键在于，从对象到情调，反差异乎寻常地大，不一致相当悬殊，而这悬殊的不一致又是被安排在几乎是同样的哭里面，张力就更加强了。

西方人说幽默感产生于不一致，这是不够完整的。强大的幽默感是产生于不一致中的高度一致。没有高度的一致（哭），不一致也就难以引人发笑。

因此，我把西方的“不一致”（incongruity）原则，改为“错位”。错位与“不一致”的不同，就在于：“不一致”中，没有一致的东西；而“错位”中，除了“不一致”的部分以外，还有一致的部分。把小孩子的特征融汇到小老鼠身上去，变成米老鼠是可爱的，因为小老鼠与小孩子除了不一致的部分以外，还有相当相通的、一致的部分；如果把小孩子的特征融汇到老掉牙的大象身上去，就幽默不起来了。因为，其中只有不一致，而很难有一致的、相互重叠的部分。

三十六、葡萄架倒了

怕老婆，在中国传统观念中是很不光彩的，古代笑话里就有不少讽刺男人怕老婆的故事。这些故事一般比之一些讽刺教书先生不识字，嘲笑厨师不会做菜，挖苦财主小气等要隽永得多。原因在于，讽刺人家水平低、小气，都容易陷入实用世俗的窠臼；而怕老婆的故事则往往超越实用价值，有比较自由的情感。

有个小官很怕老婆，夜里被太太抓破了面皮，次日上堂，太守问起，小吏支支吾吾推说，昨日葡萄架倒了。太守以自己怕老婆的经验，推断是被老婆抓破的，乃差人捉拿刁悍泼妇。不料太守夫人在后堂听到了，快步走来，凶相毕露。太守一见，慌了手脚，赶紧对差人说："你先走吧，我这里的葡萄架子也要倒了。"

这个故事的好处在于，太守在同一时空里的相反的表现，更为有趣的是，他所用的暗喻"葡萄架倒了"，是相同的，但是针对的对象却是恰恰相反。在同一话语中包含着相反的内涵，这是一种内涵特别丰富的"错位"（用哲学的术语来说，就是自相矛盾），幽默效果比较强烈。

三十七、和尚吃荤

中国古代，诗占着很重要的地位，不但在表现人的文化才能方面有广泛的应用，就是在幽默的、游戏的领域，诗歌也有很不可忽视的作用。用诗来开玩笑，从事游戏文字，是文人的爱好。这种风气，甚至波及佛门。

有一个佛家大师号称"得心"，此人虽然被尊为大师，但是并不想遵循佛门的戒律。按照佛门的清规，不但不能杀生，不能食荤，而且不能吃蛋，因为鸡蛋是未来的生命。有人为了刁难一下这位大师，送给他一些熟鸡蛋，看他怎么办。这位大师拿起来就吃，人们笑他违背了佛门的戒律，他不但不感到心虚，反而轻松地作了一首偈诗以示众人。诗如下：

混沌乾坤一壳包，
也无皮血也无毛。
老僧带尔西天去，
免在人间受一刀。

这首诗颇为幽默，因为其中有思路错位。这位和尚避开他把未来的生命消灭了这条通常的思路不说，而从另一个方面找到一条思路：我把你吃了，可以让你免除长大了被人杀了下锅煮的命运。

这两条思路纠缠在一起，就好笑了。

三十八、吹捧性幽默

诗歌，在中国古代作为官场的考试方式、交际手段，甚至调笑形式，是很风行的。有时用诗来调笑，竟敢弄到皇帝面前去。明代一位著名的才子叫作解缙，陪皇帝在御花园钓鱼。这位解缙是个钓鱼的能手，而皇帝却很不在行。钓了半天，皇帝毫无收获，自然着急，解缙则更为着急。为了免得皇帝不高兴，解缙就利用了他很拿手的诗艺来缓解这种矛盾。亏得他颇有急才，当场就做出了一首诗来：

数尺丝纶落水中，

金钩一抛影无踪。

凡鱼不敢朝天子，

万岁君王只钓龙。

这首诗从因果的歪曲和思路的转移来说，是符合幽默的规律的。

他把通常的思路（皇帝因为无能，所以钓不到鱼）掩盖起来，自然地转移了，而用另一个思路，或者因果（一般的鱼不敢朝见天子，一般的鱼不配让皇帝来钓），来解释皇帝为什么钓不到鱼。

这固然很机智，也有幽默的情趣，但是这种明显的吹捧，却和幽默的高雅背道而驰。

三十九、滑稽与幽默

有一首打油诗，写的是下雪的情景，形容雪下得满地都是一片白。

原文是这样的：

天地一笼统，

井上黑窟窿；

黄狗身上白，

白狗身上肿。

这首打油诗读起来很好笑，但是很难给人以幽默感。因为这仅仅是滑稽，而不是幽默。

幽默要有比较深长的意味。这里所表现的，仅仅是雪下得到处都是白白的，如此而已。它的好笑之处在于，把着眼点放在狗的外观的变化上。

本来，在诗这样的典雅的文体中，风花雪月，是四大基本意象，都是美化的对象。这已经成了中国乃至世界诗歌读者的共同预期，但是这里却非常煞风景地把雪和狗联系在一起。一个变白了，这还不算太好笑；另一个变更白了，这是人们的预期，但是这首诗，不是这样做文章，而是说它变得肿了。这就有点出乎人们的意料了，于是读者就忍俊不禁了。

关键在于，幽默不纯粹是笑。幽默的笑还要有一点意味，最好是比较深长的人生的洞悉或者是情趣，而这里却没有。

日本人把幽默翻译成有情滑稽。这里滑稽是有了，但是却缺乏比较高雅的情趣，所以就达不到幽默的水准。

第九辑

打油诗·魔鬼词典

一、北方民谣

若论说话，南方人真是不能和北方人相比。看电视台的谈话节目，不论什么北方人上去，总是讲得溜溜的，头头是道不算，还带上点子幽默，对耳神经真是一种享受。南方人看着，真是又甜、又酸。其实南方人不是没有幽默感，多少幽默感都让佶屈聱牙的方言卡住了。许多很有味道的民间幽默故事，甚至是荤幽默，一翻译成普通话，就给人语言无味、面目可憎之感。

20 世纪 60 年代我在福建农村，听到一首讽刺农村干部私分国家给贫苦农民的救济款的：

天上下红雨，救济救干部；

有的三十，有的廿五；

有的砌厝，有的娶姆（老婆）。

用闽南话念，韵押得很俏皮，听起来很幽默，可是用文字写下来就像是走了油的咸肉。

最近听到许多北方民谣，有讽刺官员的，有调侃爱情不忠的，在语言上几乎可以说首首都是精品。有一首我印象最深：

紧紧握着小姐的手，

心里激动得直发抖，

不知钞票够不够；

紧紧握住情人的手，

泪花点点往下流，

好日子还能有多久？

紧紧握住老婆的手，

一点感觉都没有，

好像左手握右手。

这首打油诗好就好在：夫妻感情等于零，用左手握右手来形容。这种形容妙在：第一，完全是荒谬的，既然是握手，就不可能是自己握着自己的手；第二，这说明不但没有感情，而且连感觉都没有了。

还有一首，更为简练：

小姐太贵；

贴子（情人）太累；

还是老婆最实惠。

最后这一句，把肉欲揭示得淋漓尽致，也真亏了北方人能这么尖锐而且刻薄。

二、诗词和骂人（存目）

三、当代打油诗

我对于打油诗向来是瞧不起的，手头有书，也懒得动手去翻翻，偶然在一家杂志上看到几首打油诗，耐着性子看了几眼，居然还把我打动了。

先看的是最后一首《浣溪沙》：

你说文凭是铜牌，

我说脸蛋是银牌，

她说年龄是金牌，

我说关系是王牌。

只因他家有后台，

公子稳坐钓鱼台。

这首打油诗给我的印象挺好。第一，用递进、叠加的办法，把当前人才竞争中腐败的因素强化到充满荒谬感。强调文凭还多少有点道理，但仅仅是铜牌而已。接着下来就越来越不合理了，小姐的姿色变成比文凭更为重要的资本；而年龄的重要性（金牌），又在关系（王牌）之下；最后，特别重要的是，家里老子成了后台，“公子”这一类的人物就可以稳坐钓鱼台了。第二，前面一连四句以铜牌、银牌、金牌、王牌比称，均以“牌”字结尾。最后两句，以“台”字结尾，以特殊的韵脚加强了戏谑性。

同一页上还有一首讽刺公款吃喝而忙于减肥的：

三餐酒席留，

一枕黄粱熟。

几度相思几度愁，

减肥梦不够。

公款吃喝悠悠，

顽症何时休？

显然，前面一首要好得多。原因在于前者全是反语，而后者都是正话。幽默是歪理，从正面说就太呆板了，不可能有歪理歪推的趣味。

四、牢骚民歌

民间打油诗，在艺术上虽然没有多大出息，但从我们古代采诗以观民风的传统来说，它对于老百姓的喜怒哀乐却有非常真切的反映。

我接触到几首新式打油民歌，都集中在对于腐败现象的讽刺上。

其一曰：

二月工资五月发，

书记出门坐华沙（一种小轿车的牌子），

县长骂声日他妈，

给我买辆桑塔纳。

这首诗的流行地区显然是比较穷困的西北部。在南方，华沙牌轿车早在几年前就淘汰了；桑塔纳德文原文（VOLKSWAGEN）是大众车的意思，其价格也是比较便宜的。

其二曰：

红中磨成白板咧，

骗子成了大款咧，

妓女住进宾馆咧，

送礼变成送款咧，

贪污买了保险咧，

有脸的没眼咧，

有眼的没脸咧。

一看这种民歌（花儿）的形式就知道是西北一带的。虽然都是现象的罗列，但是却很深刻。说的是一些行政官员成天无所事事打麻将，花天酒地；而本该执法的领导（有脸的），在腐败现象面前视觉瘫痪了。

还有一首，其概括力更强：

受奖的是弄虚作假的，

发财的是投机倒把的，

提拔的是溜须拍马的，

升官的是舍得花钱的，

受穷的是奉公守法的，

挨整的是单枪匹马的。

这首诗应该说更为全面，不是没有奉公守法的，只是没有得到应有的对待；也不是没有被整肃的，只是让那些最严重的家伙溜掉了。

五、可笑和抒情

漫画里的人物都是可笑的，可笑的人物都有一点怪异，有一点傻乎乎，但是并不讨厌，相反有一点可爱。丹麦著名漫画家皮德斯特鲁普有许多爱情题材的漫画，其主人公就是以可笑而可爱取胜的。

有一组漫画是这样的：一位女士坐在公园的长椅子上，一位男士从另一个方向走向这个长椅。他们之间有一棵树，有落叶飘零在长椅上。女士身边的落叶引起了那位已经就座的男士的注意，目光不断地向女士这方转来，两人不由自主地眉来眼去，终于相拥。

此时落叶如雪，越来越密。到了最后一幅，落叶变成了一座山，两人被埋葬，只剩下长椅的一角。

同一位作者的另一幅漫画具有同样的构思：一位男士在树下等候，女士姗姗而来。

此时树上光秃秃的，两人相拥。

树上长出了叶子，持续长吻。

树上开出了花朵，不断升高。

待到男女吻别，树已经长高，花已高不可及，男士遂爬到树上去把花朵采下来。

二人相拥而去，画面上只留下一棵枝叶光秃的、可怜的小树。

两幅漫画的妙处在于，用虚幻的夸张来强调人物情感的浪漫。作者对这种浪漫的情感，显然持赞赏的态度。但是，光是赞赏就没有幽默感了，浪漫和虚幻的、荒谬的效果（接吻、拥抱到被树叶埋葬，持续到树干长高以提示时间之长）互相反衬，抒情和幽默就水乳交融了。

六、虚幻消解对抗

这几年，内地青年漫画家虽然出现了不少，但是，幽默感能够令人称道的并不多。如果有一个例外的话，可能要算徐鹏飞了，他的幽默感得到了前辈漫画家方成的赞赏。

徐鹏飞还长于在平凡的生活中表现出幽默感。在题为《无题》的作品中，第一幅，一个人牵着一个戴着墨镜的人走过一座拱桥，背景是白天，两个人都穿着白衣，只有墨镜最为显眼。第二幅，背景是完全的黑夜，连月亮也没有，黑夜反衬着的仍然是两个穿白衣的人，在拱桥上同样的地方，那戴墨镜的人拉着他同伴的手把他牵向相反的方向。

这样的漫画虽然不现实，但是却能令人联想到一种荒谬的推理逻辑：白天，眼睛正常的人可以带路；在黑夜里，戴墨镜就可以带路了。笑就是从这里产生的。

七、精练为上

漫画家方成先生写过一本书叫作《笑的艺术》，大都是分析漫画的幽默和讽刺的，也有自己创作体会的。方成先生不是理论家，他的幽默理论并不见得十分深刻，但是作为一个漫画家，他对于创作构思的修改过程的论述有独到之处，往往包含着一些操作性的程序，这是一般理论家所不能及的。

最有特点的是，他说到自己的一个构思：

第一幅是一辆汽车开过去，一个人推着一个货箱在后面猛追，货箱像车轮子一样旋转着。

第二幅是汽车上放了一个货箱，推货箱的人安心地走开了，但是那上面醒目的大字“请勿倒置”四个字还是倒着的。

他对这个构思不满意，改成了：第一幅依旧，第二幅汽车上的货箱上的大字“请勿倒置”变成正的了。

我觉得这样改法并不见得更好，但是他却认为挺不错，因为这说明推货箱的人早已把货箱作车轮状推了好久，再放正已经没什么意义了。

我倒是觉得第三幅修改稿最好：它只有一幅，就是一辆汽车，车厢上面只有一个货箱，那上面的“请勿倒置”四个大字堂堂正正地倒置着。

这平静的荒谬感更为一目了然，也更发人深思。

八、寓言性和漫画

所谓寓言性幽默，是我杜撰的术语，指的是没有直接的社会人情或者政治文化的讽喻，表面上是纯粹的调笑，实质上是有人性的调侃。这在西方漫画界是很流行的。有一组这样的漫画：

第一幅，在大雨中，一个人手里拿着一把伞惊慌逃窜，一头狮子在猛追。

第二幅，雨还在下，狮子得到了伞，此人安然脱险，狮子神情怡然自得。

狮子追人，不是为了吃人，而是为了要伞。这和狮子的本性发生了矛盾，兽性变成了无赖的、傻里傻气的人性，残酷性被降低到最低点，其容易满足的痴憨却得到了充分的表现。

呆傻性和兽性的不一致，产生了可笑之感。这里所表现的显然不是兽性而是人性的寓言。

这种超现实的寓言是漫画特有的。

类似的例子不胜枚举：一只小鸟在笼子中拉着放风筝的线，风筝飞得高高的。小鸟说：“飞吧，风筝！”

又如：一个男人飞跑着，把鸟笼子高高举着，好像放风筝一样，以便让笼子里的小鸟有飞翔的感觉，而不是把小鸟放出去。

在这一类作品中，最为著名的是获得日本“读卖国际漫画大奖”的《自由》：画面上是一个主妇，正在喂小鸟。为了让小鸟吃得更为自在，女主人的手上戴上了一只母鸟头形的手套，食物正是由人造母鸟的嘴巴喂给小鸟的。

前一幅强调的是爱鸟者的自作聪明，后一幅表现的是爱鸟者母性的自然流露。

显然后一幅更为幽默。

九、形式感和幽默感

西方漫画除了富有社会文化内容的类型以外，还有以漫画的纯形式感取胜的。有这么一组连题目也没有的漫画：

第一幅是一个男人面前放着满满一玻璃杯红色的葡萄酒，而他的眼珠却是无色的。

第二幅是他一口气把这一杯葡萄酒喝光了。

到了第三幅，酒杯变成透明了，而他的眼珠却变成红色的了。这里的幽默感得力于人物基本不变，杯子和眼珠的变化却形成了对比。这种对比完全是形式本身的，可以说是没有内容的。这是漫画的形式感在起作用。

还有一组叫作“完蛋”的漫画：

第一幅是一只大鸭子，头部和尾部都很简单，只有腹部像一个球，很突出。

第二幅，这只鸭子蹲了下来。

第三幅，画面上留下了一只大鸭蛋，而这只鸭子圆圆的肚子却消失了，躯体细得由两根线组成，头部和尾部却显得很是夸张了。

在这种漫画中，社会现实内容可以说是没有的，隽永的幽默感产生于对比的荒谬性。

有一些纯形式的漫画，多少有一些社会内容。有一组叫作《指纹》的漫画，三幅连环性的画面全都由指纹的几何线条组成：

第一幅的标题是抢劫犯，指纹当中的线条组成一把手枪。

第二幅的标题是盗窃犯，指纹当中的线条组成一把钥匙。

第三幅的标题是强奸犯，指纹当中的线条构成女性的阴部。

三幅画的线条几乎都是抽象的，但是在纯形式线条中加入了社会性的内容。当然这种内容也还是游戏性的。

十、魔鬼词典

孩子告诉我，市上有一种叫作《魔鬼词典》的书，很有意思。比如有一个词条是这样的：“母亲：这就是当你到达青春期的时候，她已经到达更年期的女人。”又比如：“爸爸：就是被妈妈骂得把下巴埋进报纸的人。”

这种所谓词典，其实不是真正的词典，因为词典的特点是给每一个词条下科学的定义，而上面所说的父亲、母亲的定义却是不伦不类的。给任何一个词下一个不伦不类，然而又提示了某种深刻的社会真实的定义，正是构成幽默的一种相当流行的方法。

其实这种方法并不是魔鬼词典的专利，我在许多作家、艺术家的作品中经常看到类似的例子。比如说，在巴金的《家》中，觉慧就说过："家就是宝盖下面一群猪。"王朔则说，家就是你大便感到特别舒服的地方。黄永玉先生在一篇文章中说，喷嚏：这是一秒钟不到的忘乎所以，它的功能是让旁观者惊喜交集。所谓镇静，则是到处找不到厕所而强作潇洒的那种神气。

觉慧的定义从文字的结构上看，这是说得过去的。王朔的定义也能唤醒人们的某种记忆。所有这些先生们的定义的特点就是，远远地离开了中心含义，而所给出的定义与约定俗成的潜在感觉相比照，显而易见地显得不伦不类，这就构成了幽默。

十一、愤世嫉俗

在美国很著名的《愤世嫉俗词典》（或者译为《魔鬼词典》）中的词条，大都是很幽默的。比如："大炮：用来校正国家边界的仪器。"

好在把武器用来争夺领土的功能说得很彻底，如果光是彻底，也就没有什么幽默感了。之所以幽默，就是因为它把大炮当作了"仪器"，这就把它的破坏性和造福人类的科学不伦不类地在表面上结合在一起，在内涵上却错位了。

当深刻的喻义和扭曲的概念（错位的内涵）发生纠缠的时候，幽默感就油然而生了。这样的定义中包含着某种讽喻的意味，但是限于调侃，而没有多少攻击性。

如果把攻击性的成分增强一点，就可能成为讽刺了。如："牧师：这种人为我们安排天国的事务，为的是使他自己过好世俗的生活。"

把虚幻的天国许给别人，而把世俗的幸福留给自己。这种对比的荒谬感不但能把人的情感逗乐，而且能给人的思想以深刻启示。这就有很明显的讽刺性了。

如果这种讽刺是指向他人的，就比较严峻；如果是把自己也包括进去，就比较温和。比如："幼年：这是人生的一个阶段，介于婴儿的无知与青年的愚蠢之间，离中年的罪孽有两步距离，与老年的悔恨有三步之遥。"

十二、反向思维

要让自己所下的定义幽默起来并不太困难，最简便的办法就是把事情反过来看。通常人们之所以幽默不起来，常常是因为思路不够灵活，总以为事情一反过来就不成样子了。

比如，一般买花瓶都是为了养花，为了看美丽的花朵，但是在经过了一段时间以后，花瓶里留下的枯萎的花也会被人看到，这一点自然而然被省略，或者忽略了。

下定义的时候，自动化地省略某些事物的性质和功能，是定义揭示事物深度功能的必要条件。没有一条法令规定人们只能从美的方面给花瓶下定义，禁止人们从相反的方面给它下定义，但是人们对于花瓶的定义有一种习惯性的期待。

花瓶：一种容器，通常是用来观看花朵凋谢的。

一旦有人给花瓶下了这样的定义，人们就觉得有一种荒谬的怪异感，同时又有某种思路得到解放的深邃感了。同样的情况也出现在以下定义之中：

习惯：自由人的镣铐。

绞架：在这里灵魂与肉体分离，灵魂升空，但是在美国，最引人注目之处就是有那么多的杀人犯从这里逃走了。

习惯是不由自主的，但在定义里变成了镣铐；绞架是处死犯人的，在定义里却是把死刑犯放走的工具。这种表面上的自相矛盾的荒谬，暗示着实质上的深邃洞察。

十三、幽默的深度

自从美国人比尔斯在大约一百年前出版了一本《魔鬼词典》（或者译为《愤世嫉俗词典》《玩世不恭词典》）以后，这本书不知再版了多少次，比尔斯据说在美国几乎和马克·吐温齐名。

在中国，这本书却到 20 世纪 90 年代才有了译本，不过在短短几年之内，就印刷了近三十万册，足以说明其受欢迎的程度了。

《魔鬼词典》中的释义刁钻古怪，融奇趣与幽默于一体。其精彩不但在于幽默，而且在于深刻的睿智。其中最深刻的部分，往往达到了格言与反讽的统一，表面上是比较全面的，但是从反面看，尖锐，发人深省。比如：

灾难：灾难有两种：一种是我们自己的倒霉，一种是别人的走运。

又如：

诽谤：满怀恶意地把自己想做却又没有勇气去做的种种恶行强加于别人身上。

此人惯用下定义的方法把世所公认的信条加以解构，表面上是对之作出解释，实质上是对之彻底否定。这种翻案式的否定被称为“从后脑勺看真理”。许多最精彩的翻案都集中在对人性的洞察上，也有一些针对美国教会和政治的虚伪。正因为此，它是相当严肃的，但是后来它的层出不穷的模仿者却失去了比尔斯的批判精神，以调笑为唯一的目的了。

十四、当代魔鬼词典

由于近一百年前美国人比尔斯的《魔鬼词典》风行，在西方出现了不少模仿之作，我手头就有一本《当代魔鬼词典》。这些仿作者继承了比尔斯的批判精神，对于政治社会生活常常有所针砭。有时非常尖锐。比如：

政治家：这是一种商人，他经营的商店是政府。政治家分为两类，一类是自由党人，一类是保守党人。保守党人迷恋于现存的罪孽，自由党人用自己选择的恶行代替现存的罪孽。

又如：

税收：这是一种以保障安全为名的敲诈。老百姓向政府交钱，以便在监牢外面生活。

这种讽刺往往比较直露，把税收说成是敲诈，把在家里生活说成是在监狱外面生活，既相当怪异，又相当深邃。由于进攻性太强、太尖刻，从幽默的角度来说，还不能说是上乘的。

但是这样的词典，一旦接触到世道人心之时，往往就有一些比较成功的幽默。比如：

强奸：未经谈判而取得的胜利，没有参加比赛却赢得了奖牌。

这虽然尖刻，但还是比较幽默。原因是，比喻和事物本身拉开的距离很大，把犯罪说成是正当的外交、商务、体育运动中的胜利，荒谬感就强烈了。

有时，不是依赖比喻，而是以强烈的矛盾的张力取胜。比如：

怀孕：对已婚女子来说，意味着期待做母亲的欢乐；对于未婚女子来说，意味着随时准备做母亲的恐怖。

把同样的事情放在欢乐和恐怖的两个极端上，错位幅度很大，而且没有任何攻击性，只有对于情感方面的调侃，所以幽默感很强。

十五、废话经典

美国的《魔鬼词典》不但影响了美国人，而且在英国，模仿之作也纷纷出笼，最近甚至影响到中国。西安有一家叫作《幽默大王》(又叫作《喜剧世界》)的刊物，就有一个专栏叫作《废话经典》，其格式和思路都明显是模仿美国的《魔鬼经典》。其中当然也不乏精彩的幽默词条。比如："朋友：那个肯借钱给你的人。"

妙处在于有一个逻辑的空白，其中包含着：不肯借钱给你的就不是朋友。这一条似乎是从《魔鬼词典》中转化来的。

在《魔鬼词典》中关于交友的词条是这样的：结识一个忘恩负义的人。关于乞丐是这样的：一种依赖朋友接济度日的人。

《废话经典》给人似曾相识之感，原因在于讲到朋友总是在金钱和人际关系里兜圈子。虽然如此，还是有一点创造的。正是有一点创造力，所以，《废话经典》才有了一些可观的词条。比如："家庭：或者是精神禁锢的牢笼，或者是食宿全包的旅馆。"

这里用的是《魔鬼词典》中常用的在同一对象上把互不相容的矛盾性加以突出，构成错位的方法。又如："寡妇：终于摆脱了丈夫的纠缠，但必须时刻提防其他男人纠缠的女人。"

把事情的性质向一个极端层层推进、引向荒谬是《魔鬼词典》常用的办法。

十六、定义里的幽默

在西方有一种幽默是借助下定义的形式来展开的。本来下定义是一件十分严肃的事，要对任何词语下定义的基本要求是，把已经获得共识的深刻内涵用简洁的词语表现出来。最好的定义往往可能成为格言。

定义给人的感觉是庄重的，它不但符合人们的常识，而且把常识上升到理性的高度。如果偏离了常识，就不称其为定义，是低水平的表现。

但是，如果有一种定义，稍稍偏离常识，并不一定水平低。比如，热情：盲目之爱的显著标志。这有一点嘲讽的意思，但是多少有点深刻。它并不给人幽默感，如果进一步向常识挑战，就可能给人一种怪异的感觉。比如，成就：努力的终结和厌倦的开始。这就有点既好玩又有启发性了：一方面它肯定了"努力"，但是又强调了不再努力，而且注定了与厌倦相伴随。故意与人们的共识“错位”，意在讽喻一些人取得了成就便不求上进。如果偏离的幅度更大一点，感到到达与人们的共识相反的一面，就可能既相当怪异，又相当深邃了。比如，道歉：为将来再一次冒犯打下伏笔。又如，战斗：一种解决政治矛盾的方法，用舌头解决不了，就用牙齿咬吧。在滑稽中渗透着深刻的喻义，就是幽默了。